ELYSTAN

ATGOFION OES

ELYSTAN MORGAN

Argraffiad cyntaf: 2012

Golygydd: Huw L. Williams

Dymuna'r cyhoeddwyr gydnabod cymorth ariannol Cyngor Llyfrau Cymru

Llun y clawr: Iestyn Hughes
Cynllun y clawr: Sion Ilar

Rhif Llyfr Rhyngwladol: 978 1 84771 327 8

Cyhoeddwyd, rhwymwyd ac argraffwyd yng Nghymru gan
Y Lolfa Cyf., Talybont, Ceredigion SY24 5HE
gwefan www.ylolfa.com
e-bost ylolfa@ylolfa.com
ffôn 01970 832 304
ffacs 832 782

Cyflwynaf y llyfr hwn
er cof am Alwen
'O'r addfwyn yr addfwynaf'

DIOLCHIADAU'R GOLYGYDD

FEL BACHGEN O'R Dole, bu'r Arglwydd Elystan-Morgan yn adnabyddus imi er pan oeddwn yn blentyn ifanc iawn. I blant a phobl y pentref, pleser o'r mwyaf oedd ymweld â'i aelwyd ef ac Alwen. Serch y cof plentyn yma, cefais syndod wrth wrando arno'n annerch am y tro cyntaf, flynyddoedd yn ddiweddarach, ym Mhrifysgol Aberystwyth. Fe'm syfrdanwyd gan ei ddisgleirdeb, a phenderfynais yn fuan wedyn yr hoffwn ysgrifennu amdano.

Yn dilyn trafodaeth â'r Lolfa, penderfynwyd y byddwn yn mynd ati i geisio crisialu meddyliau a geiriau'r gŵr byrlymus yma mewn cyfres o gyfweliadau anffurfiol, ac rydw i'n ddiolchgar iawn iddo am ei gydweithrediad parod. Lawer gwaith mae Elystan wedi cyffelybu'r profiad o hel atgofion i'r foment honno pan fydd dyn sydd ar fin boddi'n gweld ei fywyd yn gwibio o flaen ei lygaid! Lawer gwaith hefyd rydw i wedi'i brocio i ymhelaethu ar ei syniadau ynglŷn â phynciau o bwys.

Hoffwn ddiolch i'r Cyngor Llyfrau am ei gefnogaeth hael ac i Lefi am ei arweiniad a'i amynedd di-ben-draw; i Alun Jones am ei gyngor a'i waith (yn ogystal a'i ysbrydoliaeth fel athro); i 'mrawd, Wyn, am ei gymorth ymarferol, ac i Rhiannon a 'nheulu am fod yn gymaint o gefn i mi.

Yn y bôn, ffrwyth cyfres o sgyrsiau yw'r llyfr hwn, a bu'n fraint arbennig cael bod yng nghwmni Elystan, a gwrando arno'n adrodd storïau neu'n dadansoddi ambell bwnc yn fanwl. Wrth i chi ddarllen y gyfrol, gobeithiaf y byddwch chithau hefyd yn mwynhau'r profiad o glywed Elystan yn sgwrsio â chi.

Huw L. Williams
Caerfyrddin
Hydref 2012

Cynnwys

Rhagair

Pan ofynnwyd i mi a fyddwn yn fodlon ysgrifennu neu gyfrannu at lyfr am fy mywyd a'm gyrfa, fy ymateb greddfol (a chywir, mi gredaf) oedd datgan barn ystyfnig nad ystyriwn fy hanes yn addas i'r fath ymarfer. Nid wyf wedi cyrraedd unrhyw uchelfannau arbennig nac wedi bod â'r cyfrifoldeb o wneud penderfyniadau a oedd yn effeithio ar fywydau niferoedd neu'n llunio cwrs gwlad a chenedl.

Ar ôl dadlau'r pwynt yn helaeth gyda'r Dr Huw Williams (a fu mor garedig a diwyd-amyneddgar â golygu'r gyfrol hon), daethom i gymrodedd trwy lunio'r gwaith fel ffrwyth sgyrsiau ar wahanol destunau – cans dyna oeddynt. Nid cronicl manwl mohono, felly, o holl fywyd dyn ond gŵr yn llawnder ei ddyddiau fel petai'n eistedd yn ôl yn ei gadair ac yn bodio trwy swrn o hen luniau, a'r atgofion a'r myfyrdodau a ffrydia i'r meddwl yng nghyswllt pob un ohonynt. Mae Huw i'w longyfarch ar sicrhau elfen o gymhendod ar fwndel digon digyswllt ac aflêr o hanesion dros ystod o dri chwarter canrif – a rhaid diolch iddo (neu ei feio!) am holi ymhellach am yr hyn a elwir yn y gyfraith sifil yn 'further and better particulars'.

Cydnabyddaf ddyled drom hefyd i'r ddau a fu'n cywiro'r proflenni, sef Mrs Marian Beech Hughes a Mr Alun Jones. Llafuriasant yn ddiflino ac ysbrydoledig, ac ynglŷn â'r brychau a erys – myfi yn unig a'u piau.

Fel yn achos pawb, mae'r cof yn storfa gymysg o'r melys a'r chwerw, y llyfn a'r danheddog, y tebygol a'r annhebygol. Mor gywir yw cwpled y bardd:

> A feddo gof a fydd gaeth,
> Cyfaredd cof yw hiraeth.

Gwreiddiau

Roedd fy nhad a'm mam yn hanu o hen deuluoedd Sir Aberteifi. Disgynnai fy mam o dylwyth y bardd a'r gweinidog Daniel Ddu o Geredigion ac roedd y teulu wedi byw am genedlaethau lawer yn Nyffryn Aeron. Roedd fy nhad o deulu a drigai ym mroydd Tirymynach a'r Borth ers rhai canrifoedd, ond a oedd wedi tarddu'n wreiddiol o ogledd-ddwyrain Cymru.

Bu rhai aelodau o'r teulu'n ddigon blaenllaw yn y gymdeithas, ym myd amaeth a chrefydd yn arbennig, a chymeriad diddorol iawn oedd fy hen dad-cu a anwyd yn 1818, tad mam fy nhad, y Parchedig Enoch Watkin James, Brynllys, o Dôl-y-bont, ger y Borth. Mae llawer wedi'i ysgrifennu amdano, yn arbennig gan John Evans, Abermeurig, yn ei gofiant i weinidogion gogledd Aberteifi – er nad yw'r hanes byw a lliwgar a geir yn y gyfrol yn un cwbl wrthrychol. Ffarmwr oedd Enoch James wrth ei alwedigaeth, ond yr oedd hefyd yn weinidog yr efengyl. Richard James oedd ei dad, ac Elizabeth Watkin, o fferm Brysgaga, Bow Street, oedd ei fam. Roedd yn dipyn o rebel pan oedd yn fachgen ifanc. Yn ddeng mlwydd oed aeth allan i saethu i'r gors. Aeth ergyd i ffwrdd yn ei law, ac mi gollodd ddau fys – ond ni ddychwelodd nes iddo saethu ysgyfarnog! Roedd yna rywbeth hollol ddi-droi'n-ôl ynddo. Daeth yn bregethwr efo'r Methodistiaid, ond byddai ei dad – a oedd yn Eglwyswr a Thori digymrodedd – yn annog eglwysi i beidio â'i dalu, gan fawr obeithio y byddai'n rhoi'r gorau iddi. Ond roedd Enoch yn fodlon iawn gwasanaethu'n ddi-dâl, ac er gwaethaf ymdrechion ei dad, daeth yn weinidog ar eglwysi'r Borth a Dôl-y-bont tra oedd yn ffermio Brynllys, lle roedd e'n dal les yn hytrach na bod yn denant i Gogerddan.

Dyn anghyffredin ydoedd: yn gynghorydd sirol, yn ynad heddwch, yn bysgotwr, yn farchog, ac yn saethwr o fri; yn wir mae sôn iddo ennill cwpanau am saethu gyda'r Gwirfoddolwyr (y 'Volunteers'), lle daliai swydd capten. Roedd yn ŵr o farn bendant, ac yn medru bod yn frathog ei dafod. Dywedodd dyn wrtho unwaith, 'Mr James, ry'ch chi wedi pregethu'r bregeth yna unwaith o'r blaen yn y capel yma.'

Atebodd Watkin James gan ddweud, ''Machgen bach i, mae yna lawer i bysgodyn twp, ma'n rhaid iti dwlu dy bluen dros dy ysgwydd lawer gwaith cyn y dali di fe!'

Gwnaeth enw arbennig iddo'i hunan fel meddyg esgyrn, ac mae yna storïau di-ben-draw am rai o'r pethau digon beiddgar, yn ein golwg ni, roedd e'n eu gwneud.

Mae yna hanesyn amdano'n mynd i bregethu yng ngwaelod Sir Aberteifi, ac yn cyrraedd ar nos Sadwrn a gofyn i'r teulu sut oedd pethau, gan nad oedd e wedi ymweld â nhw ers y flwyddyn cynt. Cafodd yr ateb fod pethau'n wael iawn – roedd y gwas wedi torri'i goes, a honno wedi mynd yn ddrwg, a phawb yn ofni bod y diwedd yn agosáu. Mi aeth i weld y gwas, ac yn wir, roedd y goes mewn cyflwr difrifol. Gofynnodd Enoch iddo,

'Oes gen ti ffydd yndda i?'

'Oes, syr,' atebodd hwnnw.

A beth wnaeth Enoch? Mi dorrodd y goes â morthwyl bach y byddai'n ei gario, yna'i glanhau a'i hailsetio. Dywedodd wrth y teulu,

'Pan o'n i'n cerdded i lawr y lôn, fe welais i fod gyda chi beipiau mawr pridd wedi'u stacio wrth ochr y ffordd. Cewch i moyn un o'r rheini, a golchwch hi'n lân â dŵr berwedig.'

Mi roth y goes, wedi'i phacio â wadin, yn honno, a dweud wrth y bachgen nad oedd i'w symud am rai wythnosau. Gofynnodd hwnnw faint oedd arno fe iddo fel tâl. Dywedodd Enoch,

'Dim o gwbl, 'machgen i, ond os byddi di ar wylie fyth pan fyddwn ni wrth y gwair yn Brynllys, gei di ddod aton ni am rai dyddie.'

Un o ugeiniau o storïau am yr hen greadur yw honna. Bu farw yn 1895, y flwyddyn pan oedd yn llywydd Cymdeithasfa'r De.

Mi ddaeth mab iddo, Watcyn James, yn feddyg adnabyddus ac yn feddyg pyllau'r Ocean, yr oedd David Davies, Llandinam, yn berchen arnynt. Rwy'n cofio Nhad yn dweud wrtha i iddo fynd i lawr i'r de, rywbryd ar ddiwedd y dauddegau, i feirniadu yn Eisteddfod Is-genedlaethol Treorci. Yno, derbyniodd gymeradwyaeth frwd fel bardd buddugol cadair Eisteddfod Genedlaethol Pwllheli, 1925 – ond cafodd fwy o gymeradwyaeth fyth fel nai i'r Doctor Watcyn James! Roedd hwnnw'n ddyn o gymeriad caredig, ac yn ystod cyfnodau o dlodi difrifol yn y Rhondda byddai pobl yn eu gwendid yn dod ato. Mi fyddai Watcyn yn dweud wrth lawer, 'Dim doctor sy isie arnat ti, ond pryd da o fwyd.' A byddai'n rhoi *chit* (tocyn) iddynt i fynd at y bwtsiwr a chael gwerth hyn a hyn o gig. Priododd y doctor ferch David Davies.

Er mai ffermwyr a gweinidogion y Gair oedd nifer o'r teulu, roedd gan fy nhad-cu, William Morgan, fusnes marsiandïaeth, ac agorodd siop Garn House ym Mhen-y-garn. Sefydlwyd ei fusnes tua diwedd yr 1870au ac mi dyfodd y pentref o amgylch y lle. Roedd busnes *haulage* go fawr ganddo, yn cario glo, calch, cerrig, brics, grawn ac yn y blaen, a thryciau rheilffordd arbennig ac arnynt y geiriau 'William Morgan and Sons'. Agorwyd swyddfa fach yng ngorsaf Llandre, ryw filltir i ffwrdd, ac yno buodd fy nhad yn gweithio am flynyddoedd lawer.

Yn 1889 mi lwyddodd fy nhad-cu i gael ei ethol fel y cynghorydd sirol cyntaf dros Bow Street a Phen-y-garn, o dan Ddeddf Cynghorau Sir 1888, a chafodd ei dad-yng-nghyfraith, sef yr adnabyddus Enoch Watkin James, ei ethol dros Landre a'r Borth yn yr un etholiad – y ddau'n sefyll fel Rhyddfrydwyr. Mi gurodd fy nhad-cu Sgweier Plas y Cwm, ac roedd gan fy nhad, a gafodd ei eni yn 1877, gof plentyn am y rhialtwch mawr a fu ar ben y ffordd ym Mhen-y-garn noson y cyfrif. Roedd yno gasgen fawr o dar ar dân, a'r pentrefwyr yn rhostio eidion i ddathlu'r fuddugoliaeth. Digwyddiad hanesyddol o bwys oedd etholiad y cynghorau sirol cyntaf, pan ddangosodd gwerin Cymru fod ganddi nerth y gellid ei sianelu'n bwerus at amcanion radicalaidd. Roedd sefydlu'r traddodiad Rhyddfrydol ar y lefel newydd o lywodraeth leol yn gamp orchestol. Chwaraewyd rhan bwysig gan Enoch James a William Morgan a'u tebyg yn y cyfnod hwnnw, ac roedd hi'n dipyn o faich i'w ysgwyddo, mewn mwy nag un ystyr. Roedd yn rhaid teithio'r holl ffordd i Aberaeron mewn trap a cheffyl i fynychu'r cyfarfodydd, ac yn y dyddiau hynny mi roedd hi'n siwrne diwrnod i gyrraedd yno ac yn ôl!

Dyn rhadlon oedd fy nhad-cu. Pan fu farw, mae'n ymddangos iddo adael ystad ddigon sylweddol, ond bod llawer iawn ohoni'n ddyledus gan bobl y fro: miloedd ar filoedd o bunnoedd. Byddai wastad yn rhoi 'tic' ar bwys enw unrhyw wraig weddw, neu rywun oedd yn dioddef caledi. Mae englyn gan fy nhad ar ei garreg fedd, a chredaf fod hwnnw'n darlunio'i fywyd yn hyfryd iawn:

Bu flaenor egwyddorol – carodd fyd,
Carodd fyw ysbrydol;
A gwir yw y gair o'i ôl,
Oedd ddyn da, oedd ddyn duwiol.

Roedd y llinell olaf yn fyrdwn i'r hyn a ddywedai cynifer amdano ar ddydd ei angladd.

Fe barhaodd y traddodiad gwleidyddol gyda fy nghefnder Iwan Morgan, a safodd dros y Blaid Lafur yn Sir Aberteifi yn 1945 a 1950. Fe wnaeth yn dda – enillodd tua deg mil o bleidleisiau yn y ddau etholiad – ac roedd yn ddyn o allu sylweddol. Roedd ganddo Gadair ym Mhrifysgol Cymru ac roedd yn Bennaeth yr Adran Allanol yng Nghaerdydd. Dyn herfeiddiol ei anian a digymrodedd dros gyfiawnder ydoedd – a heb unrhyw fath o amynedd at bobl ddifeddwl. Yn ystod ymgyrch 1945 roedd yn annerch cyfarfod mawr yn Aberaeron, a'r lle dan ei sang, fel roedd hi'n aml yn y dyddiau hynny. Fe ddywedodd rhywun yn betrusgar wrtho,

'Mae'n ddrwg iawn gen i, Mr Morgan, ond mae rhywun wedi gadael teiars y car i lawr.'

'Dyna ni,' medde fe, 'you can keep your bloody votes – all of you.' A mas â fe!

Mae yna stori arall sy'n dangos cymeriad Iwan. Roedd person digon sarrug o'r enw Sixsmith wedi'i benodi'n 'Stipendary Magistrate' ym Merthyr Tudful – dyn anghynnes iawn. Roedd Iwan wedi'i wysio am yrru'n rhy gyflym drwy'r dref. Byddai unrhyw un arall wedi ysgrifennu llythyr a thalu'r ddirwy, ond na, roedd e'n mynnu mynd yno i ddweud ei bisyn. Arhosai ei dro o flaen yr ustus cyflogedig.

Roedd y dyn yn yr achos o'i flaen wedi dod yno mewn *boiler suit*, ac roedd yr ustus wedi dweud wrth hwnnw,

'How dare you come to my court dressed like that!'

'I'm very very sorry, sir, I've come off the shift just now, and I hadn't got time to change – I'm terribly sorry.'

Mi gafodd y gŵr bryd o dafod dirmygus gan Sixsmith.

'Think of it, coming to my court without a collar!' taranodd, fel dyn o'i go'.

Wrth glywed hyn, beth wnaeth Iwan ond tynnu ei goler a'i dei a'u stwffio nhw yn ei boced, cyn camu o flaen y llys.

'Are you trying to be funny?' gofynnodd Sixsmith.

'No, I'm not,' atebodd yntau. 'But I heard you speaking disgracefully a few minutes ago to a fellow human being, and this is my protest at what you did.'

Ni wn i a gafodd e'r ddirwy gyffredin, neu ddwbl, neu fwy, ond dyna'r math o ddyn ydoedd! Roedd yn gymeriad o flaen ei oes – yn pregethu senedd i Gymru ac yn ŵr o alluoedd eang. Pan oedd yn paratoi ei draethawd meistr, golygodd glasur o waith ar hanes Coleg Prifysgol Cymru, Aberystwyth, o dan y teitl *The College by the Sea* (1928). Mi fyddai wedi gwneud Aelod Seneddol gwych, a thrwy gyd-ddigwyddiad rhyfedd iawn, bu farw'r union ddiwrnod y cefais fy ethol fel Aelod Seneddol yn 1966.

Fy Nhad

Roedd Dewi Morgan, fy nhad, yn ddyn gwreiddiol; mi gredaf hefyd iddo fod yn blentyn digon anodd ei drin ar adegau, ac mae yna straeon lu amdano. Mae yna un yn arbennig amdano pan oedd yn hogyn bach, dim mwy na saith neu wyth mlwydd oed. Roedd y teulu yn Garn House yn un go fawr, yn cynnwys sawl brawd a chwaer a nifer o rai eraill oedd obeutu'r lle. Unwaith, rai dyddiau cyn y Nadolig, mae'n debyg fod yr un bach wedi gwneud rhywbeth gwaeth nag arfer. Dedfryd ei fam oedd ei wahardd o'r tŷ!

'Dyw e ddim yn mynd i gael aros 'ma dros y Dolig; fe fydd yn rhaid iddo fe fynd at ei fam-gu a'i dad-cu', a hwythau wedi ymddeol o Frynllys i Ddôl-y-bont. Ac yno bu'n rhaid iddo fe fynd. Ond, cyn iddo adael, mi aeth ag anferth o focs pren o'r pantri oedd yn cynnwys un o'r ddwy neu dair o gacennau oedd wedi'u paratoi i'r teulu ar gyfer y Nadolig. Fe'i cuddiodd yn y tŷ gwair, a buodd yn gwledda arni am fisoedd wedyn! Mae'r stori yna'n adrodd cyfrolau amdano. Gallaf ei ddychmygu'n dweud, 'Y fi enillodd yn y diwedd!' Mae'n hollol nodweddiadol ohono; doedd e ddim yn ddyn cas o gwbl ond roedd yn greadur tawel, hirben, a gallai fod yn gyfrwys fel y sarff ac yn ddiniwed fel y golomen (gweler Mathew 10:16).

Derbyniwyd addysg ddigon da gan un neu ddau o'i frodyr, ac mi gafodd un ei hyfforddi'n gyflawn fel meddyg, ond doedd gan fy nhad ddim diddordeb o gwbwl mewn mynd i goleg. Mynychodd ysgol y pentref, ac wedyn bu yn Ysgol Tom Owen yn Aberystwyth. Ysgol oedd hon a fyddai'n addysgu bechgyn i gymryd eu *mates tickets* fel morwyr. Y pynciau a gâi eu dysgu fwyaf y pryd hwnnw oedd mathemateg, Euclid, seryddiaeth, ffiseg weddol amrwd, daearyddiaeth ac fe geid hefyd wersi gwau, o bopeth! Mae'n debyg fod llawer iawn o hen forwyr yn treulio rhan helaeth o'u hamser sbâr yn gwau ac yn gwnïo!

Mi adawodd fy nhad yr ysgol yn rhyw bedair ar ddeg oed

ac ymuno â busnes y teulu. Roedd brawd i Nhad-cu o'r enw Richard Morgan yn fferyllydd yn Brecknock Road, Llundain – 'Dic Brecknock' roedden nhw'n ei alw. Roedd gan hwnnw nifer o fechgyn, a'r rheini'n gymeriadau lliwgar iawn (daeth un ohonynt yn gapten llong ryfel fechan, ac fe gollodd ei fywyd ym Mrwydr Jutland). Er pan oedd yn ddeuddeg mlwydd oed, byddai fy nhad yn arfer teithio i Lundain ar y trên i aros gyda'i gefndryd am fis neu ddau bob blwyddyn, a gadael y busnes marsiandïaeth a'r fferm oedd yn gysylltiedig ag ef, a hynny ar yr adegau prysuraf. Er gwaethaf yr holl waith oedd i'w wneud ym Mhen-y-garn, yn Llundain gyda'i gefndryd y byddai fy nhad, ac âi i wylio rhai o gricedwyr mawr y cyfnod, fel Ranjitsinhji a Jessop. Pa fath o dderbyniad a gâi gan ei frodyr a'i chwiorydd pan fyddai e'n cyrraedd adre, fedra i ond dychmygu!

Torri ei gŵys ei hunan wnâi fy nhad. Am flynyddoedd bu'n gweithio gyda'i dad a'i frodyr ac wrth gwrs, roedd gwaith cario allan cyson i'w wneud i ardaloedd gogleddol Sir Aberteifi. Mi glywais, pan oeddwn yn hogyn, lawer o bobl yn disgrifio sut y byddai'n eistedd ar y gert yn darllen llyfr – yn ffigwr unig a fyddai'n diystyru'n hollol bob dim a ddigwyddai o'i gwmpas. Bu'n ddarllenwr awchus erioed, ac rwy'n ei gofio'n egluro wrtha i pan oeddwn yn hogyn bach.

'Penderfynais,' meddai, 'pan o'n i'n blentyn ifanc, hyd yn oed taswn i'n byw i fod yn gant, na fedrwn i ddim darllen un ganfed ran o lenyddiaeth fawr y byd, ac felly na fyswn i'n darllen dim ond y llenyddiaeth orau.' A dyna a wnaeth hyd ei farw yn naw deg a thair oed. Pan oedd yn hen, hen ŵr, ac Alwen a minnau a'r plant wedi bod yn ymweld â Stresa yn yr Eidal, mi brynais gopi o *Dwyfol Gân* Dante iddo yn yr Eidaleg gwreiddiol. Dyna fu'n ei wneud am fisoedd a misoedd wedyn – cyfieithu hwnnw bob yn bedair llinell i'r Gymraeg.

Hyfforddodd ei hunan i fod yn ieithydd medrus. Dysgodd Ffrangeg yn gyntaf; gwnaeth hynny drwy brynu Beibl Ffrangeg a dysgu'r drydedd salm ar hugain ar ei gof, ac o'r fan honno fe ddysgodd yr iaith bob yn damaid. O fewn rhyw flwyddyn a hanner roedd wedi cyfieithu nofel o'r Ffrangeg i'r Gymraeg: gwaith Pierre Loti, *Pêcheur d'Islande – Pysgotwr yr Ynys*. Mi ddysgodd Almaeneg ac Eidaleg yn yr un modd, ac mi roedd ganddo grap gweddol ar hen Roeg a Lladin hefyd.

Enillodd wobr yn Eisteddfod Genedlaethol Bangor, 1915, gyda chanmoliaeth uchel, am ei gyfieithiad o *Lettres de mon Moulin,* Alphonse Daudet, er bod yna lawer o academyddion digon disglair yn y gystadleuaeth. Er ei allu, dyn i'w addysgu ei hunan oedd Nhad, a dwi ddim yn credu y byddai byth wedi addasu a chyd-fynd â strwythurau addysg gyfundrefnol.

Ar ôl i Nhad-cu farw yn 1917, methodd y teulu gytuno beth i'w wneud â'r busnes digon llwyddiannus, ac fe'i gwerthwyd. Trodd Nhad yn fuan iawn i fyd newyddiaduraeth – roedd eisoes wedi ysgrifennu ambell ddarn newyddiadurol neu lenyddol. Edmygai C. P. Scott, golygydd cawraidd y *Manchester Guardian*, ac rwy'n ei gofio'n adrodd y neges a bregethai Scott wrth ei newyddiadurwyr:

'Gentlemen, opinions are your own, but always remember that facts are sacred.'

Dyna, rwy'n credu, oedd y safon iddo fe ym mhopeth ynglŷn â newyddiaduraeth.

Bu'n gweithio gyda'r *Western Mail* am ddwy flynedd (Y 'Western Mule' fel y'i galwai!). Ond pan oedd y rheini eisiau iddo wneud gwaith nos, fe ddywedodd, 'Dim diolch yn fawr ichi!' Bu am flynyddoedd lawer wedi hynny'n hapus fel golygydd Cymraeg y *Cambrian News*, ac yn ysgrifennu colofn wythnosol o'r enw 'Dyrnaid o Siprys'. Mae rhai o'r rheini'n berlau bach o lenyddiaeth: rhywbeth oedd wedi denu ei sylw – rhyw ymadrodd a glywsai ei ddefnyddio, rhyw flodyn roedd wedi'i weld, neu ryw dderyn neu anifail gwyllt neu rywbeth felly. Doedd e ddim yn un o'r dynion yma oedd yn mynd mas i chwilio am sgŵp – byddai ysgrifennu rhywbeth bach tawel a dilys yn llawer mwy atyniadol iddo. Mi fu hefyd yn y dauddegau yn is-olygydd ar *Y Faner* am flynyddoedd, a dyna oedd ei wir gariad. Roedd y swyddfa'n fan cyfarfod i nythaid o Gymry llengar, ac roedd fy nhad yn gyfaill agos i T. Gwynn Jones, a fu'n byw yn yr ardal yma yn ystod blynyddoedd olaf ei oes, yn ogystal â Niclas y Glais a Prosser Rhys.

Cyfaill mynwesol iddo oedd Tom MacDonald. Bachgen tlawd o'r ardal yma a aned i deulu o sipsiwn oedd Tom, ond daeth yn olygydd ar rai o bapurau mwyaf llewyrchus De'r Affrig. Mae gen i gof plentyn o'r post yn cyrraedd rhyw fore, a Nhad yn agor llythyr ac yn wylo – un o'r ychydig droeon imi ei weld yn wylo erioed. Beth oedd wedi digwydd oedd hyn: roedd Tom MacDonald wedi priodi, yn byw'n foethus fel golygydd yn Ne'r Affrig, ac yntau a'i wraig wedi cael plentyn bach. Rhoddwyd yr enw Manion arno fel teyrnged i wreiddiau sipsiwn Tom. Rhyw fore, roeddent wedi gadael eu cartref y tu allan i Johannesburg, gan roi'r babi yng ngofal nyrs. Yn anffodus, fe ddaeth yn amlwg yn ddiweddarach fod honno'n gaeth i'r botel. Pan gyrhaeddon nhw 'nôl yn hwyr y prynhawn hwnnw, dyna lle roedd y pram wedi llithro i lawr i'r llyn a'r plentyn wedi boddi. Ysgrifennodd Tom nifer o lyfrau – yr enwocaf ohonynt am ei blentyndod yn ardal Bow Street, *The White Lanes of Summer*. Yn un o'i nofelau, *Gareth the Ploughman*, mae'n amlwg mai fy nhad yw'r cymeriad Rhys Meredith, y bardd a'r newyddiadurwr a feddai dusw o wallt gwyn fel yr eira.

Roedd fy nhad yn fardd eithaf llwyddiannus, ac mi enillodd Gadair y Genedlaethol yn 1925 ym Mhwllheli, am ei awdl 'Cantre'r Gwaelod'. Yn y lle cyntaf nid oedd ganddo fwriad i gystadlu, ond mi ddywedodd rhywun yn rhywle nad oedd ei waith o safon genedlaethol, ac felly yn ei dymer mi ymgeisiodd. Roedd hi'n ras fawr i gyflwyno'r tri chopi angenrheidiol mewn pryd; yn y diwedd roedd dau gyfaill iddo'n copïo'r awdl ar hast wyllt. Daethpwyd â'r dasg i ben, hanner awr cyn i'r post ymadael! Dyma linellau agoriadol yr awdl:

Y mae hud olaf Medi
Ar fro lwys, ar hyfriw li;
Pob llwyn a derwen ennyd
Yn llawn o bob lliw'n y byd;
Yn ddiau, rhoes rhyw ddewin
Ar goed wawr gwaed, aur a gwin.

Dyna'r unig dro iddo geisio am y Gadair genedlaethol. Nid oedd yn fardd mawr, trwm, athronyddol – ond meddai ar bwerau disgrifiadol bywiog a chynganeddai'n ystwyth. Medrai gynganeddu mor rhwydd â cherdded, ac mae ei orchestion yn yr Eisteddfod Genedlaethol – yn arbennig yng Nghaernarfon yn 1921 lle'r enillodd saith o wobrau – a llawer iawn o eisteddfodau eraill, yn tystiolaethu i hynny. Enillodd ar yr englyn deirgwaith yn y Genedlaethol. Mae'n debyg mai ei englyn mwyaf adnabyddus, sydd wedi ymddangos mewn nifer o gyhoeddiadau, yw hwnnw i'r 'Gragen':

Annedd hardd a drefnodd Iôr – i'w rai bach
Ym mro bell y dyfnfor;
Yn ei thrwsiad a'i thrysor
Gwelir mwyn firaglau'r môr.

Cyhuddai rhai sylwebyddion ef o fod wedi creu'r gair 'miraglau', ond llwyddodd i ddangos bod ffynhonnell feiblaidd iddo.

Lluniwyd llawer iawn o'i gynghanedd orau 'yn ei gyth'. Englyn a ysgrifennodd felly oedd un i Syr Thomas Parry-Williams, er ei fod yn gyfaill agos iddo. Roedd yna ymryson, a hwnnw wedi parhau am flynyddoedd maith, rhwng y llenor o Ryd-ddu a T. Gwynn Jones, er bod y ddau'n Athrawon yn yr Adran Gymraeg yn Aberystwyth. Pan fu T. Gwynn Jones farw yn 1949, golygodd W. J. Gruffydd rifyn coffa o'r *Llenor* yn deyrnged iddo, a gofynnwyd i Parry-Williams gyfrannu. Ysgrifennodd hwnnw un englyn, a dyma oedd ymateb fy nhad:

A Gwynn yn ei gyfyng gell – yn yr inc
Parry 'roes ei sgribell;
A'i holl ddawn ni allodd well
Na llunio pedair llinell!

Dyna oedd yn tynnu'r gorau mas ohono: ysgrifennu englyn ym mhoethder gwaed. Rwy'n cofio unwaith weld englyn yn ei ddyddiadur am bregethwr enwog oedd wedi mynychu Capel y Garn un Sul. Roedd fy mrawd Deulwyn a minnau'n blant bach ar y pryd – roeddwn i tua saith ac yntau tua phedair – yn cicio pêl yng nghyntedd y capel ar ôl yr ysgol Sul. Daeth y dyn enwog ataf gan ddweud, 'Dowch â'r bêl 'na i fi, hogyn bach.' Credwn mai eisiau shot oedd e, felly mi rowliais y bêl tuag ato. Rhoddodd y bêl yn ei boced ac i ffwrdd ag ef! Ni soniodd fy nhad erioed am yr achlysur, ond credaf i Mrs Nellie Rice, gwraig y Tŷ Capel, ddweud yr hanes wrtho, ac wele'r englyn hwn yn y dyddiadur:

Hen awch y chwarae'n uchel – di-ras waith
Gan droi Sul a chapel
Yn ddibris; ond tro isel
I ddyn o barch ddwyn y bêl!

Un enghraifft yw'r englyn yna, ond mae yna ddwsinau ar fy nghof – gan gynnwys rhai na fyddwn am eu hailadrodd gan eu bod yn ymwneud â phobl y mae eu perthnasau byw o hyd! Medrai Nhad gyfansoddi englyn mewn mater o funudau: rwy'n cofio'r ddau ohonom yn trafod y cyrch ar Suez yn 1956, a dywedais wrtho,

'Chi'n gwybod, Dad, mi allai hyn roi'r Dwyrain Canol ar dân.'

'Hmmm,' meddai, ac ymhen dwy neu dair munud roedd e wedi cyfansoddi'r englyn canlynol:

Lli dau fôr drwy'r llwyd farian – yn tywys
Marsiandïaeth pobman;
Alaethus berygl weithian
Bod i'r dŵr roi'r byd ar dân.

Oedd, mi oedd yn gynganeddwr medrus a'r ddawn yn reddf naturiol ynddo. Roedd hefyd yn ddyddiadurwr selog, ac fe welais nifer o'i ddyddiaduron ar ôl iddo farw. Caech ystod eang o gyfeiriadau ynddynt: roedd rhai ohonynt yn straeon lleol, a llawer iawn yn glonc lenyddol a barddonol. Yn aml, fe gaech hanes gardd a hanes Rhyfel Byd finfin â'i gilydd, er enghraifft: 'Cyrch ar Kursk gan y Rwsiaid. Yr Almaenwyr yn ildio tir. Cannoedd o danciau wedi eu dinistrio. Plannu tair rhes o gennin a thair o foron.'

Mae yna un hanesyn arall am fy nhad sydd wedi glynu yn fy nghof. Roeddwn i tua phump oed, ac yntau wedi mynd â fi am dro ar brynhawn dydd Sadwrn, o Ben-y-garn i fyny i Landre. Roedd y ddau ohonom yn cerdded yn ôl rhwng Rhydypennau a Phen-y-garn, ar riw sydd wedi cael ei gwastatáu rhywfaint ers hynny – Rhiw Baker roedden nhw'n ei galw hi. Doedd yna nemor ddim ceir ar y ffordd o gwbl – rydych chi'n sôn am 1937/38 – ac mi oeddwn i'n rhedeg o un ochor i'r ffordd, yna i fyny'r clawdd, 'nôl a mlaen, a Nhad yno mewn rhyw hen gôt werdd, Ulster (mi roedd Mam eisiau ei thaflu ers blynyddoedd ond roedd e'n parhau i'w gwisgo), yn siarad â'i hunan ac yn cynganeddu ac yn gwbl ar goll yn ei fyd bach ei hunan. Dyma gar mawr rhwysgfawr yn dod yn ddiarwybod. Mae'n rhaid mai Bentley neu Rolls neu rywbeth felly ydoedd, a dyma'r gyrrwr yn sefyll ar y brêcs. Wnaeth e mo 'nharo i, ond mi syrthies. Dyma'r dyn yn stopio'r car ac yn camu allan; Sais mawr blonegog ydoedd, ac fe gyfarthodd ar fy nhad eiriau o gerydd, gan gynnwys, 'You're not fit to have the care of a child!'

Dyma fy nhad yn ymestyn ei hunan i'w lawn daldra – doedd e ddim yn ddyn tal iawn, rhyw 5 troedfedd 8 modfedd – ac yn edrych i fyw llygaid y dyn yma, gan ddweud wrtho mewn llais cadarn a thawel,

'Don't you dare speak to me like that, you *mere* Englishman. Off you go and behave yourself.'

A dyma'r Sais yn sleifio 'nôl i'w gar, a'i gynffon rhwng ei goesau. Rwy'n cofio meddwl bryd hynny, gymaint gwell oedd bod yn fab i'r dyn yn yr hen gôt werdd nag i'r dyn yn y Rolls. Roedd e'n ŵr o gymeriad enfawr, ac mae cofiant Dr Nerys Ann Jones iddo'n rhoi darlun lliwgar a difyr ohono. (*Dewi Morgan: Cofiant*; cyhoeddwyd gan y Lolfa, 1987)

Hanes Teulu fy Nhad

Ymddiddorai fy nhad yn hanes ei deulu ac adroddai nifer o straeon diddorol amdanynt. Trwy ei fam, roedd yn un o ddisgynyddion gŵr o'r enw Gruffudd Fychan (bu farw 1447), y mae ei hanes i'w gael yng ngwaith y cywyddwyr. Roedd ei dad, Gruffydd ap Ieuan o Gegidfa, wedi olrhain ei achau yn ôl i Frochwel Ysgithrog, tywysog enwog a drigai ym Mhowys yn y chweched ganrif. (Ymhlith disgynyddion hwnnw, mi gredaf, y cafodd fy nhad hyd i'r enw Elystan.) Mi ymladdodd Gruffydd ap Ieuan ochr yn ochr ag Owain Glyndŵr, a oedd yn berthynas waed iddo. Pan fethodd y gwrthryfel, fe gondemniwyd teulu Gruffudd Fychan yn herwyr – *declared outlaws*. Collasant eu tiroedd, ac roedd llaw pob dyn yn eu herbyn yn enw'r gyfraith. Ymhen hir a hwyr, llwyddodd Gruffudd Fychan i ennill ei diroedd yn ôl, trwy ymladd yn ymgyrchoedd Harri V yn Ffrainc. Daeth yn sgweier i un o'r arglwyddi, ac mi gafodd ei ddyrchafu'n farchog, naill ai ar faes Agincourt, neu'n ddiweddarach yn ystod y Rhyfel Can Mlynedd. Mae'n ffaith fod nifer o sgweieriaid Cymreig wedi ennill clod i'w hunain ym mrwydr Agincourt. Sonia un o'r cywyddwyr am Gruffudd Fychan fel un a 'ariannwyd' yn Llundain, 'A'th yrru i Ffrainc i'th euraw', ac mi ddaeth yn ŵr digon parchus am gyfnod yng ngogledd-ddwyrain Cymru.

Ond roedd ganddo elyn marwol – Syr Harri Grae, iarll Tancarville ac arglwydd Powys. Fe ffugiodd Grae ei fod am wneud heddwch â Gruffudd Fychan, ac fe'i gwahoddodd i'w gartref, Castell Powys, gan roi ei fodrwy iddo fel 'saffcwndid' (*safe-conduct*); roedd hynny'n sicrhau y byddai Gruffudd yn cyrraedd pen ei daith yn ddianaf. Un gŵr yn unig yr aeth

Gruffudd Fychan gydag ef yno, ac fe laddwyd y ddau ohonynt yr eiliad y rhoesant eu traed ar iard y castell. Yn ei farwnad iddo mynegodd Dafydd Llwyd ap Llewelyn ei alar i Gruffudd fod yn ddi-hid o'r perygl, a phwysleisio mor annoeth oedd i ddyn gredu saffcwndid Sais:

Ni allai dyn a llaw ddig
Dy ladd ond diawl o eiddig.
'Y ngharwr, ni chynghorais
Ymddiried i seined Sais.

Fe ddaeth fy nghyndeidiau i lawr i gyffiniau gogledd Ceredigion rywbryd tua'r unfed ganrif ar bymtheg. Buont yn byw mewn dwy fferm: un oedd Llety Ifan Hen, ger Elerch, a'r llall oedd Hen Hafod, sy'n ffinio â Chors Fochno. Mae yna hanes diddorol am ŵyr Ifan Hen, sef Siencyn ap Morgan ap Ifan Hen, yn hanner cyntaf y ddeunawfed ganrif. Roedd hwnnw'n ail fab i'w dad, ac yn hytrach na ffermio fe aeth i'r môr. Daeth yn gapten ac yn berchennog ar long oedd yn cario coed o wledydd Môr y Canoldir i Brydain. Un tro, cawsant fordaith arswydus ym Mae Biscay; collwyd aelodau o'r criw a malwyd mastiau'r llong, ond mi lwyddon i gyrraedd La Coruña o dan *jury rig* (hwylbren dros dro). Roedd saith neu wyth ohonynt yn dal yn fyw, gan gynnwys y capten, er ei fod ef a nifer o'r criw wedi torri esgyrn ac wedi'u hanafu. Yn Coruña roedd teulu o fasnachwyr morwrol (*ships chandlers*) roedd Siencyn yn ei adnabod yn dda, ac mi dreuliodd wythnosau lawer, os nad misoedd, o dan loches y teulu – teulu o'r enw De la Hoyde. Roedd merch brydferth o'r enw Rosina yn perthyn i'r teulu, ac ymhen hir a hwyr mi briododd yr eneth honno â Siencyn ap Morgan ap Ifan Hen, a dod gydag e adref i Gymru. Yn ddiweddarach daeth ei thad a'i mam i fyw i ardal Aberdyfi; roedd y fenyw honno'n hen, hen, hen, hen, hen fam-gu i mi.

Mae stori deuluol arall am fy hen fodryb, chwaer fy mam-gu, merch arall Enoch Watkin James. Roedd hi'n briod â morwr o'r enw Capten Huws, ac yn byw yn yr hen gartref ym Mrynllys ar ôl marwolaeth ei thad. Roedd hyn tua throad yr ugeinfed ganrif, ac roedd ei gŵr yn feistr ar long *passenger cum cargo,* fel roedd ar gael yr adeg honno – lle ceid rhyw ugain o deithwyr ar long fasnach. Suddodd y llong oddi ar y Great Barrier Reef, Awstralia, mewn tywydd tawel. P'un a oedd y siartiau'n anghywir, neu i'r capten fod ar fai, ni wyddom; ond fe gollwyd pob cyswllt â'r byd oddi allan. Am fisoedd doedd yna ddim hanes o gwbl beth oedd wedi digwydd, dim ond bod y llong ar goll. Cafodd pob math o ymholiadau eu gwneud gan y cwmni, ond doedd yna ddim unrhyw wybodaeth o gwbl ar gael. Mewn ffaith, roeddent wedi llwyddo i gyrraedd tir, a daeth pob un yn fyw oddi ar y llong, er y bu rhai farw o afiechyd, yn anffodus. Ar ôl byw am rai misoedd ymysg yr Aborigines, bu cyfnod sylweddol cyn iddynt gyrraedd yn ôl i wareiddiad y dyn gwyn. Roedd colli bywyd a cholli'r llong wedi bod yn ergyd ysgytwol i'r capten.

Yn y cyfamser, nid oedd chwaer fy mam-gu yn gwybod beth yn y byd i'w wneud: ni wyddai a oedd yn weddw ai peidio. Magwyd hi yn y rhigolau crefyddol mwyaf disgybledig y gellwch feddwl amdanynt. Dyna lle roedd hi, Mrs Huws, yn ferch i weinidog ac yn mawr obeithio trwy weddi a ffydd y byddai'r capten yn dod yn ei ôl, ond doedd 'na ddim sôn amdano o gwbl – ac un mis diflas yn dilyn y llall.

Soniwyd wrthi fod 'dyn hysbys' yn byw yn Llangurig, un oedd â'r ddawn i ddarllen y dyfodol. A hithau heb neb arall i droi ato, fe benderfynodd fynd yng nghwmni'r forwyn mewn trap i gartref y cymeriad hwnnw. Cawsant eu harwain i mewn i'r parlwr i eistedd. Ymhen rhyw hanner awr fe glywson nhw'r dyn hysbys yn dod ar ei farch i'r ffald, ac ar ôl dod i mewn i'r ystafell, dywedodd hwnnw wrthi,

'Mrs Huws y'ch chi.'

'Ie,' meddai hi. 'Sut y'ch chi'n gwybod?'

'O, dwi'n gwybod pob peth,' meddai. 'Dy'ch chi wedi dod yma i ofyn i fi am Capten Huws.'

'Wel, ydw,' meddai hi, 'rwy'n awyddus iawn i wybod beth yw ei hanes ac a ddaw e 'nôl yn fyw.'

'O, mi ddaw e 'nôl yn fyw,' atebodd yntau. Aeth wedyn i edrych yn ei lyfrau am bob math o fanylion ystadegol ynglŷn â sefyllfa'r haul, y lloer a'r sêr.

'Mi ddaw'r capten yn ei ôl,' meddai, ar y dydd a'r dydd – gan nodi dyddiad rai wythnosau wedyn. Yna, fe ofynnodd iddi, 'Pan ddaw'r capten yn ôl o'r môr, fydd e'n gwneud rhywbeth arbennig?'

'Wel, bydd,' atebodd hithau. 'Mae dau ddrws yn ffrynt y tŷ; bydd pawb arall yn mynd i mewn drwy'r drws ar y chwith, ond pan ddaw e 'nôl o'r môr bydd e'n mynd i mewn drwy'r drws arall – mae wedi gwneud hynny erioed.'

Yna fe holodd y dyn hysbys,

'Oes gennych chi bilyn o ddillad neu rywbeth felly sy'n arbennig iddo fe?'

'Wel, oes,' meddai hi. 'Y diwrnod cyntaf y daw e 'nôl o'r môr bydd e wastad yn gwisgo trowsus rib, ac yn mynd mas i'r ardd.'

'Wel, rhowch hwnnw ar gadair, tu ôl i'r drws.'

Mi ddaeth y dydd, a dyma hi a'r forwyn yn mynd i Landre yn y trap a'i adael yno, gan ddal y trên a chyrraedd Aberystwyth toc wedi naw. Mi gerddon i lawr Terrace Road, a mynd heibio i siop dybaco Lloyds. Fel roedden nhw'n pasio, dyma berchennog y siop yn rhedeg allan a dweud,

'Mrs Huws, Mrs Huws, dwi wedi gweld y capten. Roedd e i fewn yn y siop tua hanner awr yn ôl, yn prynu dau bwys o'i dybaco. Roedd 'na olwg ryfedd arno fe; doedd e ddim 'i hunan o gwbwl.' (Byddai'r capten bob amser yn prynu dau bwys o faco ar ôl cyrraedd adre o'r môr.)

Buont yn chwilio'r dre drwy'r dydd, gan ymweld â thai perthnasau a chyfeillion, ond i ddim pwrpas. Roedd yn rhaid dychwelyd ar y trên chwech, a dyma nhw'n cyrraedd y platfform. Pwy oedd yno ond y capten, ar goll yn llwyr, yn gas ac yn anfodlon teithio adre gyda nhw.

Yn y diwedd, mi lwyddon i'w gael ar y trên, ac mi deithion

i Landre, ac yna'n ôl yn y trap i Frynllys, lle roedd Mrs Huws wedi gadael y trowsus rib ar y gadair. Dyma'r capten yn rhuthro i mewn drwy'r ail ddrws a chofleidio'r trowsus, gan ddweud,

'Yr hen gariad bach, dwi wedi bod yn chwilio amdanat ti ar hyd y byd.'

Yna mi gwympodd mewn llewyg. Bu farw yn ysbyty'r meddwl ryw fis neu ddau ar ôl hynny, ac effaith yr hyn oedd wedi digwydd ar y Great Barrier Reef wedi lladd ei ysbryd. Cefnder cyntaf i Nhad, sef Hugh James Hughes, unig fab y capten, ddywedodd y stori wrtha i. Bachgen ifanc ydoedd ar y pryd; daeth yn fathemategydd yn ddiweddarach, a bu'n Arolygydd Trethi Canolbarth Cymru. Os oedd tyst cywir ar fater ffeithiol, Hugh James Hughes oedd hwnnw.

Mam a'i Theulu

Er imi sôn ychydig am rai o ffrindiau llenyddol fy nhad, un person rydw i heb ei grybwyll, a hwnnw'n ffrind pwysig iawn iddo, yw Gwenallt. Buont yn cydletya am rai blynyddoedd, ac erbyn hynny roedd Gwenallt yn fardd adnabyddus, wedi iddo ennill y Gadair yn Eisteddfod Genedlaethol 1926 (er na chyhoeddwyd ei lyfr anfarwol *Plasau'r Brenin* – am ei ddyddiau fel gwrthwynebydd cydwybodol – tan 1934). Rhyw ddiwrnod fe ddywedodd Gwenallt wrth fy nhad ei fod yn cerdded allan gyda merch ifanc oedd yn brifathrawes ysgol fach yn y wlad, ac y byddai'n falch iawn petai fy nhad yn ei chyfarfod. Mae'n debyg iddi wneud cryn argraff ar fy nhad – fy mam ydoedd! A dyna sut y cyfarfu fy rhieni. Oni bai am Gwenallt, mae'n bosib na fyddwn yma heddiw.

Ganed fy mam, Olwen, yn 1900, ac felly roedd tair mlynedd ar hugain yn iau na Nhad. Fe gâi hi sbort mawr gyda hynny'n aml. Byddai rhywun yn dweud wrthi, 'I met your father the other day; what a charming gentleman.' Byddai hynny'n destun chwerthin i Mam, ond ofnaf na welai fy nhad y jôc.

Roedd tad fy mam, David Hughes Jones, a'm hen dad-cu hefyd o ran hynny, yn aelodau o heddlu Sir Aberteifi.

Un o Ben-llwyn oedd fy nhad-cu yn wreiddiol, ond aeth i Lerpwl yn ddyn ifanc ac ymuno â'r Frigâd Dân yno, lle câi eu peiriannau eu tynnu gan geffylau gwynion ar garlam trwy'r ddinas. Maes o law ymunodd â'r heddlu, a chael trosglwyddiad i Sir Aberteifi, ac yno cyfarfu â Mam-gu – roedd ei wraig gyntaf wedi marw'n ifanc. Bu yntau farw o gancr yn ddyn cymharol ifanc pan oedd Mam yn y coleg, ond roedd yn gymeriad ymhell o flaen ei oes. Roedd ganddo bedwar o blant, a'i uchelgais arbennig oedd anfon ei ddwy ferch, Lilian ac Olwen, i'r brifysgol.

Bach iawn oedd ei gyflog fel sarjant, a doedd dim grantiau na dim byd tebyg ar gael. Felly, mae'n amlwg fod ei adnoddau ariannol yn gyfyngedig iawn. Mae gen i lyfr yn dangos yr hyn roedd fy nhad-cu yn ei wneud. Llyfr *ledger* plaen, dilinell ydyw, rhyw ddwy neu dair modfedd o drwch, yn llawn gwersi – Saesneg, Cymraeg, mathemateg, daearyddiaeth, hanes ac yn y blaen – a luniodd ei hunan ac a ysgrifennodd yn ei law *copperplate* ei hun. Ei nod oedd cael fy mam a'i chwaer drwy'r *matriculation* i'r brifysgol, ac fe lwyddodd y ddwy i fynd i Aberystwyth. Meddyliwch am ymdrech y dyn hwnnw, ar ôl diwrnod llafurus o waith, yn ymroi i rywbeth fel yna. Rwy'n cofio Mam yn sôn droeon am yr aberth a wnaethai ei thad. Mae'n codi cywilydd arna i wrth feddwl am y cyfleoedd mae dyn wedi'u cael mewn bywyd, a chymaint fyddai'r gŵr yma wedi'i wneud pe bai'r rheini'n agored iddo yntau. Rwy'n amau a oedd fy nhad-cu yn ddyn o feddwl academig, ond mae'n amlwg ei fod yn ŵr o benderfyniad, a thipyn o ben arno, ymhell tu hwnt i'w safle fel sarjant, rwy'n sicr o hynny.

Aeth fy mam i Goleg Aberystwyth yn 1917, gan ddilyn ei chwaer, Lilian, oedd wedi mynd yno ddwy flynedd o'i blaen. (Daeth hi'n ddiweddarach yn athrawes Ladin yng Nglynebwy.) Yn y cyfnod hwnnw roedd yn beth pur amheuthun i fenyw fod mewn coleg, ac roedd yna ddisgyblaeth lem i'w gwahardd rhag bod mewn cysylltiad â dynion. Caent eu cyfarfod yn y cwad yn adeilad yr Hen

Goleg yn Aberystwyth – o dan amodau cyfyngedig iawn. Byddai'r menywod mewn cylch bach tyn, yn cerdded yn glocwedd, tra byddai'r dynion yn cerdded y tu fas iddynt yn wrth-glocwedd – a doedden nhw ddim i siarad â'i gilydd! Pan oeddwn yn weinidog yn y Swyddfa Gartref fe welais garcharorion yn gwneud ymarfer tebyg yng ngharchardai Ei Mawrhydi – *quadding* roedden nhw'n ei alw yn y fan yno hefyd!

Mi raddiodd fy mam, a bu'n athrawes yn y Borth am rai blynyddoedd, cyn dod yn brifathrawes ar ysgol fach Bont-goch (Elerch) pan oedd hi tua saith ar hugain oed. Roedd hynny'n orchest go fawr i ferch yn y dyddiau hynny. Peth arall anghyffredin amdani oedd y byddai hi'n mynd i'w gwaith bob bore ar gefn motor-beic! Bryd hynny roedd y rhan fwyaf o ddynion yn ystyried ei fod yn beth anturus i yrru car – a byddai hithau'n gwibio ar hyd y lonydd gwledig ar ei beic modur. Roedd hi'n amlwg yn wraig o flaen ei hoes.

Mynychai rhyw drigain o blant Ysgol Bont-goch (Elerch), ysgol a godwyd mewn bro lle roedd nifer o ffermydd mynydd ac yn y rheini deuluoedd mawrion. Dywedai Mam yn aml nad oedd hi'n ystyried ei hunan yn athrylith ym myd addysg, ond ei bod wedi llwyddo i ddysgu ei disgyblion i ysgrifennu, darllen a rhifo, a chadw'u pennau'n lân. Dyna'r peth mawr! (Byddai 'nyrs y chwain' yn ymweld ag ysgol yn gyson â'i chrib fân yn y dyddiau hynny er mwyn archwilio gwalltiau'r plant.)

Pan briododd Nhad â Mam yn 1930 bu'n rhaid i Mam ymddiswyddo'n syth. Dyna oedd rheol y Pwyllgor Addysg ar y pryd: unwaith y byddai merch yn priodi, roedden nhw'n ystyried, ym mhob tebygolrwydd, y byddai hi'n cael plant. Câi'r rheol ei gweinyddu nid yn unig i athrawon ond hefyd yn y brifysgol; cafodd rhai benywod disglair eu diswyddo'n ddisymwth wedi iddynt briodi. Credaf i'r rheol yna fodoli ym Mhwyllgor Addysg Sir Aberteifi tan o leiaf ddiwedd yr Ail Ryfel Byd. Mae'n gywilydd o beth, ond doedd Sir Aberteifi ddim gwahanol i siroedd eraill Cymru yn y cyfnod.

Roedd Mam yn naturiol gerddorol; mi enillodd yr *open pianoforte* yn yr Eisteddfod Genedlaethol pan oedd hi naill ai'n un ar bymtheg neu'n ddwy ar bymtheg oed. Mae gennyf gof llachar ohoni ar y piano pan oeddwn yn hogyn, a byddai J. T. Rees, y cerddor a'r cyfansoddwr, yn galw byth a beunydd, a rhyw dôn newydd ganddo i Mam ei chwarae. Roedd y ddau'n ffrindiau da, ac mi enwodd dôn ar ei hôl, sef 'Olwen', y cenir arni'r emyn 'O deued pob Cristion i Fethlem yr awron'. Roedd ganddi lais canu hyfryd, a phan oeddwn i'n hogyn bach yn gwrthod cysgu, byddai'n canu pob math o ganeuon – rhai Cymreig gan mwyaf – i'm suo i gysgu. Ond yr un rwy'n ei chofio orau ydi:

Daisy, Daisy, give me your answer, do,
I'm half crazy, all for the love of you.
It won't be a stylish marriage,
I can't afford a carriage,
But you'd look sweet upon the seat
Of a bicycle made for two.

Roedd iddi bersonoliaeth fyrlymus, roedd yn fywiog, yn wasanaethgar a ffraeth, ac yn fam hyfryd iawn i 'mrawd Deulwyn a minnau. Ni chafodd fyw yn hir; fe'i trawyd hi'n wael pan oeddem yn blant ifanc a bu farw yn 1947, ym mlodau ei dyddiau. Roeddwn i'n bedair ar ddeg oed, a Deulwyn yn un ar ddeg. Deallodd y ddau ohonom ystyr y llinell, 'Cledd â min yw claddu Mam'.

Yn dilyn marwolaeth Mam, fe edrychodd fy mam-gu yn dyner iawn ar ein hôl. Roedd hi'n hen iawn pan oeddwn i'n ei nabod hi, ac wedi'i geni yn 1859. Deuai o deulu o Undodiaid yn Nyffryn Aeron, a darllenai eu cylchgrawn, *Yr Ymofynnydd*, o glawr i glawr, a hefyd yn helaeth o'i Beibl yn ddyddiol. Menyw fach fer oedd hi, ychydig dros bum troedfedd, ond meddai ar bersonoliaeth hynod gadarn. Mae yna ddau hanesyn yn tystio i hynny. Roedd brawd hŷn iddi, Gwilym Evans, yn fachgen o gryn ddisgleirdeb ac yn fyfyriwr diwinyddol yn Rhydychen.

Bu'n ddiweddarach yn weinidog blaenllaw gyda'r Undodiaid ac yn fugail ar eglwys Pantydefaid. Pan oedd Mam-gu'n eneth un ar bymtheg oed, fe ddaeth neges fod ei brawd yn ddifrifol wael yn dioddef o'r *rheumatic fever,* ac ofnid ei fod ar farw. Nid oedd Mam-gu wedi cael fawr o addysg ar ôl iddi gyrraedd deuddeg oed, ac mae'n amlwg mai crap digon ansicr oedd ganddi ar yr iaith fain. Serch hynny, fe aeth ar drên ar ei hunion i Rydychen ac fe nyrsiodd ei brawd am ddeufis, a'i dywys trwy'r argyfwng. Meddyliais lawer gwaith am y Gymraes fechan honno'n wynebu'r holl anawsterau, a'r ansicrwydd, yn y ddinas estron, ond ei serch tuag at ei brawd, 'Bill' fel y'i galwai, yn goresgyn y cyfan.

Stori ddigon brawychus yw'r llall. Daw pob plentyn yn ei gyfnod, rywbryd neu'i gilydd, wyneb yn wyneb â sefyllfa arswydus. Digwyddodd hyn i mi pan oeddwn tua wyth mlwydd oed. Cyrhaeddais adref o'r ysgol un amser cinio (ni ddarperid cinio ysgol bryd hynny), a chael sefyllfa echrydus yn fy wynebu. Roedd fy mam-gu, a hithau dros ei phedwar ugain, wedi syrthio i lawr y grisiau ac wedi'i hanafu'n ddifrifol. Roedd wedi torri pont ei hysgwydd, ei choes a'i hasennau, wedi dioddef archoll difrifol ar ei thalcen, ac wedi'i gorchuddio mewn gwaed. Dyna lle roedd fy mam, a'i breichiau amdani mewn cadair, yn gweddïo y byddai'n dal yn fyw tan y deuai'r meddyg. Cofiaf fy mam yn ei dagrau'n dweud, 'Peidiwch, peidiwch â marw, Mam fach', a Mam-gu'n ateb, gyda'r holl gadernid oedd iddi,

'Bihafiwch eich hunan, Olwen, a cewch i neud bwyd i'r crwt.'

Bu farw yn 1950, yn 91 oed.

* * *

Pobl ddarllengar oedd fy rhieni, a chofiaf drafodaethau lu rhyngddynt am bynciau'r dydd. Deuai un o uchafbwyntiau'r flwyddyn yng Ngorffennaf, pan ddechreuai'r glonc am yr Eisteddfod. Roedd gan fy nhad lond llaw o ffynonellau digon dibynadwy, a byddai'n ailadrodd wrth Mam y sïon a oedd yn cylchredeg ynglŷn â'r enillwyr. Rhannent hefyd ddiddordeb dwfn ym mywyd y capel, ac roedd y ddau'n hynod weithgar ynddo. Byddai yna drafodaethau aml ynglŷn â gwleidyddiaeth yn ogystal, ond roedd hi'n amlwg mai gwleidyddiaeth radicalaidd y Chwith yr oedd y ddau yn ei harddel. Roedd Mam wedi bod yn gefnogol i'r *suffragettes* pan oedd yn hogen ifanc, ac roedd stori Emily Davison, yn aberthu ei bywyd drwy daflu ei hunan dan garnau march y Brenin yn y Derby, yn stori boblogaidd ganddi pan oeddem yn blant.

Roedd syniadau fy nhad yn rhai blaengar ar ddechrau'r ugeinfed ganrif ac rwy'n credu iddo fod yn aelod o'r ILP (Independent Labour Party) yn ddyn ifanc. Er bod Plaid Ryddfrydol y cyfnod yn un a nodweddid ar y cyfan gan ddynion cyfoethog a phwerus, roedd yna haen arall iddi o blaid y dyn cyffredin – haen a etifeddodd y Blaid Lafur yn y pen draw gan draflyncu'r Blaid Ryddfrydol. Dyn a oedd yn arddel yr ethos yna oedd fy nhad, ac un o'i arwyr mwyaf oedd Llewelyn Williams, a safodd fel yr ymgeisydd Rhyddfrydol swyddogol yn Sir Aberteifi yn isetholiad enwog 1921. Gwelai fy nhad ef fel arloeswr, yr hyn y dylai radical, cenedlaetholwr a sosialydd fod. Mi fu'n frwd o blaid Llewelyn Williams yn yr isetholiad ac yn annerch cyfarfodydd o'i blaid. Yn ddiweddarach, bu ar lwyfannau Llafur o blaid fy nghefnder Iwan Morgan, gan y gwelai ef fel olynydd naturiol i radicaliaeth Llewelyn Williams.

Roedd fy nhad yn casáu ceidwadaeth ac imperialaeth ac yn heddychwr digymrodedd. Cerddodd allan o'r sêt fawr yng Nghapel y Tabernacl, Aberystwyth, adeg y Rhyfel Byd Cyntaf, pan oedd ei gefnder, y Parchedig R. J. Rees, yn pregethu o blaid y rhyfel (cerddodd T. Gwynn Jones ac eraill allan yr un pryd). Nid ymddangosodd ei enw ar lyfrau'r eglwys am flynyddoedd wedyn, tan y cafodd ei ethol yn flaenor unwaith eto, ar ôl i R. J. Rees ymadael am Gaerdydd i arwain y Symudiad Ymosodol. Mae'n stori sy'n nodweddiadol ohono, ac yn dangos cryfder ei gymeriad.

Bu fyw i henaint mawr, a darllenai hyd ei ddyddiau olaf. Bu farw yn 1971, yn 93 oed, ac felly mewn un ystyr roedd yn pontio'r bedwaredd ganrif ar bymtheg a'r ugeinfed ganrif. Ond mewn ystyr dyfnach na hynny, yn ei feddylfryd ac yn ei ddiddordebau, roedd llawer mwy yn gyffredin ganddo â'r canoloesoedd na'r ugeinfed ganrif. Roedd ei agwedd at fywyd yn arallfydol.

Ni roes ei fri ar na swydd na dyrchafiad na golud bydol; yn hytrach trysorai weithiau gorau'r bardd a'r llenor, a hynny ar gynfas eang. Nid anaddas yn ei gyswllt ef yw dyfynnu llinell o soned John Keats: 'Much have I travelled in the realms of gold.'

Roedd hefyd yn ddyn o argyhoeddiad cadarn, o ysgolheictod ac o addfwynder. Ysgrifennodd Dewi Emrys englyn hyfryd iddo flynyddoedd cyn ei farw:

Rymus saer y mesurau – a solas
Heulog yn dy wenau,
A melys fyth fydd coffáu
Awen dirion dy eiriau.

Plentyndod a Bro fy Mebyd

Fe aiff hanes diweddar pentref Pen-y-garn yn ôl i'r cyfnod pan oedd gweithgaredd economaidd mawr yn yr ardal, yn arbennig y gweithiau mwyn yng ngogledd y sir. Bu dyfodiad y rheilffordd yn 1865 yn ffactor sylweddol hefyd, a chodwyd nifer o dai'r ardal yn y blynyddoedd wedi hynny. Tua chanol yr 1870au yr adeiladodd fy nhad-cu Garn House, a sefydlu'r busnes *haulage* yn ogystal â siop a fferm. Ar wahân i'r ychydig dai a godwyd ar ôl yr Ail Ryfel Byd a'r ddwy ystad, y naill ochr i'r ffordd a'r llall, yr un pentref ydyw o hyd. Mae'r tai sydd yn ffinio'r ffordd bron yn union yr un fath ag roedden nhw ryw gan mlynedd yn ôl.

Adeg fy mhlentyndod ystyrid pentrefi'r ardal yn unedau agos at ei gilydd yn gorfforol, ond serch hynny'n meddu ar anianau annibynnol. O Ben-y-garn ymestynnai darn agored o dir nes cyrraedd Llandre, ac wedyn i'r de mwy cyfyngedig oedd y pellter cyn cyrraedd y Lôn Groes, ac yna'r Bow Street. Ysgol Rhydypennau a fynychai plant yr amryw bentrefi, ac ugeiniau ohonynt hefyd o'r ffermydd cyfagos. Fel y gellid disgwyl, roedd yna arlliw amaethyddol i'r holl ardal, a'r ffermwyr oedd dosbarth mwyaf dylanwadol y fro. Roedd hi'n gymdeithas glòs, a'i thrigolion â'u gwreiddiau'n ddwfn yn y tir.

Erbyn heddiw, mae pethau wedi newid yn fawr, a llawer o'r ffermydd heb neb yn eu ffermio fel unedau unigol – y tai wedi'u gwerthu, a thiroedd wedi'u huno, fferm wrth fferm. Roedd y dirywiad yma ar droed yn ystod blynyddoedd fy ieuenctid, a thranc diwydiant a chymunedau amaethyddol Sir Aberteifi oedd thema fy araith forwynol yn Nhŷ'r Cyffredin yn 1966. Trist iawn ydyw gweld ffordd o fyw – sydd wedi cyfrannu cymaint i fywyd diwylliannol a bywyd crefyddol Cymru – yn chwalu fel yna, ond chwalu y mae.

Bywyd pur ddiniwed oedd i'r fro, ac roedd awdurdod y capel yn enfawr. Roedd agwedd y capel ar unrhyw fater, beth bynnag y bo, yn rhoi arweiniad, ac yn wir yn rheoli agwedd y gymdeithas. Mae'r capel yn llawer llai perthnasol erbyn hyn, a dyna, mewn sawl ystyr, sydd yn gwneud bywyd yn fwy digyfeiriad ac yn erydu safonau.

Yn ystod blynyddoedd fy mhlentyndod, byddai rhywun yn gweld bron popeth a ddigwyddai o bersbectif y capel. Ni allaf orbwysleisio'i ddylanwad, ac yn wir roedd Cymru wledig yn Gymru ysbrydol hyd at ddiwedd tridegau'r ganrif ddiwethaf. Y capel oedd both olwyn y gymdeithas, a dyna un o'r newidiadau aruthrol a ddaeth i'n bywyd beunyddiol.

Capel y Garn

Berw ysbrydoledig y Diwygiad Methodistaidd a roddodd fodolaeth i Gapel y Garn, a cheir ei hanes yn llyfr bywiog a lliwgar Dr Nerys Ann Jones, *Capel y Garn c.1793–1993*. Tua 1793 y codwyd y capel cyntaf yn y Garn, yn agos i'r fan lle mae Dôl Maelgwyn a Maelgwyn House heddiw. Cynyddodd nifer yr aelodau, a hynny'n arbennig ar ôl Diwygiad 1805, ac fe godwyd ail gapel yn 1813, yn agos at leoliad y capel cyntaf. Ugain mlynedd yn ddiweddarach, yn 1833, roedd y capel unwaith eto'n rhy fach i'r gynulleidfa, ac fe adeiladwyd y capel presennol. Fel y ddau gapel cynt, bu hyn yn bosib trwy haelioni John Watkins, Brysgaga (a oedd yn hen hen dad-cu i mi). Mae chwedl hyfryd, sydd wedi goroesi llawer cenhedlaeth, yn dweud iddo bryderu y byddai'r capel yn rhy fach i'w ddibenion, a'i fod o ganlyniad wedi symud y pegiau liw nos i ychwanegu'n sylweddol at ei faintioli!

Cofiaf fy nhad yn sôn wrthyf am ddylanwad Diwygiad 1904 ar yr ardal, ac ymweliad y Sasiwn â Chapel y Garn ym mis Mehefin 1905. Soniai am y gynulleidfa niferus a ddisgwylid, ac a oedd, wrth reswm, yn llawer rhy fawr i'r capel. Codwyd pabell helaeth yng Nghae'r Maelgwyn, tua 300 llath o'r capel presennol. Mynychwyd yr achlysur gan ryw bum mil o ffyddloniaid, ac roedd trenau arbennig wedi'u trefnu i'w cludo. Nid ar chwarae bach y gwnaethpwyd y fath ddarpariaeth, ac ar ôl misoedd o sychder, fe wynebwyd yr anhawster ychwanegol o yrru pyst pebyll i mewn i ddaear a oedd cyn galeted â haearn. Nid yw'n hawdd amgyffred digwyddiad o'r fath, ond roedd y dathliadau yna'n ddarlun perffaith o'r modd roedd crefydd yn rhywbeth byw, deinamig, a hollbwerus yn hanes y fro.

Ymwelodd rhai o bregethwyr mawr yr enwad â'r Garn yn eu tro, gan ei bod hi'n eglwys bwysig. Does dim dau nad oedd gan y gweinidogion hynny gynulleidfa oedd yn awyddus i gael ei throi – ac i fod yn rhan o'r danchwa fawr ysbrydol. Mae gen i gof plentyn bach o Philip Jones, un o dywysogion y pulpud, yn ymweld â'r Garn tua diwedd y tridegau. Fyddwn i'n ddim mwy na phum neu chwe blwydd oed, a pham yn y byd roedd fy rhieni wedi mynd â fi yno, dyn a ŵyr. A oedd yna obaith, efallai, y byddai'r profiad yn gadael rhyw fath o ôl arna i? Yn sicr, mae'n un o'r atgofion sy'n parhau'n llachar ar len y cof. Roedd y capel yn orlawn, ac mae gen i atgof byw o Philip Jones yn sefyll yn y pulpud, ac yna'n sydyn yn symud i un ochr ac yn dal ei law fel petai teleffon ynddi, ac yn dweud,

'Y *maternity ward*, ie? Beth yw'r newydd? O, newydd da, diolch yn fawr.'

Aeth ymlaen i adrodd testun ei bregeth: 'Oddi eithr eich troi chwi, a'ch gwneuthur fel plant bychain, nid ewch chi i ddim i mewn i deyrnas nefoedd.' Clywais eraill yn sôn am y bregeth yna, ac rwy'n siŵr nad dychmygu'r olygfa yr ydw i. Roedd yr ymdeimlad yn un dwys, ac er nad oes gen i'r un cof o brif bwyntiau'r bregeth, roeddwn i fel plentyn bach yn gwybod ei fod yn achlysur pwysig yn hanes ein heglwys.

Roedd personoliaeth y gweinidog yn allweddol i fywyd eglwys, ond câi'r awdurdod ei rannu â'r blaenoriaid. Y peth mawr am flaenoriaid y Garn dros y blynyddoedd oedd y câi cymysgedd cymdeithasol ei gynrychioli ganddynt. Ceid un neu ddau o ffermwyr porthiannus, un neu ddau o bobl oedd wedi gwneud enw iddyn nhw eu hunain mewn rhyw faes neu'i gilydd, ac yna un neu ddau o weision ffermydd, ac roedd yna deimlad o gyfartaledd llwyr rhyngddynt. Mi fyddai'n anodd ichi feddwl, dybiwn i, am gyfundrefn fwy democrataidd yng nghymdeithas y cyfnod hwnnw na sêt fawr ein capeli – gan anwybyddu'r ffaith gywilyddus mai eithriad oedd i fenyw fod yn flaenor. Yn hanner cyntaf yr ugeinfed ganrif roedd yna weinidog i'r Garn yn unig, a'r aelodaeth tua'r tri chant neu fwy. Erbyn heddiw rydym tua hanner y nifer hwnnw, er yn well ein byd nag aml eglwys wledig arall.

Nid y Garn yw'r unig gapel yn yr ardal; mae Noddfa, capel yr Annibynwyr, wedi bodoli ers degawdau – ond nid o dan yr enw hwnnw y câi ei adnabod yn nyddiau fy mhlentyndod. Rwy'n cofio dychwelyd o chwarae ryw noson, a Mam yn gofyn lle bues i, a minnau'n ateb 'mod i wedi bod yn y Bow Street ar bwys y 'Capel Senters'. Mi ofynnais iddi sut y cafodd yr enw yna, a hithau'n egluro hanes yr Annibynwyr: mai'r *dissenters*, pobl flaengar a dewr a ddaethai allan o'r Eglwys Wladol oedden nhw. Byth ers hynny mae meddwl am yr enw 'senters' yn atgoffa dyn o'u traddodiad cyfoethog. Mae'n achos sy'n fywiog yn y fro o hyd ac mae'r berthynas rhwng Capel y Garn a Chapel Noddfa yn un hapus a chynnes, a phreiddiau'r ddwy eglwys yn cydaddoli'n gyson.

Roedd y capel yn bopeth ym mywyd Nhad a Mam, ac yn rhan sylweddol o 'mywyd innau hefyd. Roedd y teulu wedi bod yn rhan annatod o'r capel ers degawdau, a'r capel yn rhan greiddiol o fywyd y teulu. Roedd fy nhad yn flaenor, a'i dad yntau – William Morgan, Garn House – o'i flaen, a bu ei dad ef, John Morgan, Glanfrêd, yn flaenor yno hefyd. Rwyf innau, felly, yn bedwerydd (os nad y pumed, yn ôl un ffynhonnell) mewn olyniaeth o dad i fab; nid trwy rinwedd, yn fy achos i, y daeth hyn i fod, ond trwy deitl etifeddol!

Cefais fy ethol yn flaenor yn Ionawr 1971 a hynny, rwy'n siŵr, fel teyrnged i Nhad a oedd yn wythnosau olaf ei fywyd.

Roedd y capel yn sefydliad arbennig iawn iddo. Cafodd ei ethol yn flaenor yn y Tabernacl, Aberystwyth, ddwywaith, cyn cael ei ethol yn ddiweddarach yn y Garn. Daeth yn bregethwr lleyg ac mi fu'n gwasanaethu'n rheolaidd am flynyddoedd. Saernïai ei bregethau yn fanwl ac yn gymen, bob amser yn bum munud ar hugain i'r eiliad, a bob amser ar ryw destun arbennig wedi'i resymu'n fanwl ac yn drefnus. Byddai'n hoff o bregethu; pregethau syml, diffuant, yn seiliedig ar wybodaeth fanwl o'r Beibl ac athroniaeth Anghydffurfiaeth oeddynt. Pregethodd tan ei fod yn hen ŵr ynghanol ei wythdegau.

Mae rhai o'r atgofion cynharaf sydd gen i o'r capel am ddau achlysur arbennig yn y flwyddyn. Y cyntaf oedd eisteddfod y Nadolig, a'r ail oedd agor y blychau cenhadol. Roedd yr eisteddfod yn sefydliad a gynhelid am ugeiniau o flynyddoedd, ac mae'n drueni mawr iddi ddod i ben ryw chwarter canrif yn ôl – ond roedd hi wedi dirywio, fel y gellir dychmygu, fel nifer o sefydliadau eraill. Rwy'n cofio'r lle'n orlawn yn fy nyddiau cynnar, gyda channoedd lawer yno a'r parwydydd yn rhedeg o leithder. Mi fyddai'r eisteddfod wastad yn parhau tan oriau mân y bore, a'r cystadlu'n frwd: y plant gyntaf, yna'r oedolion, ac yn olaf cyflwynid y gwobrau llenyddol, â'r safon yn uchel bob amser.

Y gystadleuaeth gyntaf rwy'n ei chofio oedd adrodd dan bump. Mi fyddwn i'n dair neu bedair oed, yn adrodd darn bach 'Wil a'i fotor-beic'. Roeddwn wedi'i ddysgu ar fy nghof – ac yn awyddus i berfformio. Mi es i fyny i'r llwyfan i gystadlu ac roedd y gweinidog, y Parchedig Wallace Thomas, yno'n arwain. Medde fe,

'Nawr 'te, dyma Elystan i adrodd inni.'

Dyma fe'n rhoi ei law ar fy ysgwydd a gofyn, 'Beth ges di gan Siôn Corn, Elystan?'

Ac mi wedes i, 'Fe ges i lorri BP.' Lorri British Petroleum roeddwn i'n cyfeirio ati, wrth gwrs, ond roedd yn swnio fel rhywbeth arall i'r gynulleidfa, ac mi chwarddodd pawb!

Roedd fy mam wrth y piano, o fewn ychydig lathenni i mi, ac rwy'n cofio dweud wrthi'n uchel,

'Mam, mae'r diawled yn chwerthin ar 'y mhen i!'

Mi wnaeth hynny goroni'r cyfan, wrth gwrs. Roedd Nhad o dan sioc, yn methu'n lân â deall o ble cawswn i afael ar y fath air dieflig! Ni allai fy mam ei hatal ei hun rhag chwerthin – dyna oedd ei natur.

Y digwyddiad mawr arall oedd agor y blychau cenhadol, a the i ddathlu'r achlysur. Roedd y blwch cenhadol, os ca' i ddweud, yn sefydliad pur ormesol yn fy nghartref i, mewn un ystyr. Byddai nifer fawr o ffrindiau a pherthnasau yn galw o bryd i'w gilydd, a bob amser câi rhywfaint o arian ei roi i minnau a 'mrawd, Deulwyn. Ond, roedd rheol bendant fod hanner yr arian i fynd i'r blwch cenhadol – y bocs pren tywyll a llun o Iesu Grist a'i freichiau ar led, a phlant bach duon, melynion a chochion i gyd o'i flaen. Yn dair neu bedair blwydd oed, teimlwn yn flin am hyn. Rwy'n cofio meddwl, 'Pan dyfa i i fyny, fe licen i gael anferth o ffon a'i rhoi ar draws eu penole nhw i gyd!' – am eu bod yn mynd â hanner popeth a gawn. Mae'n debyg na fyddai'r egwyddorion sosialaidd o gyfiawnder a rhannu yn apelio ryw lawer at fachgen bach! Roedd meddwl 'mod i wedi colli cymaint i'r plant bach duon, cochion a melynion yn achosi cryn alaeth imi. Roeddwn i'n *racialist* digymrodedd tan oeddwn i tua saith oed! Ond dyna oedd y greddfau a'r teimladau ysol mewn plentyn. Mae'n dda gen i ddweud imi'n sydyn reit yn ddiweddarach droi i fod yn llawn tosturi tuag at blant bach y bocs cenhadol.

Agwedd bwysig ar fywyd y capel oedd yr amryw weithgareddau a gynhelid yno, gan na ddeuai fawr o adloniant o unrhyw gyfeiriad arall. Yn y capel byddai sefydliadau fel yr ysgol Sul, y cyfarfod gweddi, y seiat, eisteddfodau'r gwahanol eglwysi, y Band of Hope, a'r cwrdd llenyddol. Sefydliad pwysig oedd y Band of Hope a fyddai'n cwrdd bob nos Wener; byddai'r festri'n llawn, a chaem bob math o adloniant yno, yn ogystal â dysgu gwahanol ddarnau – ond yn bwysicaf oll caem gyfle i gyfarfod â'n gilydd. Doedd yna ddim teledu yn y dyddiau hynny ac roedd radio yn cyfri lawer llai. Y capel oedd yn cynnal y rhan helaeth o adloniant plant a phobl ifanc y fro, a byddai tipyn o rialtwch a chellwair diniwed yn ei sgil.

Teg yw dweud mai plentyn digon direidus oeddwn ar brydiau. Pan fyddai digwyddiad yn y capel, bydden ni'r plant yn chwarae pob math o rialtwch, ac yn tsiaso'n gilydd o amgylch yr adeilad. Ar un achlysur roedd bachgen yn ceisio fy nal, a minnau ar ben wal fach oedd wrth gefen y festri. Yn ei chanol hi roedd yna glwyd, a'r wal fach yn parhau am rai llathenni yr ochr draw. Dyma fi'n camu'r bwlch, a cholli 'malans. Roeddwn ar fin cwympo, pan gydiais mewn rholyn mawr o wifrau trydan a oedd wedi'u cysylltu â wal y capel. Daeth fflach sydyn o olau glas. Mi lwyddais i gadw 'nhraed – ond fe ddiffoddodd goleuadau'r capel, pob un ohonynt! Ymhen rhyw wythnos neu ddwy, cynhaliwyd cwrdd blaenoriaid, a dywedwyd bod yna fil go sylweddol i'w dalu am ailweirio rhan o'r capel. Cyfraniad fy nhad i'r drafodaeth oedd dweud, yn gwbl ddiflewyn-ar-dafod, heb wybod dim am gefndir yr achos, wrth gwrs,

'Wel, fe ddylen ni wybod pwy oedd yn gyfrifol am y difrod yma, ac mi ddylai rhieni'r bachgen dalu.'

Yna, meddai rhywun wrtho,

'Wel, Mr Morgan, rwy'n credu mai chi sydd â'r cyfrifoldeb, felly.'

Rwy'n cofio Nhad yn dweud bod gorfod talu'r arian yn weithred ddigon difrifol, ond bod gwneud ffŵl o'i hunan o flaen y blaenoriaid eraill yn waeth fyth! Nid dyna'r unig dro i Nhad orfod talu iawndal am fy nghamweddau bachgennaidd.

Yn ogystal â'r achlysuron arbennig hyn, conglfaen arall i'r eglwys, wrth gwrs, oedd yr Ysgol Gân, ysgol ganu i'r plant. Byddai'r cerddor a'r cyfansoddwr enwog J. T. Rees, a oedd wedi ymsefydlu yn yr ardal ers blynyddoedd lawer, yn chwarae rhan bwysig yn y gweithgareddau hyn. Roedd yn hen ŵr y pryd hwnnw, ond yn gymeriad o gadernid mawr ac yn mynnu disgyblaeth, a Mam fyddai bob amser yn cyfeilio iddo. Yn anffodus iawn, bachgen bach hollol ansoniarus oeddwn i, yn methu'n lân â chanu mewn tiwn; roedd gen i gywilydd am hynny, ac roeddwn yn destun embaras i'm teulu hefyd. Er gwaethaf fy niffyg gallu cerddorol, byddwn yn parhau i fynychu'r cyfarfodydd hynny'n ffyddlon, ond crwtyn digon trafferthus oeddwn ar y cyfan.

Dyddiau Ysgol Rhydypennau

Adeiladwyd adeilad cynharaf yr ysgol yn yr 1870au, a rhoddodd wasanaeth anrhydeddus i'r ardal am genedlaethau. Yn eu hamser, bu i'r ysgol nifer o brifathrawon oedd yn bersonoliaethau cedyrn a gwreiddiol. Un o'r rheini oedd John Evans, a ddaeth ar ôl hynny'n arolygydd ysgolion, gŵr a adawodd ei stamp yn fawr iawn ar yr ardal. Yn fy nghyfnod i daeth E. D. Jones yn brifathro. Roedd hwnnw hefyd yn ddyn o gymeriad arbennig, ac yn byw yn y Dole.

I mi roedd yr ysgol yn lle difyr a diddorol. Adeg chwarae, byddai'r bechgyn yn ffugio rasys rhwng dau dîm o geffylau – dyna oedd y gêm fawr: dwy reng o fechgyn, pedwar ym mhob rheng, a chortyn beindar yn eu clymu wrth ei gilydd. Mi fyddai'r bachgen oedd yn arwain y tîm yn eu rhedeg nhw rownd a rownd yr iard, a dyna lle byddai'r merched bach yn sgrechian, a'r rheini wedi bod yn chwarae tai gyda rhyw ddarnau bach o tsieina'n cynrychioli ystafelloedd. Cawn yn aml fod yn ddreifar, nid am fy mod i'n gwybod llawer am geffylau, ond roeddwn i'n gallu gweiddi a rhegi yn well na'r gweddill! 'Capten, cadw mas. Lock, bihafia dy hunan. Bocser y cythrel pwdwr, dere mewn!' ac yn y blaen. Mae gen i atgofion llachar o'r fath yna o adloniant yn yr ysgol. Doedd yno ddim darpariaeth ar gael i chwarae gêm o bêl-droed na rygbi: iard fach galed ydoedd a dros gant o blant arni yr un pryd.

Mae'r atgofion cyntaf sydd gen i o'r ysgol yn rhai melys a hapus, er y byddwn i byth a beunydd yn cael cerydd am rywbeth neu'i gilydd. Fyddai dim byd ofnadwy yn y troseddau, a doeddwn i ddim yn wahanol i'r mwyafrif helaeth o blant yn y cyswllt hwnnw. Roedd yna elfen ddireidus i fywyd, ac rwy'n cofio un diwrnod yn arbennig iawn. Adeg toriad y bore oedd hi a hithau'n pistyllio'r glaw, yr athrawon wedi mynd i gael paned o de ym mhen arall yr ysgol, a'r plant i mewn yn ystafell Safon 5 wedi crynhoi o amgylch desg y prifathro. Ar y ddesg roedd ei gap, a dyma fi'n ei wisgo ar fy mhen, a gwatwar fel y byddai'r prifathro'n arwain y plant i ganu â'i freichiau'n symud fel melin wynt. Roeddwn hefyd wedi creu rhigwm:

Mae sôn bod gwraig y Duke of Kent
Yn golchi ei thin â sebon sent!

A minnau'n arwain y canu'n afieithus, a'r plant yn chwerthin ar dorri eu boliau, yn sydyn reit, dyma ddistawrwydd llethol yn disgyn – 'distaw ddisyfyd osteg', fel y dywed y bardd. Pwy oedd yn sefyll y tu ôl imi, ond y prifathro! Yn y fan a'r lle mi ges i'r gosfa fwyaf pert y gellwch feddwl amdani.

Rwy'n cofio un chwarae arall a drodd yn chwerw. Adeg y rhyfel oedd hi, a finne'n rhyw naw neu ddeg oed ar y pryd. Dyma fachgen o'r enw Ifor Jenkins yn dweud wrtha i ei fod e wedi cael ffwtbol. Doedd hi ddim yn un newydd, ond roedd hi'n un lledr go iawn. Yn wir, roedd hynny'n beth mawr gan nad oedd yr un ohonon ni wedi gweld pêl-droed ledr ers blynyddoedd. Roedd un o'i frodyr yn y fyddin, ac wedi anfon y bêl iddo. Dyma Ifor a minnau'n mynd i fyny ar y bws cynnar i'r ysgol – awr cyn pawb arall – i gael shots am gôl. Rwy'n cofio'r darlun yn glir: Ifor yn sefyll yno o flaen y wal a'r ffenest ac yn rholio'r bêl tuag ata i. Am unwaith, mi ges i anferth o ergyd ac mi aeth y bêl fel bwled heibio'i law. Mi chwalodd y ffenest yn deilchion! Fe fu'n rhaid i Nhad dalu swm y ddyled, ond rwy'n credu iddo weld rheswm y peth: dau hogyn bach yng nghanol gaeaf, yn gadael gyda'r wawr, i gael shots am gôl wrth i'r haul godi.

Mae yna stori arall amdana i a 'mrawd Deulwyn sy'n darlunio natur anturus plentyn – neu'r twpdra wrth fethu gweld perygl! Roedden ni'n blant ym Mhen-y-Garn yn byw yn nhŷ ein mam-gu – Deulwyn tua phedair oed, a minnau felly'n rhyw saith oed. Roedd hi wedi bod yn bwrw glaw ac afon Ceiro, ryw ddau gan llath i ffwrdd, mewn llif mawr. Mi dorron dwll yng nghlawdd pen pella'r ardd a mynd drwy'r caeau at yr afon, gan feddwl y caen ni sbri mawr yn hwylio i lawr yr afon. Ein cwch y prynhawn hwnnw oedd bath babi – bath *papier mâché* (mwydion papur) pinc. Roedd yr afon yn llifo'n llwydwyllt, ond roedd gan Deulwyn ffydd fawr yndda i, ac fe gydiais yn ei law, a'r bath yn y llaw arall. Fe gamais i mewn i'r bath, gyda'r bwriad o fynd â Deulwyn i mewn gyda fi; ond roedd y bad bach yn ddigon ansefydlog, heb rwyfau na dim. Mi ddihangodd y bath gyda'r llif, ac fe gwympodd y ddau ohonon ni i mewn i'r dŵr – ond trwy drugaredd llwyddom i ddianc rhag rhuthr y llif. Yn wlyb sopen, fe aethon adref, yn teimlo piti mawr drosom ein hunain. Petaen ni wedi llwyddo i hwylio i lawr yr afon yn y bath, dyna, mi gredaf, fyddai diwedd y ddau ohonom!

Rwy'n cofio mwy nag un tro direidus arall yn yr ysgol. Unwaith, ar brynhawn poeth yn yr haf, mi aeth rhyw hanner dwsin ohonom i Lyn y Felin, yn hytrach na mynd i'r ysgol – a heb yn wybod i'n rhieni. Gan fod Mam yn gyn-brifathrawes, mi fyddwn wedi cael cerydd llym petai hi'n gwybod beth oedd yn digwydd! Dyma ni'n deifio i mewn i'r llyn, ond roedd y dŵr yn frwnt ac yn llaca i gyd, yn llawn o bob math o lygredigaeth. Credaf imi lyncu rhywfaint ohono, achos erbyn hanner nos roeddwn i'n neidio o gwmpas yn dioddef rhyw golig difrifol. Mi ddes i dros y salwch, ond ni ddaeth fy rhieni byth i wybod beth oedd yn gyfrifol am yr argyfwng arbennig hwnnw. Theori Nhad oedd fod bara adeg y rhyfel yn andwyol i blant a chŵn!

Dro arall, mi es i a bachgen o'r enw Gwyn Edwards o'r Bow Street i ffwrdd ar *chalk chase*. Gêm oedd honno lle byddai criw o blant yn dilyn trywydd un neu ddau arall, a rhaid oedd marcio postyn telegraff neu goeden neu wal fan hyn a fan draw, â sialc, i ddangos cyfeiriad y llwybr. Mae'n debyg mai rhedeg i'r Borth ac yn ôl oedd y nod y diwrnod hwnnw. Cafwyd y 'fantais' angenrheidiol ar y plant eraill, o tua ugain munud, ac i ffwrdd â ni i bentref Dôl-y-bont. Yno, mi ddigwyddon gyfarfod â rhywun roedd Gwyn yn ei nabod, ac roedd ganddo lorri. Fe gawson lifft yn ôl i'r Bow Street a'r ddau ohonom yn cwtsio yn y cab wrth fynd heibio'r bechgyn, oedd ar eu ffordd i'r Borth i chwilio amdanom drwy'r prynhawn! Trwy anlwc, mae'n rhaid fod rhywun wedi'n gweld ni yn y lorri, oherwydd y diwrnod canlynol bu i'r ddau ohonom dderbyn ffrwyth y gansen am ein twyll.

Achlysur arall yng nghwmni Gwyn sy'n dal yn llachar ar len y cof oedd diwrnod y goeden geirios. Safai'r goeden, a oedd yn orlawn o ffrwyth, yng nghae fy ewythr, Arthur Morgan, Pwllglas. Roedd plant y fro wedi heidio yno ddydd ar ôl dydd a nos ar ôl nos, nes bod yna dwll priddgoch yn y clawdd. Yn y diwedd mi dorrodd fy ewythr y goeden i lawr. Trwy gyd-ddigwyddiad, roedd hyn wedi digwydd ar fore Llun. Yr union ddiwrnod hwnnw, roedd Gwyn a minnau ar yr hyn a elwid yn *milk duty*. Rhan o'r ddyletswydd oedd cyfarfod â'r bws a ddeuai o Fachynlleth â'r *churn* o laeth, adeg toriad y bore, a'i chario yn ôl i'r ysgol. Mi fyddai'n dal galwyni o laeth, a chan ei bod mor drwm byddai angen ffon bren i'w rhoi trwy'r cylchyn i'w chario. Pan gyrhaeddon ni'r man cwrdd – rai munudau cyn amser y bws – fe welon ni fod y geirioswydden wedi cael ei thorri. Rwy'n cofio stwffio i mewn i 'nghrys, i'n sanau ac i 'nhrowsus gymaint o geirios ag y gallwn eu bwyta mewn wythnos gan anghofio pob peth, wrth gwrs, am y llaeth. Mae'n rhaid fod pum neu ddeng munud wedi mynd heibio, a phwy ddaeth i lawr o'r ysgol ond E. D. Jones, y prifathro, yn gweiddi'n groch! Mi gydiodd yn ffon y *churn* a'i rhoid hi dros fy mhen-ôl i ac ar draws coesau Gwyn – rwy'n gweld hwnnw'n dawnsio nawr! *Dies Irae*! Roedd yn ddiwrnod o gosb lem, yn arbennig o orfod fforffetio'r ceirios.

Er gwaetha'r ffaith imi glownio'n helaeth ar brydiau, fyddwn i ddim am roi'r argraff mai drygioni a direidi di-ben-draw oedd bywyd. Darllenwn lawer fel plentyn: roedd yna gannoedd o lyfrau gartref, ar bob pwnc ar wyneb daear, felly roeddwn yn ffodus iawn o fedru elwa o'r adnoddau gwerthfawr hyn. Ceid pob anogaeth yn yr ysgol i ddarllen, ac roedd Nhad yn fy annog yn grwt ifanc, rhyw naw neu ddeg oed, i wneud yr un peth ag a wnaethai ef, sef darllen y llenyddiaeth orau y gallwn gael gafael ynddi. Ni wnes i hynny, ac yn hytrach darllenwn bob math o bethau – y gwych a'r gwachul. Cofiaf fy nhad yn gresynu wrth fy ngweld yn darllen *Rover, Hotspur, Wizard, Champion* a llenyddiaeth gyffelyb. Roedd E. D. Jones yng Ngholeg Aberystwyth yr un adeg â Mam, a bydden nhw'n siarad yn ddigon agored am bethau. Fe ddaeth heibio'r tŷ un diwrnod.

'Beth mae e'n ddarllen?' gofynnodd.

'Sothach,' atebodd fy mam gan restru'r cyhoeddiadau.

'Paid â phoeni,' meddai, 'cyhyd â'i fod e *yn* darllen.'

Rwy'n credu bod llawer iawn o wirionedd yn hynny – ond eto mae'n flin gen i na wnes gymryd cyngor fy nhad yn fwy helaeth. Flynyddoedd lawer wedyn gallwn ddeall doethineb ei eiriau, pan soniai am Dickens, Trollope, Hardy ac awduron eraill. Eto i gyd, rhaid cofio mai cyfnod y rhyfel oedd hi erbyn imi droi'n saith oed, ac roedd plentyn yn byw ar straeon oedd yn symud yn gyflym ac yn llawn antur.

Roedd gen i grap reit dda ar bynciau'r 11+, ar wahân i fathemateg! Dioddefwn o ryw fath o floc meddyliol, ac mewn rhai agweddau roeddwn i'n gyfan gwbl ar goll. Ond roedd rhaid pasio'r papur mathemateg, wrth gwrs, neu ni fyddai gobaith cyrraedd yr ysgol ramadeg. Rwy'n cofio Nhad yn dweud,

'Fe fydd rhaid iti fynd i weld Wncwl John.'

Cefnder iddo oedd John – J. J. Morgan, a oedd wedi bod yn brifathro ym Mhontycymer ac wedi gwneud gradd anrhydedd mewn mathemateg fel myfyriwr. Rwy'n cofio mynd i'w weld, a hwnnw'n dweud wrtha i,

'Beth wyt ti ddim yn ddeall, Elystan?'

Wel, roedd honno'n rhestr go faith, gallwch fentro, ond

roeddwn i wedi clywed rhyw sôn mawr am y *digits* yma oedd yn peri cryn ofid imi. Fe wedes i,

'Wel, *digits* i ddechrau.'

'Bachgen, mae hwnna'n syml,' meddai. 'Nawr 'te, dal dy ddwy law i fyny – faint o fysedd sydd 'da ti?'

'Deg,' wedes i.

'Wyt ti'n gwybod beth yw'r gair Lladin am fys?'

'Nadw.'

'*Digitus*,' meddai. 'Fe wnaeth yr hen bobl sefydlu cyfundrefn fathemateg yn seiliedig ar y deg bys. Fel rwyt ti'n gweld, mae'n syml iawn. Meddylia am y ffigwr 38: os wyt ti eisiau ei rannu efo deg, rwyt ti'n symud y *decimal point* i 3.8. Os wyt ti am ei luosogi, mae'n dod yn 380, ac yn y blaen.'

Yn sydyn reit, fe ddaeth goleuni gwawr newydd i mi. Wnaeth e ddim fy nhroi i'n fathemategydd (byddai angen rhyw ymyrraeth wyrthiol i wneud hynny) ond mae'n dangos sut mae gair yng nghlust plentyn weithiau'n gallu egluro cymaint. Roedd ychydig amser yng nghwmni Wncwl John wedi gwneud byd o wahaniaeth ac mi lwyddes i oresgyn yr 11+ a'r problemau mathemategol, neu rai ohonynt o leiaf.

Er gwaethaf yr anawsterau hyn, does dim amheuaeth na fu i ddisgyblion Rhydypennau dderbyn addysg werthfawr – yn arbennig yn nwylo E. D. Jones. Roedd ganddo ddawn arbennig, a deallai i'r dim sut i ddeffro dychymyg plentyn. Medrai ysgrifennu mewn *copperplate*, ac ni fyddai unrhyw glerc banc yn gallu gwneud hynny'n well nag ef. Mae rhai o'r gwersi a gawsom yn Safon 5, yn blant naw i ddeg oed a hŷn, yn dal yn fyw yn fy nghof.

Roedd rhan helaeth o'r addysg trwy gyfrwng y Saesneg, a chofiaf un darn arbennig gan Longfellow. Cerdd oedd hon am dywysog o'r Affrig oedd wedi cael ei gymryd yn gaethwas i'r Amerig. Ar ganol llafur trwm a chreulon roedd wedi cwympo i drwmgwsg a breuddwydio am ei wraig a'i blant. Yna, roedd tsiaen y meistr yn disgyn ar ei benglog a'i ladd:

Beside the ungathered rice he lay,
His sickle in his hand.
His breast was bare, his matted hair
Was buried in the sand.
Again, in the mist and shadow of sleep,
He saw his Native Land.

...

He did not feel the driver's whip,
Nor the burning heat of day;
For Death had illumined the Land of Sleep,
And his lifeless body lay
A worn-out fetter, that the soul
Had broken and thrown away!

Cofiaf yr effaith ysgytwol a gafodd arna i, ac ar y plant eraill.

Agwedd arall ar wersi E. D. Jones rwy'n ei chofio'n dda oedd ei arferiad o actio darnau megis 'The Ballad of Sir Patrick Spens'. Yr hyn a geir yn y faled yw hanes brenin yn anfon llong i Norwy i gario merch Brenin Norwy yn ôl i'w briodi – a llawer o bobl yn darogan perygl y fordaith honno. Roedd rhywun wedi gweld cysgod yr hen leuad yn y flaenlloer:

I saw the new moon late yestreen
With the old moon in her arm.

Wrth imi edrych ar y lleuad ychydig nosweithiau yn ôl, mi welais yr union beth, fel petai rhywun wedi mynd â phensil dros amlinell yr hen leuad. Roedd hwnnw i fod yn arwydd nid yn unig o dywydd drwg ond o ddigwyddiadau difrifol yn ogystal. Ac fel yr adroddir yn y gerdd, mi gollwyd y llong ac fe drengodd y dywysoges, Syr Patrick Spens, a'r criw i gyd. Cofiaf hefyd am 'The Inchcape Rock' gan Robert Southey, cerdd am hadyn o'r enw Sir Ralph the Rover, y dihiryn mwyaf diegwyddor a chreulon a fagodd ei ddydd.

Fel llawer athro yn yr oes honno, gallai E. D. Jones fod

yn ddisgyblwr llym, ond os cafodd dyn erioed y ddawn i ddysgu, fe oedd hwnnw. Mae'r gallu i ysbrydoli meddwl ac ysbryd plentyn yn un prin a chyfrin. Heddiw caiff plentyn stôr dihysbydd o wybodaeth o sgriniau'r cyfrifiadur a'r teledu, a dywed arbenigwyr fod plentyn chwe blwydd oed, o allu arferol, yn meddu ar fwy o ffeithiau nag a oedd gan Leonardo da Vinci – y dyn mwyaf galluog ac amryddawn a welodd y byd erioed, efallai – ym mlodau ei ddyddiau. Gall cyfarpar electronaidd fod o fendith aruthrol i addysgu plant ond mae'r gallu ar ran athro i drosglwyddo'r sbarc yna o frwdfrydedd i enaid plentyn yn amhrisiadwy.

Y Rhyfel

Ychydig yn fyr o saith mlwydd oed roeddwn i pan dorrodd yr Ail Ryfel Byd allan, ym mis Medi 1939. Hyd yn oed ym mhellafion Sir Aberteifi mi brofon ni, blant ysgol, sgil effeithiau'r brwydro. Roedd yna orfodaeth arnom fel plant i fynychu'r ysgol yn cario *gas masks*, mewn rhyw focs bach cardbord: roedd honno'n ddefod fawr. Mae gennyf atgof wedyn o ddril y cyrch awyr: chwythiad y chwiban, a'r plant o'r dosbarthiadau oll yn dringo wal y fynwent, yn troedio i dop y fynwent, cyn mynd dros y ffens, a gorwedd i lawr ar ein boliau wrth y lein o goed a ffiniai'r fynwent a chae Bronceiro. Yr oedd rhyw gant ohonom yn gorwedd fel rhes o bysgod yn y rhyd. Pa mor effeithiol fyddai wedi bod o safbwynt achub bywyd ac aelod, dydw i ddim yn gwybod; mae'n siŵr fod rhyw gyfarwyddyd wedi dod o'r Swyddfa Gartref yn dweud mai dyna ddylai plant ysgol ei wneud. Mi faswn i'n meddwl y byddai'n llawer iawn mwy diogel aros yn adeilad yr ysgol. A pham yn y byd mawr byddai unrhyw un yn bomio ysgol ym mherfeddion Sir Aberteifi? Ond dyna ni, roedd yna ryw glerc hirdrwyn yn rhywle wedi penderfynu mai fel yna y dylai pethau fod.

Roedd y rhyfel yn gadael ei ôl yn ddyddiol ar ein bywydau. Ar adegau mi fyddai bwyd yn brin, er mai anaml y byddai hynny'n broblem i'r rhai oedd yn byw yn y wlad. Anodd weithiau fyddai prynu wyau, ond gan fod nifer o 'nheulu yn ffermwyr byddai modd cael gafael arnynt yn ôl yr angen. At hyn, yr oedd ffrind i Mam-gu yn byw yn Rhydhir, Bow Street, a gofalai bob amser fod stoc dda gennym. Câi'r ieir eu bwydo â blawd pysgod, ac o ganlyniad roedd yna flas pysgodlyd ar yr wyau! Serch hynny, roedd yn llawer gwell cael wyau pysgodlyd na bod heb wyau o gwbl.

Roedd canlyniadau llawer mwy difrifol a thrist i nifer yn yr ardal, wrth gwrs. Yr adeg honno byddai straeon yn cyrraedd o'r byd benbaladr am rhywun wedi'i ladd, neu wedi'i anafu neu ei gymryd yn garcharor. Cofiaf ddau achlysur pan gollwyd aelodau o'r teulu. Roedd un yn ail gefnder i mi, Emrys Bunce Morgan, a fu'n fyfyriwr yn Adran y Gyfraith yn Aberystwyth, a laddwyd yn y Dwyrain Canol, yn lefftenant yn y fyddin yn un ar hugain mlwydd oed. Un arall, eto'n ail gefnder imi, oedd Dewi Bunce Morgan, meddyg ar long y *Gurkha*, a gollwyd ar y ffordd yn ôl o Narvik yn 1940. Fe holltwyd y llong yn ddwy ac yntau'n digwydd bod yn starn y llong, ac wedi mynd i lawr i'r *engine room*. Yno roedd morwyr wedi'u hanafu'n erchyll ac mewn cyflwr hunllefus – peiriannau wedi syrthio arnynt, a'r ager yn sgaldio'r croen oddi ar eu hesgyrn. Cyrhaeddodd y capten a swyddogion eraill starn y llong mewn cwch modur, gan ddweud wrth Dewi Bunce fod yr amser wedi dod i adael y llong, ond mi wrthododd. Dywedodd y capten wrtho,

'Surgeon Lieutenant Morgan, I'm *ordering* you to leave the ship.'

Dywedodd yntau,

'You may order me as much as you like, sir, I'm staying here.'

A dyna wnaeth. Cafodd ei enwebu am fedal y George Cross gan swyddog cyntaf y llong (ef a ddywedodd yr hanes wrth ddwy chwaer Dewi), ond ni chafodd hi oherwydd i'r capten oroesi, a doedd y llynges ddim am wobrwyo anufudd-dod.

Dau beth mawr a wnaeth argraff arna i'n bersonol, yng nghyswllt y rhyfel. Y cyntaf oedd fy mrawd Gwyn. Roedd fy nhad wedi bod yn briod o'r blaen ac wedi colli ei wraig gyntaf. Cawsai Gwyn ei eni yn 1913 ac felly roedd bedair blynedd ar bymtheg yn hŷn na mi. Dyn tawel, llawn hiwmor ydoedd, ac yn hollol ddigyffro yn ei ffordd ei hunan. Cyfreithiwr oedd Gwyn wrth ei alwedigaeth, a bu yn yr awyrlu yn Affrica am ran helaeth o'r rhyfel. Bob dydd, pan oeddwn yn blentyn, byddwn yn gofyn i mi fy hunan, 'Tybed gaiff Gwyn ei ladd heddiw?' Roedd y peth yng nghefen fy meddwl yn barhaus. Pan gyrhaeddwn adref o'r ysgol, yn ddyddiol tan iddo ddychwelyd, byddwn yn holi fy hunan, 'Oes yna geir neu bobl o gwmpas, neu oes unrhyw arwydd fod rhywbeth o'i le?' Gwnawn hyn oherwydd iddo ddigwydd i nifer o blant eraill – y byddai newyddion drwg yn aros amdanynt pan ddychwelent o'r ysgol. Ond, diolch i Ragluniaeth, mi ddaeth Gwyn trwy'r rhyfel yn holliach.

Yr hyn a wnaeth argraff fawr arall arnaf oedd sylweddoli'n fuan wedi Pearl Harbor ym mis Rhagfyr 1941 fod nerth y Cynghreiriaid yn aruthrol fawr – gyda'r Americanwyr yn mynd i ryfel yn erbyn Siapan a'r Almaen. Rhoddwyd pob math o ffigyrau gerbron, ond roedd yn amlwg fod cynnyrch y Cynghreiriaid o'i gymharu â'r Axis (lluoedd yr Almaen, yr Eidal a Siapan), mewn olew, rwber, dur, twngsten, ac mewn nwyddau crai ar gyfer ffrwydron ac yn y blaen, ar raddfa o rhwng chwech i un ac wyth i un o blaid y Cynghreiriaid. Gallai'r rhyfel, felly, barhau am nifer o flynyddoedd, ond dim ond un ochr allai fod yn fuddugol. Rwy'n cofio sylweddoli hynny'n fachgen ifanc: waeth faint o gamgymeriadau a gâi eu gwneud gan ein hochr ni, roedd buddugoliaeth i'r Cynghreiriaid yn anochel. Un peth na ddeallais yn hogyn oedd paham y gwnaeth yr Amerig ganolbwyntio ar orchfygu Hitler yn hytrach na Siapan. Nid Hitler ond Siapan oedd wedi ymosod yn annisgwyl ar ganolfan llynges yr Amerig yn Pearl Harbor wedi'r cyfan. Ai'r cymhelliad oedd ymosod ar Hitler yn gyntaf cyn y gallai'r Fyddin Goch gyrraedd y Sianel?

Dywed Winston Churchill yn ei lyfr *The Hinge of Fate* nad enillasom yr un frwydr cyn El Alamein, ond wedi El

Alamein, ni chollasom yr un. Er ei fod yn ddadansoddiad simplistig, pan gafwyd buddugoliaeth i'r Cynghreiriaid yn y frwydr enwog honno yn Hydref 1942 yn erbyn yr Almaenwyr fe'i hystyriwyd mor bwysig fe ganwyd clychau'r eglwysi am y tro cyntaf – roedd gwaharddiad cyn hynny ar eu canu, heblaw i hysbysu glaniad yr Almaenwyr.

Er hynny, roedd y clychau wedi'u canu mewn rhai mannau drwy gamsyniad, gan gredu bod y gelyn wedi cyrraedd. Mae yna stori ddifyr am achos o'r fath. Bu yna fraw di-sail am ymosodiad yn ne Sir Aberteifi a bachgen ifanc o'r Home Guard yn codi o'i wely am ddau o'r gloch y bore. Rhyw gymeriad ydoedd a oedd wedi'i sbwylio gan ei fam. Dyma fe'n cael gafael ar ei iwnifform a'i ddryll, a gweiddi ar yr hen wraig,

'Glased o lath, dau *cream cracker*, a pwmpwch y beic!'

Thus the hero set out to war!

Mae gen i gof plentyn o weld awyrennau'r Almaenwyr yn 1941, ac am bobl yn rhedeg allan i'r ffordd a rhai'n gweiddi, 'Dyna nhw'r diawled!' Wrth edrych yn uchel dros fanc y Ruel, roeddech chi'n eu gweld fel petai nifer o wybed yn hedfan mewn rhengoedd: dwy, tair, pedair o resi dan ei gilydd. Dilynent yr arfordir i fyny at Borthmadog, cyn croesi Penrhyn Llŷn a mynd yn syth ar draws i Lerpwl. Yna, oriau wedyn, byddech yn eu clywed yn dod am 'nôl, gyda'r peiriannau'n *desynchronized* ac yn gwneud swn 'bw-ma-bw-ma'. Un noson mi gafodd un o'r awyrennau wared â'i llwyth o fomiau ar ei ffordd yn ôl dros ffermydd Pwllglas a Dolgau, a gollwng chwech neu saith o fomiau yn y fan honno. Yn ffodus iawn, ni chafodd 'run dyn nac anifail ei ladd na'i anafu. Ar noson o haf a'r haul yn machlud, fe welwch chi'r goleddfau ar y lleiniau hyd heddiw: llinell ohonynt tua deugain llath oddi wrth ei gilydd. Trigai dwy hen wraig yn Bronddêl, oedd ar fin y ffordd fawr, ac er i'r bom agosaf daflu tywyrch dros do'r tŷ, cysgodd y ddwy trwy'r cyfan! Fe gwympodd dwy neu dair bom arall i lawr yng nghaeau Dolgau yr ochr arall i'r ffordd, ac arhosodd Dic Davies, Dolgau, a'r teulu yn y caeau yn eu crysau nos tan y bore, a'r amgylchedd yn drewi o oglau ffrwydron, yn ofni mynd yn ôl i mewn i'r tŷ.

Adeg y rhyfel fe ddaeth y ffoaduriaid yma, ac mi gawsant effaith fawr ar yr ardal. Anghofia i fyth weld y trueiniaid yn cyrraedd yn nyddiau cynnar y rhyfel yn 1939: bysaid ar ôl bysaid ohonynt, y rhai bach yn llefain ac yn chwydu mewn cyflwr digon truenus. Mi gafon nhw dderbyniad croesawus yn yr ardal ar y cyfan, fel y gallwch ddychmygu. Eto, mi roedden nhw'n tueddu i fod yn llwyth bach cryno yn cadw at ei gilydd. Roedd yn dipyn o ysgytwad i ni, blant, ac fe allech ddweud bod yna rywfaint o anghytuno rhyngon ni a'r newydd-ddyfodiaid. Mae un bachgen yn aros yn y cof, un o'r enw Danny Borham, os cofiaf yn iawn – clobyn o hogyn mawr a bwli. Ychydig iawn o Saesneg roeddwn i'n ei siarad ar y pryd, ond roedd gen i ddigon i sefyll gyda'r plant eraill ar ben clawdd a gweiddi: 'Blydi Inglish!' Wrth gwrs, roedd y creadur yma wedi sylwi arna i'n gwneud sŵn a chodi stumiau ac wedi mynd rownd y tu cefn imi. Y peth nesaf wyddwn i, roedd e wedi cydio yn fy ngwddf ac yn agos i'm llindagu ar y ddaear. Diolch i'r drefn, fe ddigwyddodd un o fechgyn Tynrhos Fach basio heibio, ac mi gefais ddihangfa.

Ar y dechrau, doedden nhw ddim yn mynychu Ysgol Rhydypennau ond yn hytrach yn defnyddio'r festri'r capel ac yna neuadd y pentref. Fe ddechreuon nhw ddod i'r ysgol wrth i'r niferoedd ddisgyn, a rhai'n mynd yn ôl adref; fu yna ddim cyrch ar Lerpwl fel roedden nhw wedi'i ddisgwyl, tan o leiaf flwyddyn ar ôl dechrau'r rhyfel. Yn y pen draw, mi ddaethon ni i ddeall ein gilydd yn bur dda, ac unwaith y cafodd Lerpwl ei bomio, roedd yna wir gydymdeimlad â hwy. Roedd nifer ohonynt mewn cyflyrau echrydus, ac wedi gweld tlodi difrifol, mae'n ddiamau. Fe ddywedid am rai plant bach yn cael eu rhoi yn y gwely, a'r teulu mabwysiedig yn mynd i edrych amdanynt yn y bore a gweld eu gwelyau'n wag, a'u bod wedi cysgu ar y llawr. Nid oedd rhai ohonynt wedi arfer cysgu mewn gwely o gwbl.

Fe arhosodd rhai ohonynt yn yr ardal, ac mi ddysgodd

rhai Gymraeg yn dda. Mae yna rai â'u teuluoedd o hyd yn frodorion yn yr ardal yma. Mi wnaeth lawer o les i ni hefyd weld bod yna bobl oedd yn byw bywydau gwahanol iawn i ni mewn dinasoedd fel Lerpwl, a bod gyda ni lawer i fod yn ddiolchgar amdano.

Wrth edrych yn ôl, sylweddolaf mor gymharol ddiniwed oedd y gymdeithas y'm maged ynddi. Ni chofiaf unrhyw ladrata, na chwaith blant na phobl ifanc yn cario arf fel cyllell. Bu un digwyddiad, pan oeddwn i ryw saith neu wyth oed, sydd yn cyfleu'r fath o gymdeithas ydoedd. Unwaith yr wythnos – neu efallai bob mis – fe fyddai yna gasgliad at gyfrifon y War Savings, a'r plant yn cario gwahanol symiau o arian cynilo i'r ysgol. Ar yr achlysur arbennig yma roedd hanner sofren bapur wedi mynd ar goll – a phawb yn cael eu holi. Cofiaf deimlo rhyw ias annifyr, fod rhywbeth mor ofnadwy'n bosib yn yr ysgol – a'r holi'n parhau am oriau. Pwy oedd y bachgen euog? Ble roedd pob disgybl wedi bod ac yn y blaen? Ond, yn fwy na dim, rwy'n cofio'r gorfoledd y diwrnod wedyn pan ddarganfuwyd nad oedd y bachgen wedi dod â'r hanner sofren i'r ysgol yn y lle cyntaf!

* * *

Fe'm maged mewn ardal ac iddi draddodiadau a safonau ardderchog, cymdeithas gynnes a rhadlon ac iddi ethos o gyd-ddyheu, cydweithio ac o gonsýrn am gymdogion. Er i lawer tro ar fyd wedyn adael ei effaith ar yr ardal, credaf fod craidd calon a chnewyllyn yr hen gymdeithas yn bodoli yma o hyd – ymhlith y cenedlaethau hŷn yn enwedig. I ba raddau y cedwir y rhinweddau amhrisiadwy hyn yn fyw ym mywyd y rhai sy'n blant heddiw, yn ogystal â'r 'cenedlaethau sy ngudd dan blyg y blynyddoedd', ys dywedodd Thomas Parry, ni allwn ond dibynnu ar ffydd a gobaith.

DYDDIAU'R YSGOL FAWR

SAFAI'R HEN YSGOL ramadeg, Ysgol Ardwyn, ychydig filltiroedd i lawr y ffordd o Ben-y-garn yn nhref Aberystwyth. Roedd yn sefydliad cyfarwydd i fy nheulu: yno'r astudiodd fy mam a'i chwaer, a 'mrawd Gwyn ar eu hôl, ond i mi fe fu mynd yno'n newid mawr ar fyd. Yn wir, wrth imi fyfyrio ar ôl treigl y blynyddoedd, ymddengys mai dyna'r newid mwyaf hanfodol imi ei brofi, fel bachgen o'r wlad, yn nyddiau ieuenctid – mwy hyd yn oed na mynd i'r coleg. O bob gagendor mewn bywyd, tybiaf mai dyna i mi oedd yr agendor mwyaf: mynd o'r ysgol fach a oedd yn ymestyniad o fywyd yr aelwyd i'r ysgol uwchradd a oedd yn cynrychioli'r byd mawr oddi allan.

Yn Ardwyn, fe wisgai'r athrawon glogynnau, a byddai'r prifathro'n rheoli cyfundrefn o ddisgyblaeth oedd yn llawer mwy awdurdodol nag un yr ysgol fach. O'r bore cyntaf, a'r llinellau'n ffurfio yn yr iard, roedd y newid byd yn amlwg. Yn wir, bu'n newid bydysawdol bron ac yn ddimensiwn newydd, a hynny ym mlwyddyn olaf y rhyfel. Roedd Ardwyn yn amgylchfyd llawer mwy militaraidd na'r gymdeithas y'm maged i ynddi.

Rhyw gymysgedd rhyfedd iawn a geid yno, o imperialaeth Seisnig ar y naill law, a llawer o bethau gwych a da, Cymreig ar y llaw arall. Meddyliaf yn arbennig am bobl fel Beynon Davies. Roedd hwn yn ddyn cwbl anghyffredin – yn un o'r Cymry mwyaf galluog y gallech gwrdd ag ef, ac un o'r personau hynny a'r ddawn ganddo i danio meddwl a dychymyg plentyn. Roedd yno nifer eraill o'i fath, D. H. Jenkins yn eu plith. Ysgol o bedwar neu bum cant o ddisgyblion a phawb yn adnabod ei gilydd oedd Ardwyn bryd hynny, ac ynddi roedd y ddwy elfen yma o imperialaeth Seisnig a Chymreictod gwledig yn gwau drwy ei gilydd.

Rhaid cofio i Aberystwyth fod yn dref ac iddi naws filitaraidd ers dyddiau Edward I. Fe godwyd castell yno, ac roedd yno felly sefydliad a threflan Seisnig o'r cychwyn cyntaf. Mae'n siŵr fod yna gyfenwau Seisnig yn Aberystwyth sy'n mynd yn ôl dros gannoedd o flynyddoedd. Cartref i ddau lwyth yw, ac wedi bod felly erioed.

Cefais sioc ysgytwol yn yr wythnos gyntaf imi fynychu Ardwyn, a hwnnw'n darlunio i'r dim y gymdeithas newydd roeddwn i'n rhan ohoni – ac yn gorfod ymgynefino â hi. Rhaid oedd dewis rhwng astudio'r Ffrangeg a Chymraeg. Heb sylweddoli y byddai'n rhaid dewis rhwng y ddwy iaith, roedd fy rhieni wedi dweud wrthyf ei bod yn angenrheidiol imi astudio Ffrangeg. Ystyrient hi yn un o ieithoedd mawr a chyfoethog y byd, ac un o'r priffyrdd at addysg gyflawn. Euthum felly i Ardwyn i gofrestru ar y diwrnod cyntaf – ar ddydd Mercher, os cofiaf yn iawn – a gofyn am gael astudio Ffrangeg a Chymraeg. Er syndod imi dywedwyd wrthyf nad oedd hynny'n bosib. Mae gennyf gof o fod yn y dosbarth y diwrnod canlynol, heb sylweddoli bod dewis Ffrangeg yn golygu bod mewn dosbarth cwbl wahanol i'm cyfoedion o'r wlad. Galwyd rôl cyfenwau'r plant: Archer, Bailey, Brown, Bunell, ac yn y blaen – Saeson rhonc i gyd a dim un Cymro yn eu plith! Mynychais y dosbarth am weddill yr wythnos, ond ar y Llun canlynol, dyma fi'n ymweld ag ystafell y prifathro a dweud,

'I want to go to the Welsh class, sir, if you please.'

'Oh, why is that?' gofynnodd y prifathro, D. C. Lewis. Gŵr bochgoch a militaraidd yr olwg ydoedd ond, fel y deuthum i wybod dros y blynyddoedd, roedd ganddo galon gynnes a thyner dros ben.

'Well, my father and my mother wanted me to study French,' meddwn, 'but I don't think they realised that meant that I couldn't study Welsh, and I want to be with the Welsh class, if you please.'

'I'm afraid you've made your choice,' atebodd yntau.

'Well, sir,' dwedes i'n barchus iawn, 'I don't think I want to come to school if that's the case.' A chwarae teg iddo, ar ôl edrych yn ddigon sarrug i ddechrau, fe wenodd a dweud,

'Very well, boy, you can do that: go and have a word with Mr Jenkins.' A dyna ni – mi ges i ymuno â'r dosbarth Cymraeg.

Teithiwn i'r dre bob bore ar y bws gyda'm ffrind agos, Elwyn y garej. Yn ystod y blynyddoedd hynny cerddem heibio Cambrian Street, lle'r arhosai Kenneth Ifans drwy'r wythnos, ar y ffordd o'r orsaf i'r ysgol. Bachgen o Lawr-cwm-bach, oddi ar war Bont-goch, oedd Kenneth; 'Texas' roedden ni'n ei alw. Bechgyn dymunol iawn oedd y ddau. Yn anffodus bu Elwyn farw flynyddoedd yn ôl, ond rydw i a Kenneth yn parhau'n ffrindiau agos. Byddwn i'n gwisgo crys a thei a thrwch o ddillad, ond yn wahanol i mi byddai Ken wastad â'i grys yn agored, hyd yn oed yn eithafion gaeaf. Bachgen caled oedd Ken, yn fwy gwydn na'r gweddill ohonom, ond mi gaem hwyl fawr yng nghwmni ein gilydd.

Un diwrnod o aeaf oer, cofiaf edrych allan trwy ffenest y dosbarth, a gweld pibonwy'n hel y tu allan. Dyma fi'n codi'n llaw a gofyn am gael mynd i'r tŷ bach. Allan â fi, a gafael yn un neu ddau o'r pigau iasoer, eu cario yn ôl i'r dosbarth, a'u gadael i slefrio i lawr cefn Kenneth. Erbyn iddyn nhw gyrraedd gwaelod ei tsiaen gefen roedd yn gweiddi'n ddireol, ac mi gafodd gosfa dda am wneud y fath synau – a minnau hefyd am chwarae tric mor sâl! Dro arall, mewn gwers hanes a George Rowlands, yr athro, yn taflu cwestiynau at y dosbarth, dyma fe'n gofyn i Ken,

'Kenneth, who was the king who was rowed up the river Dee by his subjects?'

Yr ateb oedd y Brenin Canute, wrth gwrs, ond fe ofynnodd Kenneth i fi,

'Pwy yffarn oedd e?'

'King Kong,' wedes i!

Mi gafodd Kenneth gosfa am ei gyfraniad, ac ar ôl derbyn ei gosb fe'm rhybuddiodd,

'Mi dorra i dy blydi ais di amser chwarae!' A bu bron â gwneud hefyd!

Un effaith a gafodd agwedd imperialaidd Ardwyn arnaf fel disgybl oedd tanlinellu'r rhaniad hwnnw a fodolai rhwng y dref a'r wlad. Pan gyrhaeddais Ardwyn, roedd llawer iawn o'r plant yn yr un flwyddyn â ni yn edrych arnon ni, blant y wlad, fel petaem wedi dod o wareiddiad mwy cyntefig na'r eiddo hwy. Ond â phob tegwch, ni chofiaf i'r agwedd honno barhau'n hir. Yn anffodus, nid felly roedd hi gyda phob athro! Roedd yna un athro adnabyddus – Roy James – oedd yn ddyn digon annwyl, ond byddai wastad yn cyfeirio at blant y wlad fel rhai 'from the bush'. Rwy'n cofio un achlysur arbennig ar y cae chwarae. Roedd Roy yn gricedwr da yn ei ieuenctid, ond fe'i hanafwyd yn y rhyfel, a byddai'n hercian o ganlyniad. Er gwaethaf ei anaf mwynhâi'r cyfle o gael chwarae, ac roedd yn droellwr medrus. Rhyw ddiwrnod roedd e'n bowlio ar faes yr ysgol. Dyma'r batiwr yn cynnig daliad, a minnau'n gosod fy hunan o dan y bêl, ond yn methu'n lân â'i dal.

'Go back to the bush, boy,' gwaeddodd!

Un arall oedd athrawes o'r enw Miss Foster. Mi fyddai hi'n dweud,

'You country children have got it all wrong. My name is *Forster*, not Foster – there's an *r* in my name.' Fe gredwn i mai'r wraig honno oedd yr ymgnawdoliad eithaf o geidwadaeth Seisnig – hyd nes y dydd Gwener ar ôl imi gael fy ethol yn Aelod Seneddol. Roeddwn yn cerdded ar hyd Terrace Road, Aberystwyth, a phobl yn dod ataf i'm llongyfarch. Roedd Miss Foster yn berchen ar ryw hen feic Hercules 'sit up and beg', a dyma fi'n ei gweld hi'n reidio tuag ataf y tu allan i hen swyddfa'r *Cambrian News*. Fe neidiodd oddi ar y beic, ei daflu yn erbyn wal, a rhedeg yn groes yr hewl yn syth amdanaf – a minnau'n meddwl,

'Tybed a yw hon yn mynd i ymosod arna i?'

Ond, er mawr syndod imi, dyma hi'n fy nghofleidio gan ddweud,

'I've been a socialist since I was a young girl, and this is the first time that I have voted for a winning Labour candidate.' Mor rhwydd yw camfarnu ein gilydd.

Gan gofio fy agwedd bersonol i, mae'n amlwg fod seiliau fy nghenedlaetholdeb wedi cael eu gosod yn gadarn gan fy rhieni, cyn imi wynebu imperialaeth Ysgol Ardwyn. Bu'r teimladau o wrthwynebiad achlysurol, felly, yn rhai hollol naturiol. Rwy'n cofio imi gael cynnig ymuno â'r Air Cadets (â'r awgrym o gael fy ystyried fel sarjant yn y sgwad), ond gwrthod wnes i. Er nad ydw i erioed wedi bod yn heddychwr i'r carn, roedd fy nhueddiadau i'r cyfeiriad hwnnw'n sicr wedi'u seilio ar genedlaetholdeb Cymreig.

Gwelid yr ymgorfforiad amlycaf o'r elfennau Seisnigaidd ac imperialaidd yn yr operâu 'Gilbert and Sullivan' a lwyfannid yn llwyddiannus iawn yn flynyddol gan yr ysgol o dan arweiniad Major H. F. Stewson. Ef oedd yr athro addysg gorfforol, ac roedd yn gymeriad hollol Seisnig – ond eto'n ddyn digon hoffus, yn ei ffordd ei hun. Mae gennyf gof ohono'n dweud wrthon ni'r bechgyn yn y *gym*, wedi i dîm pêl-droed Caerdydd golli'n rhacs, o 10 gôl i 1, i Ddeinamos Moscow,

'Let me tell you now, the fact that those Ruskies came across here and beat a *Welsh* team (gan edrych i lawr ei drwyn) does not mean that the British Empire has disappeared.'

Atgof arall sy gen i o'r Major yw ohono fe'n gweiddi ar gyfaill i mi am ei fod yn cerdded â thraed fflat-wadn a'i fynyglau wedi cwympo:

'Come here, Adonis!'

Ac eto roedd nifer o athrawon disglair yn Ardwyn, a'r rheini'n bobl o bersonoliaeth gadarn, ac mi elwais i'n fawr wrth gael fy nysgu gan nifer ohonyn nhw. D. H. Jenkins a Beynon Davies oedd yn dysgu Cymraeg, Anna Gwenith Davies (a fu farw'n ifanc) yn dysgu Saesneg inni, a Tom James yn dysgu hanes. Mi oedden nhw i gyd yn bobl hynod ddawnus.

Meddai Beynon Davies ar y ddawn aruthrol i fachu sylw plentyn mewn modd nas anghofiaf. Yn ogystal â Chymraeg fe ddysgai Ladin. Gallaf ei weld yn awr yn dilyn gwers o'r llawlyfr *Latin for Today* a ddisgrifiai ddau hogyn bach yn mynd gyda'u rhieni i weld ras gerbydau yn y Coliseum. Cyfieithai o'r Lladin i'r Saesneg frawddeg wrth frawddeg, ond fel y deuai'r ras i'w therfyn a'r ddau dîm yn farwol benben â'i gilydd, siaradai mewn Lladin yn unig. Credaf i bob plentyn yn y dosbarth ddeall yn iawn pwy enillodd y ras!

Mae gen i gof llachar iawn ohono'n rhoi gwers inni ar farddoniaeth Saesneg fodern, pan oeddwn yn y pedwerydd neu'r pumed dosbarth. Fe geisiai egluro mor dywyll oedd canu ambell fardd, nid oherwydd bod y bardd hwnnw'n ceisio bod yn dywyll, ond am ei fod yn canu am destunau na wyddai neb ond ef yn unig amdanynt: hanesion yn ei fywyd a wnâi synnwyr petaech chi'n gwybod yr allwedd i'r stori, ond heb yr allwedd honno roeddent bron yn ddiystyr. Rwy'n ei gofio'n cerdded at y bwrdd du ac yn ysgrifennu rhywbeth fel hyn:

> My head was wet with toothache,
> And the teatime saw sang, ringing in my ear.

'Nawr 'te,' meddai, 'beth yw ystyr hwnna?' Ysgydwodd y plant i gyd eu pennau, oblegid gallai olygu unrhyw beth. Roedd e'n amlwg yn disgrifio'r sŵn y byddai llif yn ei wneud – llif gylchog, mae'n debyg, am fod y ddannodd yn berthnasol – ond nid oedd yn bosib dirnad mwy na hynny.

'Dyna rywbeth ddigwyddodd i fi pan oeddwn i'n chwech mlwydd oed,' meddai. 'Roedd y ddannodd arna i'n ddrwg, ac mi o'n i adre o'r ysgol, a Mam wedi rhoi gwlanen goch rownd fy wyneb a rownd fy mhen, a bron dros fy llygaid. Roedd y boen yn fawr iawn a'r wlanen yn gwneud nemor ddim lles. Tua thri o'r gloch a'r dynion wrthi'n llifio coed yn yr iard, meddai Mam wrtha i, "Cer i lawr i ddweud bod te'n barod." Galla i gofio sŵn y llif yn canu ac yn chwyrlïo yn ei gwaith, a'r ddannodd yn gynddaredd mor ddrwg nes i mi gerdded i mewn i'r pwll dŵr oedd yn yr iard a bu bron imi foddi. A dyna'r cof sydd gen i o'r gwlybaniaeth ar fy wyneb, ac yn fy nillad i gyd, y wlanen goch yma a'r ddannodd, a sŵn rhygnu'r llif.'

Wrth gwrs, unwaith y deallom yr hanes, roedd hi'n bosib dirnad i'r blewyn yr hyn a ddisgrifir yn y farddoniaeth, a deall i'r dim y pwynt roedd yn ei gyfleu am ganu tywyll, goddefol. Ychydig iawn o bobl, yn fy marn i, oedd â'r ddawn o fedru cyfleu neges dysg fel Beynon Davies – ysgolhaig gwych a dyn o ddoniau llenyddol sylweddol.

Fe gefais i lawer cystwyad ganddo. Roedd e'n llawdrwm ei gerydd – ond rwy'n siŵr fy mod i'n haeddu popeth a ges i, a thipyn mwy! Un o'r troeon mwyaf cofiadwy i hyn ddigwydd oedd yn ystod y paratoadau ar gyfer un o achlysuron mawr a phwysig y flwyddyn, sef y noson Gymraeg. Achlysur nid annhebyg i noson lawen oedd hwn, ac ynddo ceid tipyn bach o bopeth – drama fer, grwpiau'n adrodd a'r côr yn canu. Rywsut neu'i gilydd mi fyddwn i gan amlaf yn cymryd rhan, yn adrodd rhyw ddarn neu rywbeth felly. Rwy'n cofio unwaith imi gyfieithu 'Sea Fever' John Masefield i'r Gymraeg. Ond mae'n flin iawn gen i ddweud bod yr atgof pennaf yn fwy am ddireidi nag am ddim byd arall. Cynhelid y noswaith yn y *gym*, a'r flwyddyn arbennig yma, 'Tir na n-Og' oedd y campwaith i'w gyflwyno. Stori am y Tywysog Osian ydyw, un a oedd yn awyddus i fynd i Iwerddon. Adroddwyd proffwydoliaeth yn darogan petai e'n rhoi ei droed ar dir Iwerddon, yna fe fyddai'n ddiwedd arno:

> Os Erin werdd a gerddi,
> Awr fydd d'awr a'th orfydd di.

Er gwaethaf y rhybudd, i Iwerddon yr aeth, a hynny ar gefn ei geffyl. Am ychydig ddyddiau bu'n ddigon diogel, a phob peth yn mynd o'i blaid – nes iddo weld hen ŵr yn gweithio ar ochr y ffordd. Fe geisiai hwnnw godi carreg drom i'r mur a honno'n disgyn i'r llawr, a'r hen ŵr yn ei wendid yn ceisio'i chodi'r eilwaith ond heb obaith llwyddo. Dyma Osian, y dyn trugarog fel ag yr oedd, yn reddfol yn disgyn o'i gyfrwy i'w helpu, a'r eiliad y bu i'w droed gyffwrdd daear Erin fe drodd yn henwr, a threngi. Mae'r cyfan yn gorffen gyda sŵn y delyn yn ailadrodd y geiriau hynny:

Os Erin werdd a gerddi,
Awr fydd d'awr a'th orfydd di.

Bwriedid cyhoeddi'r geiriau hyn trwy'r chwaraewr recordiau oedd ym mhen eithaf y *gym*, a dyma, wrth gwrs, oedd uchafbwynt yr holl berfformiad.

Wrth ochr y peiriant roedd yna fwndel mawr o recordiau clwb dawnsio'r ysgol. Roedd y temtasiwn yn ormod: beth wnes i ond tynnu'r record 'Tir na n-Og' allan gan roi yn ei lle 'And the Nightingale Sang in Berkeley Square'! Nid y perfformiad cyhoeddus oedd hwn, diolch i'r drefn, ond perfformiad i ddisgyblion yr ysgol. Fe weithiodd popeth yn berffaith hyd at hynny, ac yna fel uchafbwynt dyma lais crwner yn y cefndir yn canu 'And the nightingale sang ...' Roeddwn i'n chwerthin cymaint fel y methais yn lân â rhedeg i ffwrdd, a phwy ddaeth yno ond Beynon Davies! Mi ges i'r ysgytwad fwyaf a ges i erioed yn y fan a'r lle, a phwy all ei feio ar ôl wythnosau o hyfforddi perfformwyr 'Tir na n-Og'.

Ac eithrio ambell gamymddygiad digon diniwed, doedd yna fawr o broblem cadw disgyblaeth i athrawon Ardwyn – er nad oedd pob un o'r athrawon fel petai wedi'i eni i hynny. Ysgol wâr oedd hi, er bod yna ddigon o blant direidus a nwyfus yno. Un o'r achosion mwyaf ofnadwy rwy'n ei gofio oedd ymholiad mawr yn yr ysgol ynghylch poster yn y coridor a oedd yn ein cymell yn y termau hyn: 'Learn to *lead* with the army cadets'. Roedd rhywun wedi'i newid i ddweud: 'Learn to *read* ...' a nifer fawr ohonon ni'n cael ein drwgdybio ar gam – a minnau yn eu plith!

Ond nid oedd na lladrad na thrais yn rhan o fywyd Ardwyn ychwaith. Meddyliwn am gymdeithas yr ysgol fel un glòs, gynnes, frawdol a diniwed. Serch bod gwahanol agweddau'n bodoli yno, roedd nifer o bethau'n uno'r ysgol. Ceid ynddi dimau chwaraeon yn chwarae gemau cyson o bêl-droed a rygbi, ac roedd pawb yn perthyn i un o'r pedwar tŷ: Powys, Arfon, Gwynedd neu Geredigion. Rwy'n ei chofio fel rhyw fath o ynys fach o syberwyd, yn enwedig yng nghanol berw'r Ail Ryfel Byd. Cofiaf lawer gwaith yn ystod fy mlwyddyn gyntaf yn yr ysgol y prifathro, yng ngwasanaeth y bore, yn adrodd enwau cyn-efrydwyr yr ysgol a syrthiodd. 'With pride and sorrow' y sonnid amdanynt.

Dyn hyfryd oedd D. C. Lewis – 'Dai Chest' – er ei fod yn gymeriad cryf. Yn sicr, nid oedd angen ichi ofyn pwy oedd y prifathro. Bu'n uwch-gapten yn y Rhyfel Byd Cyntaf, ac edrychai nid yn annhebyg i ryw fath o Gyrnol Blimp â'i wyneb coch. Cawsai ei ddyrchafu'n gyrnol yn y Territorial Army neu ryw sefydliad tebyg, ac roedd e'n falch iawn o'i deitl. Siaradai Gymraeg, ac roedd ganddo lawer iawn o amser i blant y wlad. Rydw i fy hun yn cofio cael maddeuant ganddo sawl gwaith mewn amgylchiadau annisgwyl:

'Elystan Morgan, stand up. Go straight to the headmaster's study!'

Rhaid oedd mynd wedyn, a chosfa yn fy aros. Ond nid dyna ddigwyddai, er imi golli cyfrif o'r nifer o weithiau bu'n rhaid i mi ymweld â'i ystafell. Cnocio'r drws – dyna oedd y cam mawr cyntaf.

'Yes, what do you want, Dafydd?' (Doedd y prifathro ddim yn gallu dweud Elystan yn dda iawn.)

'I've been sent for punishment, Colonel,' gan edrych ym myw ei lygaid – roedd hynny o bwys mawr.

'Oh, what did you do?'

'I was showing off, sir.'

Mi roddai hynny fantais i mi. Mae yna adnod yn Llyfr y Diarhebion: 'Y neb a guddio ei bechodau, ni lwydda: ond y neb a'u haddefo, ac a'u gadawo, a gaiff drugaredd.' Roedd y gyffes yna, 'I was showing off', yn rhywbeth mor naturiol ac mor gywir, mae'n rhaid ei bod wedi mynd at galon yr hen brifathro.

'What did you do?'

'I threw a tennis ball at the blackboard, sir, and tried to catch it.'

'Well, that was an awful thing to do. Who was the teacher?'

'Mr [so and so].'

'A young student?' gofynnodd.

'Yes, sir,' atebais.

'I was a student once,' meddai, 'and even though I was well qualified, I was terrified of the class. Now, you imagine the effect you had on that young man.'

Ches i erioed gosfa gan y prifathro, ond eto roedd ganddo'r gallu i'm hela i'n agosach at ddagrau nag unrhyw gosb o'r fath.

'Sit down, boy, and let me talk to you ...'

Ac fe ddigwyddodd hynny fwy nag unwaith. Pan fyddai'r prifathro'n dechrau siarad â chi, gwyddech na chaech y gansen. Ac eto, roedd hi'n amlwg mai dim ond hyn a hyn o fywydau oedd gan gath, ac na fyddai'r ystryw hwnnw'n llwyddo am byth.

Rwy'n cofio meddwl un diwrnod, 'Reit, mae wedi cyrraedd', a'r prifathro wedi cydio yn y gansen. Rhaid oedd meddwl yn chwim. Fel y digwyddai, roedd yna alcof yn ei swyddfa oedd wedi bod yn ffenest, a honno wedi'i llanw i fyny. Yn y fan honno roedd pob math o drugareddau'r ysgol – a siapiau megis pyramid, sffêr a heptagon yn eu mysg. Fe ofynnais i'n sydyn,

'Is that a heptagon, sir?'

'Yes,' meddai, 'how did you know that?'

'Well, it's of classical derivation, sir ...' (Ni allwn gofio ar y pryd ai o'r Groeg ynteu o'r Lladin y deuai.)

'Oh, is that so ...?' Ac unwaith eto, wedi iddo ddechrau siarad, mi wyddwn y byddwn yn osgoi brath y gansen!

Tro arall y bu imi drethu ei amynedd oedd ym mlwyddyn pedwar neu bump, ac enghraifft o 'showing off' oedd hynny hefyd. Roedd gan yr ysgol gwch, rhyw fath o gìg a ddaliai saith person, er, gan amlaf, bydden ni'n mynd mas yn bump

– pedwar yn rhwyfo ac un yn llywio. Roedd nifer ohonom yn 'boat captains', ac felly â hawl i fynd â'r cwch allan i'r môr heb arolygiad; fe gedwid y *rowlocks* gan hen ŵr o'r enw Lewis ('Lewis y Cox'), oedd wedi bod yn llywiwr ar fad achub Aberystwyth am flynyddoedd, a drigai yn Portland Road. Y noswaith honno roedd hi'n chwythu'n gryf a'r môr yn gesig gwynion, a doedd yna'r un cwch i'w weld allan. Ond fe benderfynon ni ei mentro hi. Dywedais wrth un o'r bechgyn y gwyddwn lle y gallasem fenthyg set o flychau rhodli. Cedwid y rhwyfau gyferbyn â'r hen lithrfa ar y prom, a phwy oedd yn cadw eu rhwyfau yn y *basement* nesaf ond clwb rhwyfo merched y coleg, ac roedd eu blychau rhodli nhw yn ffitio ein cwch ni – felly, mas â ni!

Fe gariodd y gwynt ni i fyny i Glarach a'r cwch yn hanner llawn, a bachgen o'r enw John Parry yn swp sâl. Fe laniom hwnnw yno – galla i weld y bachgen nawr, yn ei ddillad isaf a'r dŵr lan at ei geseiliau – ac mi geision droi am yn ôl. Fe'n cariwyd i'r Wallog, ond trwy lwc pur, trodd y llanw, neu fel arall fydden ni byth wedi cyrraedd yn ôl. Fe rwyfon ni heibio i Glarach, ac yn ôl tuag at Aberystwyth. Roedd morwr o'r enw Ben White, yn ei gwch *The Pride of the Midlands,* wedi hwylio allan i chwilio amdanon ni. Mae'n debyg fod John Parry wedi ffeindio'i ffordd 'nôl ac wedi adrodd ein helynt.

'You bloody fools!' gwaeddodd y morwr, gan gynnig rhaff inni i'n tywys yn ôl. Ond erbyn hynny roedden ni'n gwybod bod y llanw yn rhedeg o'n plaid, a chyrhaeddon ni 'nôl yn saff ar stêm ein hunain – er bod ein dwylo ni'n swigod ar ôl y rhwyfo caled. Y diwrnod canlynol roeddem ni o flaen y prifathro, ac fe ddywedodd wrtha i,

'You're not only a mischievous boy, but you're a very bad boy, and do you know why? You risked the lives of other people. And to do that is awful.'

Roedd y gwirionedd cywilyddus hwn bron â'm gyrru i ddagrau, ond ni roddodd gosfa i'r un ohonom. Gorffennodd y cyfweliad trwy ddweud,

'Nevertheless, you did well. You brought the boat back when you could have left it in Wallog.'

Roedd yna gymaint a oedd yn dadol a hyfryd ynddo.

Flynyddoedd wedyn, pan ymwelwn â Nhad yn yr ysbyty, ychydig ddyddiau cyn ei farw, fe soniodd rhywun wrtha i fod D. C. Lewis yn y ward drws nesaf yn wael iawn. Mi es i'w weld. Roedd yn ymwybodol ac yn fy adnabod, ac fe ddywedodd nifer o bethau caredig wrthyf. Eto, roedd yn cofio fy nghamweddau'n iawn!

'But you were an *awfully* mischievous boy!' meddai dan wenu.

Fe ofynnais iddo,

'Could I tell you one more story of naughtiness, sir?'

Roedd yr hanes yn un diweddar, o'r flwyddyn 1969, a'r heldrin newydd ddechrau yng Ngogledd Iwerddon. Ar y pryd roeddwn i'n weinidog yn y Swyddfa Gartref, ac er mai gwyliau'r haf oedd hi, rhaid oedd i bob gweinidog weithio. Un diwrnod, am tua thri o'r gloch y prynhawn roeddwn yn mwynhau seibiant byr, yn cerdded o'r Swyddfa Gartref i'r ffreutur yn Nhŷ'r Cyffredin, i lawr o'r Mall a heibio'r Weinyddiaeth Amddiffyn. Pwy gamodd allan o'r adeilad hwnnw ond Norman Nicholls, Prif Fachgen yr ysgol yn fy nghyfnod i yn Ardwyn. Y pryd hwnnw roedd yn uwch-gapten yng Nghatrawd y Parasiwtwyr, a cherddai yn ei 'myffti', gyda'i ffon fach a'i fenig. Fe gerddais y tu ôl iddo'n dawel bach, ac yn sydyn reit sticiais fy mys i mewn i'w gefen, a'i fygwth yn fy acen Wyddelig orau,

'Don't turn round now, dere's a gun in yer back.'

Mi wingodd mewn sioc, cyn fy ngweld, ac yna ddangos rhyddhad. Ond dyna'r osteg cyn y storom!

'You b------!' gwaeddodd. 'You haven't b----- well changed! You always were b----- irresponsible!'

Roedd e'n gynddeiriog!

Cofiwch, peth creulon i'w wneud oedd hynny yr adeg honno. Dyna'r fath o beth y byddai rhywun yn disgwyl allai ddigwydd i swyddog o'r fyddin yn y dyddiau hynny. Mi lwyddais i'w dawelu yn y diwedd, ac mi aethon i lawr i'r tŷ i brofi diod neu ddau. Fe adroddais y stori wrth yr hen brifathro, ac roedd dagrau'n llifo ar hyd ei ruddiau – a dyna'r tro diwethaf imi ei weld.

'Oh, you *naughty* boy.'

Ymhlith nifer o ffrindiau oes y bu imi eu cyfarfod yn Ardwyn, roedd yna un a fyddai'n ennill bri mawr ym myd gwleidyddiaeth a'r gyfraith. John Morris oedd hwnnw. Fe reidiai John ei feic i'r ysgol bob bore ar siwrne faith o Gapel Bangor ac yn aml byddai ganddo gwpl o gwningod i'w gwerthu yn siop Simkin. Un tro, fe ddaliodd un o'r cwningod yn olwyn ei feic ac fe daflwyd John druan, a dioddefodd anafiadau digon cas i'w wyneb. Roedd John flwyddyn yn hŷn na mi ond mi ddaethon yn ffrindiau yn fuan, gan drafod a dadlau'n aml am wleidyddiaeth y dydd. Fel bachgen addfwyn iawn rwy'n cofio John, yng nghornel yr iard yn darllen llyfr tra oedden ni'r cryts direol yn chwarae â rhyw hen bêl tennis fwdlyd, a chwffio'n gilydd amdani. Edrychai John yn hynod urddasol a maddeugar arnom.

Byddwn yn cystadlu'n flynyddol yn erbyn John yn eisteddfod yr ysgol, a gynhelid ar Ŵyl Dewi. Cystadleuydd cyson arall oedd John Edmunds, a ddaeth wedyn yn adnabyddus fel darlledwr newyddion a hefyd fel Pennaeth Adran Ddrama Coleg Aberystwyth. Byddem ein tri'n cystadlu am flynyddoedd yng nghamp yr araith fer, ac rwy'n credu inni i gyd lwyddo yn ein tro. Achlysur mawr oedd y gystadleuaeth honno – rhaid oedd paratoi araith o ryw ddwy funud. Nid oedd adrodd yn atyniadol imi o gwbl, a phob tegwch i'm rhieni, ni orfodwyd imi erioed gystadlu yn erbyn fy ewyllys. Eto, roedd y syniad o draddodi araith, a cheisio cael rhyw fath o ddylanwad ar gynulleidfa yn rhywbeth oedd yn apelio ataf o'r cychwyn cyntaf. Gall yr elfennau hynny o gystadleuaeth ac egotistiaeth ysgogi'r adrenalin cystal ag unrhyw gêm o rygbi!

Teimlwn yn gartrefol ar faes chwarae, a chawn fwynhad

mewn chwaraeon. Doeddwn i ddim yn athletwr o unrhyw fri, ond roeddwn yn frwd ynglŷn â rygbi, ac yn chwarae ychydig o bêl-droed. Yn un ar bymtheg oed chwaraewn i dîm y Bow Street fel gôl-geidwad, ac fe chwaraeais i dîm rygbi'r ysgol yn ystod y ddwy flynedd yn y chweched dosbarth. Nid fy mod i'n rhagori: fel asgellwr y'm dewisid ran amlaf, ond credwn fy mod yn haeddu cael fy lle fel canolwr – deg stôn yn wlyb diferu oeddwn, ond wrth fy modd yn mynd fel ysgyfarnog i lawr y cae. Doedd yna ddim rhyw lawer iawn o fedrusrwydd na dim byd soffistigedig: rhedeg yn galed a phalu i mewn i rywun, neu droed i'r bêl ac ar ei hôl hi.

Rydw i'n dal i brofi'r ias o gofio'r argyfwng bob amser cinio dydd Iau – gan mai ar y diwrnod hwnnw yr âi'r *team sheet* lan ar y wal i ddangos pwy fyddai'n chwarae'r Sadwrn canlynol. I mi, byddai wastad ddau gwestiwn mawr: A – oeddwn i yn y tîm? B – oeddwn i ar yr asgell neu yn y canol? Ni phryderwn yn y cyfnod am ganlyniadau arholiadau: y tîm rygbi oedd yr argyfwng mawr.

Fe fu'r tîm yn un llwyddiannus ddigon hefyd – prin y caem ein curo gan ysgolion y rhanbarth. Ac yna daeth y mater o dîm dan ddeunaw Ysgolion Cymru; roedd yna ddau neu dri yn y tîm â siawns go lew o ennill capiau, a nifer eraill ohonom a ddymunai weld pa mor bell y gallem fynd. Cynhaliwyd y treial cyntaf yn Nolgellau ac fe gawsom bron i gyd ein dewis i'r prawf nesaf yn Llandrindod. Yn anffodus, mi ddioddefais anaf ar y dydd Mercher cyn hynny, wrth chwarae gêm yn yr ysgol. Fe dderbyniais y bêl ar yr asgell a'i chicio hi i lawr yr ystlys. Wrth imi ddeifio amdani dros y lein dyma'r cefnwr yn rhedeg yn groes a chicio fy llaw yn ogystal â'r bêl! Fe dorrodd cymal yn un o'm bysedd, a bu'n rhaid mynd i'r ysbyty a'i osod mewn plaster. Gyda'r treial ar y dydd Sadwrn, roeddwn i'n benderfynol o chwarae. Y bore hwnnw mi gymerais gyllell fara at y plaster a'i dorri ymaith. Na, doeddwn i ddim yn chwaraewr o safon – ond mi oeddwn yn llawn sêl a brwdfrydedd!

Pan ddeuai'r Sadyrnau mi wyddwn fod llawer i'w

gyflawni – chwarae rygbi i'r ysgol yn y bore, a phêl-droed i'r Bow Street yn y prynhawn. Erbyn diwedd y dydd roeddwn wedi llwyr ymlâdd. Er mai chwarae yn y gôl fyddwn i, yn y dyddiau hynny roedd hi'n dipyn mwy o her ac yn llawer mwy corfforol nag yw hi heddiw: fe gâi'r gwrthwynebwyr ruthro at y gôl-geidwad a'i hyrddio i mewn i'r rhwyd. Gallech fentro hefyd y byddai eraill, wrth fynd i fyny am bêl, yn codi gyda'r gôl-geidwad, ac wrth ddisgyn roedd peryg i'w stydiau grafu i lawr blaen y goes. Ond roedd yna ochr arall iddi: wrth i flaenwr dorri trwyddo am y gôl, roedd perffaith hawl ichi daflu'ch hunan reit ar draws ei goesau – a dim cwestiwn o gerdyn coch, na dim hyd yn oed chwib am drosedd. Byddai pob gôl-geidwad call yn gwneud hynny. Mae pethau wedi newid erbyn hyn, gyda chardiau coch yn cael eu chwifio am beth oedd yn gyffredin yn y dyddiau gynt.

Y pryd hwnnw chwaraeai'r Bow Street ar gae gwahanol i'w cartref presennol yng Nghae'r Piod – i lawr yn yr hen bentref, ar lan afon Ceiro. Nid ein tîm ni oedd y gorau yn y gynghrair, ond roeddem yn dîm caled. Yn wir, ystyrid ni fel y tîm mwyaf corfforol yn y gynghrair. (Mae'n werth nodi nad oes enw cynddrwg gan y tim cyfredol, a enillodd wobr 'chwarae teg' Cynghrair y Canolbarth yn 2011/12.) Petaen ni ar y blaen â chwarter awr i fynd, y dacteg fyddai rhoi'r bêl yn yr afon – mor aml â phosib. At ei gilydd, fe chwaraeais am ryw dair neu bedair blynedd, gan gynnwys fy mlynyddoedd yn y coleg. Ar y pryd roedd gôl-geidwad llawer mwy medrus na fi yn y tîm, sef fy nghyfaill Gwyn Edwards, a hwnnw wedi'i eni'n gôl-geidwad. Fe gafodd dreial gyda Derby County yn hogyn ifanc, ac mi fydden nhw wedi bod yn fodlon iawn ei gymryd, ond doedd e ddim am adael cartref. Aeth ymlaen i chwarae yn y gôl i dîm Aberystwyth, ond yng nghanol yr amddiffyn y byddai'n chwarae i'r Bow Street.

Un flwyddyn, trwy ryw ryfedd ffawd, fe enillon ni gwpan y gynghrair. Yn nhraddodiad gorau timau pêl-droed y Bow Street cynhaliwyd noswaith fawr o ddathlu. Roedd yna ffair yn y dre, ac ar ôl diod neu ddau yn y Prince Albert fe benderfynon ni ymweld â hi. Un o'r prif stondinau oedd y stondin saethu, â thargedau i anelu atynt, a phlatiau fel gwobrau. Dyma Wyn Ellis, y rheolwr, yn codi'r dryll .22 ac yn saethu'r platiau'n deilchion – rhyw hanner dwsin ohonynt, ac roedd dyn y stondin yn benwan! Erbyn hyn rydw i'n cael yr anrhydedd o fod yn llywydd am oes i'r tîm, ac o'r hyn a glywaf mae rhai o'r hen draddodiadau'n parhau!

Dyna'r hanesion sy'n glynu yn y cof, a sawl gwaith, yn y gwely tua hanner nos, mi fyddwn yn cofio ac yn ail-fyw rhai o'r digwyddiadau hyn. Mi fyddwn yn chwerthin a chorco, ac Alwen druan yn ofni 'mod i wedi cael trawiad ar y galon.

Un hanes anffodus adeg fy mhlentyndod oedd salwch fy mrawd Deulwyn. Er nad oedd ond ychydig flynyddoedd yn iau na mi, ni chefais y pleser o'i weld yn mynychu Ysgol Ardwyn yr un pryd â mi. Pan oedd yn hogyn bach, tua phedair neu bump oed, fe'i llethwyd gan *tubercular gland*. Mae'n debyg i'w salwch ddeillio o ryw germ neu'i gilydd yn y llaeth – o fferm lle roedd y gwartheg wedi pori o ddydd i ddydd ar dir a gâi ei grafu gan ieir. Roedd y diciâu wedi mynd o'r ieir i'r gwartheg, ac yna i'r llaeth ac i chwarennau Deulwyn druan. Mi fuodd yn afiach am flynyddoedd, ac mewn ysbyty yn Llandrindod o'r enw Highland Moors oedd yn rhan o ymgyrch Brenin Siôr V yn erbyn y ddarfodedigaeth.

Ychydig iawn o addysg a dderbyniodd, felly, cyn iddo gyrraedd deng mlwydd oed. Mi ddysgodd rywfaint ar yr aelwyd, wrth gwrs, ond bu Mam yn sâl cyn iddi farw, ac er bod fy nhad yn gwneud ei orau i ddysgu rhywfaint arno, roedd Deulwyn yn bur ddi-ddysg a phrin yn gallu darllen. Meddai fy nhad wrtho un diwrnod, 'Dere 'ma, 'machgen i. Dwi wedi cael sgwrs â Dr John Henry Jones. Mae e'n hollol fodlon iti fynd i'w weld fore dydd Sadwrn a rhoi cyfweliad iti, ac os bydd e'n hapus, mi gei di fynd i Ardwyn a fydd dim rhaid iti sefyll yr 11+ gan fod dy amgylchiadau di'n rhai arbennig.' Dr John Henry Jones oedd y Cyfarwyddwr Addysg ar y pryd, ac roedd fy nhad ac yntau'n gyfeillion. Ond gwrthod wnaeth

Deulwyn: nid oedd eisiau gweld yr un Dr John Henry Jones. Er bod fy nhad yn ddyn hynod garedig, gallai fod yn fyr ei amynedd ar brydiau, ac fe ofynnodd,

'Wyt ti'n meddwl yr hyn rwyt ti'n ei ddweud?'

Atebodd Deulwyn, 'Ydw, Dad.'

'Iawn, 'machgen bach i. Gwna di dy wely ac mi gei di gysgu ynddo fe.'

O ganlyniad, mi aeth Deulwyn i'r ysgol uwchradd fodern, Ysgol Dinas, ac er bod honno'n ysgol a llawer iawn o ddaioni iddi, doedd yna ddim llawer iawn ganddi i'w gynnig i blentyn fel Deulwyn nad oedd eisiau dysgu. Mi fu am flynyddoedd yn y fan honno yng ngwaelodion y dosbarthiadau isaf.

Ond ymhen hir a hwyr daeth tro ar fyd. Pwy ddaeth yn brifathro ar Ysgol Dinas ond Hywel Watkin, ffrind agos i 'mrawd hynaf, Gwyn. Un diwrnod gofynnodd i Hywel Watkin, 'Shwt mae 'mrawd bach i'n dod mlaen?'

'Wel,' meddai Hywel Watkin, 'yn anffodus iawn dyw e ddim yn dod ymlaen o gwbl, a does gen i 'run syniad beth i'w wneud ag e.'

Wedi meddwl am eiliad, awgrymodd Gwyn i'w ffrind, 'Pam na roi di ysgytwad dda iddo fe?'

Rwy'n siŵr fod Deulwyn yn ei ffordd fach ddrygionus a direidus wedi haeddu llawer ysgytwad, ond y tro hwn mi gafodd gerydd am ddim yn y byd! Ond rywsut, mi gafodd effaith wyrthiol, a dyma'i wir natur yn ymddangos. Fe weithiodd yn ddiwyd, ac mewn blwyddyn neu ddwy cyrhaeddodd frig y dosbarth, ac ennill y cymwysterau, heb unrhyw ffafr, i fynychu Ardwyn. Mi aeth yno, mi basiodd ei fatríc a'i arholiadau uwch yn hollol ddidrafferth; aeth ymlaen i brifysgol Aberystwyth a derbyn gradd anrhydedd deilwng yn y gyfraith.

Un anhawster a brofodd Deulwyn yn ystod ei astudiaethau coleg oedd y ffaith nad oedd wedi dysgu Lladin yn Ysgol Dinas. Yn yr ail flwyddyn o'i radd yn y gyfraith, rhaid oedd iddo basio arholiad ar gyfraith Rhufain, pwnc pwysig yn y dyddiau hynny, er ei bod yn anodd credu hynny erbyn hyn, pan mae hyd yn oed dysgu gramadeg Lladin yn cael ei ystyried yn heresi hynafol. Un o'r tasgau yn y papur arholiad ar gyfraith Rhufain oedd cyfieithu Lladin heb baratoi – rhyw ddeuddeg neu bymtheg llinell ohono. Rhaid oedd pasio'r papur hwn er mwyn symud ymlaen i'r drydedd flwyddyn. Ond sut yn y byd mawr roedd y bachgen nad oedd wedi astudio gair o Ladin i lwyddo?

Yn ffodus, am swm bychan iawn o ryw swllt neu ddau, llwyddwyd i brynu papurau arholiad am y blynyddoedd blaenorol. Darganfyddwyd mai dim ond tri chyfieithiad a osodwyd yn ystod y deng mlynedd cynt, a deuent naill ai o *Institutes Justinian* neu *Institutes Gaius,* dau destun cyfreithiol pwysig o'r ail a'r chweched ganrif. Dim ond dysgu'r tri darn, a gwybod p'un oedd p'un, yna byddai llwyddiant yn bosib. Felly, mi ddysgodd Deulwyn y tri ar ei gof – gallai fod wedi'u gosod i gerddoriaeth! – ac fe gafodd farciau llawn yn y mater arbennig yna.

Fe enillodd Deulwyn ei blwyf fel cyfreithiwr, ac yn ddiweddarach fe ddaeth yn glerc llwyddiannus ar Gyngor Sir Ceredigion. Yn wir, roedd yn llawer iawn mwy na dim ond cyfreithiwr i'r Cyngor: yr oedd yn ddyn uchel ei barch ym mywyd llywodraeth leol yng Nghymru, yn dangos arweiniad aeddfed, ac yn gweithredu i'r safonau uchaf.

Yn ugain oed roeddwn innau hefyd yn anelu am yrfa yn y gyfraith, ac wedi bod yn awyddus iawn yn y cyswllt hwnnw er pan oeddwn yn blentyn. Petai'r cyfle'n codi, roeddwn am fynd i'r Bar, ond y pryd hwnnw câi ei ystyried yn ddewis peryglus. Roedd Gwyn hefyd yn gyfreithiwr, yn dipyn hŷn na fi – ac yn glerc cyngor yng Nghanolbarth Lloegr. 'Gwranda di ar beth sydd gan Gwyn i'w ddweud', oedd cyngor fy nhad a dyna'n union wnes i. O ganlyniad mi es i wneud fy erthyglau gydag Eric Carson, clerc y Cyngor Sir.

Pan oeddwn yn fachgen yn fy arddegau, roedd gwleidyddiaeth hefyd yn faes a ddenai fy niddordeb yn fawr. Darllenwn yn bur eang am bynciau'r dydd yn y pedwardegau diweddar. Cofiaf ddarllen pob un o nofelau Howard Spring oedd wedi'u seilio ar fywyd Ramsay MacDonald, Prif Weinidog Llafur cyntaf Prydain. Roedd hefyd stoc go helaeth o lyfrau gartref o'r Left Book Club (cyhoeddiadau radicalaidd eu hamcan, fel yr awgryma'r teitl), gan gynnwys llyfrau Elwyn Jones, *The Battle for Peace* a *The Enemy Within*. Fe borais hefyd yn bur helaeth yn hanes Iwerddon. Yng nghyswllt Cymru, *Y Faner* – y papur bu fy nhad yn is-olygydd arno yn y dauddegau – oedd y datganiad terfynol ar bynciau'r dydd. Darllenwn gyfraniadau Saunders Lewis o dan y teitl 'Cwrs y Byd', ac yn fuan fe droais at ei lyfr *Canlyn Arthur.* Nid anghofiaf fyth ei ysgrif ar Thomas Masaryk, tad gwleidyddol Tsiecoslofacia. Yn fachgen ysgol, sylweddolodd hwnnw'n sydyn mai Tsiec ydoedd ac nid Awstriad. O'r adeg yma, a minnau'n rhyw un ar bymtheg oed, yn nhermau Cymru fel gwlad a chenedl yr edrychwn ar wleidyddiaeth.

Yn yr ysgol bu ambell gyfle ysbeidiol i ddilyn y trywydd hwnnw, pan gynhelid ffug etholiadau. Mi fues i'n ymgeisydd dros y Blaid ar fwy nag un achlysur, er imi unwaith orfod ildio i Siân James (yr awdures enwog) gan mai hi a gafodd ei dewis. Mi sefais, felly, fel yr ymgeisydd Llafur ond ni chofiaf i'r sefyllfa beri anghysur mawr imi ar y pryd! Nid oedd unrhyw ddicotomi hanfodol rhwng y ddau beth yn fy meddwl i, ac ar yr aelwyd mi fyddai'r syniad o fod yn genedlaetholwr ac yn sosialydd yn ddeubeth oedd yn rhedeg ochr yn ochr â'i gilydd. Roedd Iwan Morgan, fy nghefnder, yn un a oedd o blaid senedd i Gymru yn ogystal â bod yn bur i'r chwith fel ymgeisydd seneddol – ac yn ennill sêl bendith fy nhad yn sgil hynny. Eto i gyd, ni fu'n hir cyn imi ddirnad y ffaith nad oedd pawb yn canfod gwleidyddiaeth yn ôl y model yna!

Tua 1947/48 ymunais â Phlaid Cymru, ond er hynny, roeddwn yn hapus i gefnogi Iwan yn etholiad 1950, gan fod ei areithiau'n llawn o gyfeiriadau at hawliau Cymru fel gwlad a chenedl. Nid oedd Plaid Cymru erioed wedi sefyll yn Sir Aberteifi, a phetai rhywun wedi gofyn y cwestiwn ai cenedlaetholwr ynteu sosialydd oeddwn, rwy'n credu mai'r ateb fyddai fy mod y ddau. Yn yr un modd, petai rhywun wedi gofyn yn 1921 i Llewelyn Williams ai Rhyddfrydwr ynteu cenedlaetholwr ydoedd, byddai wedi dod i gasgliad nid annhebyg.

Yn ystod ymgyrch yr etholiad hwnnw yn 1950 gwnâi'r ymgeisydd Rhyddfrydol, Roderic Bowen, sioe fawr o'r ffaith fod ei blaid yn gwrthwynebu cenedlaetholi'r rheilffyrdd. A minnau'n hogyn dwy ar bymtheg mlwydd oed, roeddwn wedi darllen yn rhywle – y *Manchester Guardian*, mae'n debyg – fod Roderic wedi siarad o blaid y polisi yn ystod ail ddarlleniad mesur cenedlaetholi'r rheilffyrdd. Roedd wedi cael ei enwebu gan ei blaid i siarad yn ystod y ddadl – ac i siarad mor hir ag y gallai, tra oedd y Rhyddfrydwyr yn trafod p'un a oedden nhw o blaid neu yn erbyn cenedlaetholi'r rheilffyrdd! Mae'n ffaith i Roderic bleidleisio o blaid y mesur. Fel y gallwch chi ddychmygu, gyda'r enw E. R. Bowen, ymddangosai'n uchel yng nghofrestr yr 'Ayes' yn Hansard.

Roeddwn i'n ddigon call y pryd hwnnw i weld y byddai'n ffôl i mi, fel hogyn ysgol, grybwyll y peth heb fod gen i brawf, a'i gyhuddo o ymgyrchu yn erbyn yr hyn y pleidleisiodd o'i blaid. Byddai wedi dweud 'naddo', a dyna'i diwedd hi. Maes o law mi ges gyfle i godi'r pwnc, pan ymwelodd â'r neuadd ym Mhen-y-garn. Roedd y lle'n llawn, a phwy oedd yn cadeirio ond fy ewythr, Enoch Morgan, brawd fy nhad a Chadeirydd y Blaid Ryddfrydol yn y sir ar y pryd. Fe aeth Roderic drwy ei araith, gan bregethu'r propaganda arferol: mai 'Jews and Foreigners' oedd yn rhedeg gwleidyddiaeth Prydain: 'Gaitskell, Attlee, Shinwell, Strauss – not a decent Englishman among them', a dyna'r peth mawr yn yr ymgyrch Ryddfrydol! Yn ganolog i'r cyfan roedd y polisi o genedlaetholi'r rheilffyrdd, gan bwysleisio cynllun mor ynfyd ydoedd. Pan ofynnwyd am gwestiynau, fe godais, ac Enoch Morgan, fy ewythr, yn derbyn y cwestiwn: 'Mae'r ymgeisydd Rhyddfrydol wedi ymosod ar genedlaetholi'r rheilffyrdd. Fedr e egluro i'r gynulleidfa pam y pleidleisiodd o blaid y mesur yn Nhŷ'r Cyffredin ar ail ddarlleniad y mesur?'

'I never did,' oedd ei ymateb swta. Ond ychydig ddyddiau

ynghynt roeddwn wedi ymweld â llyfrgell y dre, wedi darganfod hen gopi o Hansard oedd ar gael yno'n rhad ac am ddim, ac wedi cymryd meddiant ohono. Yn y fan honno roedd cofrestr yr 'Ayes' ac 'E. R. Bowen – Cardigan' oddi tano. Daliais yr Hansard uwch fy mhen, ac mi aeth yn gynddeiriog ac roedd bron yn dawnsio ar y llwyfan, yn methu credu y gallai glaslanc fod mor haerllug.

'I don't know if you're a Welsh Republican or a Hottentot or what ...' taranai, wedi colli arno'i hunan yn gyfan gwbl. Roedd fy nhad yno, a chan ddal llygad ei frawd yn y gadair, fe gododd. Disgynnodd distawrwydd llethol dros y lle – gallech glywed defnyn o ddwst yn disgyn.

'Mr Bowen,' meddai, 'ni fyddai ychydig o foneddigeiddrwydd allan o'i le, i ddyn 'run fath â chi,' ac fe gymeradwyodd tua thri chwarter y gynulleidfa. Yn rhyfedd iawn, ymleddais etholiad 1966 yn erbyn Roderic Bowen, un mlynedd ar bymtheg wedi hynny. Roedd yna ddwy wers i'w chofio: yn gyntaf, wrth ymosod ar rywun mewn awdurdod ynglŷn â rhywbeth hanfodol, byddwch yn siŵr o'ch ffeithiau. Yn ail, os yw'n bosibl, gwnewch yn sicr fod gennych dystiolaeth ddogfennol i brofi'ch achos.

Pan ddaeth diwrnod yr etholiad hwnnw yn 1950, a'r canlyniad yn cael ei gyhoeddi ar y bore dydd Gwener, roedd John Morris a minnau y tu allan i swyddfeydd y Rhyddfrydwyr yn Aberystwyth. Ymhen amser dyma gar yn cyrraedd, a'm hewythr Enoch a Roderic yn cerdded i'r swyddfa. Ar y ffordd i mewn dyma f'ewythr Enoch yn fy ngweld, ac yn dweud wrthyf,

'Dere yma, dwi eisiau iti ddod i longyfarch Capten Bowen.'

Fy ymateb i oedd nad oeddwn am ei longyfarch, gan nad oeddwn yn falch iddo ennill!

'Dere,' ac mi gydiodd yn dynn yn fy mraich a'm tywys i fyny'r grisiau. Yno roedd Bowen yn eistedd, yn fuddugol ac mewn hwyliau mawr, a'm hewythr yn dweud,

'Dyma fe'r rebel ...' ac yn y blaen.

Cofiaf ysgwyd llaw ag ef, a dyna hi. Y noswaith wedyn fe gwympodd f'ewythr Enoch yn farw. Posib iawn i straen yr ymgyrch fod yn ormod iddo. Bu Roderic yn caru efo merch Enoch, sef fy nghyfnither Eirlys, am gyfnod. Fe fyddai'r frwydr rhyngom yn 1966 felly'n fwy na dim ond gornest rhwng unigolion: roedd yna ddau deulu a phob math o ystyriaethau'n gefndir i'r ornest.

Er gwaethaf y llu o atgofion melys o 'nghyfnod yn yr ysgol ramadeg, a chymaint fy nghynhesrwydd at Ardwyn, bu sefyllfa'r ysgol yn achos cryn loes imi, wedi imi gael fy ethol yn Aelod Seneddol. Cododd anghydfod mawr yn Aberystwyth yn y flwyddyn 1968 yn sgil diwygio'r gyfundrefn addysg. Yn y cyfnod hwnnw, yng nghyd-destun cyfansoddiad ieithyddol yr ardal, mi fûm yn gryf o blaid ysgol gwbl ddwyieithog, mewn dau floc: bloc Cymraeg yn adeilad presennol Ardwyn (a fu wedi hynny'n gartref i Ysgol Penweddig am gyfnod), a'r bloc Saesneg yn adeilad Dinas, sydd heddiw'n parhau yn Ysgol Penglais. Un prifathro ac is-brifathro yr un, timau cyfunol ym maes chwaraeon, un eisteddfod i'r ysgol gyfan, a dathliadau ar y cyd ar gyfer achlysuron o bwys. Deilliai fy rhesymeg o natur arbennig dalgylch Aberystwyth, â'r rhaniad rhwng y ddwy iaith bron yn gyfartal. Nid yw'r sefyllfa honno'n bod heddiw, ond bryd hwnnw, roeddwn o'r farn y gallai trefniant o'r fath lwyddo. Gwaetha'r modd, yr oedd y syniad yn anathema i rai o'm cyd-Gymry, a'i hystyrient yn frad i'r eithaf. Yr hyn a geisient oedd arwahanrwydd ieithyddol cyfan gwbl glasurol, cywir, cyflawn a digymrodedd.

Wrth gwrs, os meddyliwch am y rhwystrau y bu'n rhaid eu hwynebu mewn dyddiau a fu yng nghyswllt addysg uwchradd trwy gyfrwng y Gymraeg – yr anghyfiawnder hanesyddol, absenoldeb cefnogaeth, y diffyg adnoddau a diffyg llyfrau testun creiddiol – gall dyn yn hawdd ddeall eu safbwynt. Iddynt hwy, byddai unrhyw bolisi nad oedd yn ieithyddol bur yn ddatganiad uniongyrchol yn erbyn yr iaith Gymraeg. Ac eto, petai pobl wedi ystyried y posibiliadau yn wrthrychol, rwy'n dal i gredu y gallai cyfundrefn wahanol, lai rhanedig, fod wedi'i sefydlu'n llwyddiannus, a hynny er lles yr iaith a'r gymuned yn ardal Aberystwyth. Cofiaf osodiad yr hanesydd cymdeithasol R. H. Tawney: 'If you want to see how divided your community is, look to the state of its education.'

Mewn sawl dalgylch yn ardaloedd Seisnigaidd Cymru bu'r rhaniad yn rheidrwydd er mwyn cynnal yr iaith. Mewn achosion felly rydw i'n hollol o blaid ysgolion annibynnol Cymraeg. Yn wir, mi fûm yn llywydd corff yn Wrecsam a ffurfiwyd er mwyn sefydlu ysgol Gymraeg o'r fath yn y chwedegau. Ond nid dyna, dybiwn i, oedd hanfod y sefyllfa mewn ardal megis gogledd Ceredigion yn 1968.

Cymylwyd y dyfroedd hefyd gan y ffaith i arian a oedd wedi'i glustnodi gan y Llywodraeth, i bwrpas ysgol gyfun newydd, gael ei gadw yn ôl gan yr awdurdodau sirol. Taerent wrthyf na chawsent y cynnig a'r caniatâd terfynol oddi wrth y Llywodraeth; ond dangosodd Shirley Williams (a oedd ar y pryd yn weinidog yn yr Adran Addysg) gopi imi o lythyr a brofai'n ddiamau nad oedd hynny'n gywir. Ond dyna ni, doedd ysgol gyfun ddwyieithog ddim i fod, ac o ganlyniad i'r ymryson bu yna deimladau digon hallt yn fy erbyn.

* * *

Er y cythrwfl ynglŷn â dyfodol Ysgol Ardwyn, ni chollais erioed fy serch at fy hen ysgol ac nid anghofiaf fyth fy nyled enfawr iddi. O edrych yn ôl dros y degawdau, sylweddolaf mai yma y lluniwyd, bron yn gyfan gwbl, fy agweddau hanfodol tuag at fywyd yn gyffredinol. Yno yr oeddwn pan ddeuthum yn genedlaetholwr, gan ofyn cwestiynau Waldo a chyrraedd yr un atebion ag yntau:

> Beth yw bod yn genedl? Dawn
> Yn nwfn y galon.
> Beth yw gwladgarwch? Cadw tŷ
> Mewn cwmwl tystion.

Yn fy nyddiau yno hefyd y deuthum i'r casgliad na fedrwn goleddu'r ddelfryd o gyfiawnder cymdeithasol heb fod yn sosialydd. Yno hefyd y lluniwyd fy nealltwriaeth o ddeddfwriaeth gyfiawn ac o gyfartaledd gerbron y gyfraith. Ychydig, os yn wir o gwbwl, a symudais oddi wrth y conglfeini hyn ers y dyddiau pellennig hynny. Er bod cyfnod ysgol wedi'i lwydo i mi yn sgil colli fy mam yn bedair ar ddeg oed, ac er bod gormod o amser wedi'i neilltuo i ddireidi a chellwair bachgennaidd, erys y cof am Ardwyn yn un cynnes ac annwyl. Medraf adleisio geiriau Gruffudd Gryg, un o'r cywyddwyr cynnar, gyda balchder a boddhad, 'Disgybl wyf, [hi] a'm dysgawdd'.

Ysgol y Gyfraith

I MI, NID oedd yr un agendor ddofn rhwng bywyd Ysgol Ardwyn a Choleg Aberystwyth, o'i chymharu â honno rhwng Ysgol Rhydypennau ac Ardwyn. Roedd y ddau sefydliad yn yr un dref a bu'r coleg yn sefydliad agos at fywyd y teulu. Aeth fy mam yno yn 1917, a'i chwaer Lilian ddwy flynedd o'i blaen, yn ogystal â 'mrawd hynaf, Gwyn, ac yn wir nifer o berthnasau eraill. Edrychwn ar Aberystwyth fel rhywle naturiol, os nad yn sefydliad anochel, bron, i fynd iddo. Roeddwn wedi clywed cymaint am y coleg gan gynifer o bobl nes imi deimlo fod yno gymdeithas glòs, gynnes a chroesawus cyn imi hyd yn oed ymaelodi ynddi.

Coleg bychan ydoedd y pryd hwnnw, gyda dim mwy na rhyw ddeuddeg cant o fyfyrwyr, a phawb yn adnabod ei gilydd – ar wahân i'r rhai oedd yn astudio 'Agri-bot', a dueddai i fod yn endid bach neilltuedig. Adran fechan oedd Adran y Gyfraith, a chyfanswm o ryw wyth deg o fyfyrwyr yn y tair blynedd gyda'i gilydd. Crëwyd hi yn y flwyddyn 1901, ac mae yna hanes diddorol i'r digwyddiad.

Wrth gwrs, roedd sefydlu Adran y Gyfraith yn antur enfawr yn y cyfnod hwnnw, ac eto mi fyddai'n cynnig sail ehangach i goleg naw ar hugain oed fel Aberystwyth. Pan aed ati i hysbysebu am Athro, fe dderbyniwyd ceisiadau gan ddau unigolyn anghyffredin o alluog. Un oedd Thomas Levi, a'r llall oedd Jethro Brown. Ym meddiant y ddau roedd y cymwysterau academaidd mwyaf disglair o'r sefydliadau uchaf eu statws yn y deyrnas. Er mai coleg newydd a thlawd oedd Aberystwyth, fe benderfynodd yr awdurdodau wneud rhywbeth anturus dros ben. Penodwyd y ddau. Bu Levi yn bennaeth ar yr adran am tua deugain mlynedd, hyd at 1940. Fe aeth Jethro Brown ymlaen wedyn i fod yn fargyfreithiwr llwyddiannus, cyn dychwelyd i'w famwlad, Awstralia, lle gorffennodd ei yrfa yn llywydd Llys Troseddol De Awstralia.

Mae hanes cyfoethog i'r Adran yn y cyfnod o droad y ganrif tan y blynyddoedd wedi'r Ail Ryfel Byd. Yn yr amser hwn fe lwyddodd Levi yn arbennig i ddenu rhai o'r dynion mwyaf athrylithgar yng nghyswllt y gyfraith ym myd academia ym Mhrydain, yn eu plith Shannon, Winfield, a Cheshire. Does dim amheuaeth na lwyddodd Levi, trwy ei bersonoliaeth ddeinamig, i adeiladu un o'r ysgolion cyfraith mwyaf disglair a sylweddol ym Mhrydain yn ei dydd.

Yn y cyfnod cyn yr Ail Ryfel Byd bu dwsinau o bobl a ddaeth yn enwog a blaenllaw ym myd y gyfraith yn fyfyrwyr yn yr Adran. Ymysg y mwyaf disglair ohonynt yr oedd: Elwyn Jones, a ddaeth yn Dwrnai Cyffredinol ac yn Arglwydd Ganghellor; David Hughes Parry, a fu'n ddarlithydd yno ac wedyn yn Athro Cyfraith ym Mhrifysgol Llundain; William Mars-Jones, a ddaeth yn enwog fel Barnwr Uchel Lys wedi'r rhyfel; a gwleidyddion adnabyddus fel John Morris, Cledwyn Hughes, Gwilym Prys Dafis ac Emlyn Hooson. Mae nifer o gyn-fyfyrwyr Aberystwyth wedi dal swyddi a safleoedd uchel eu statws ym mywyd cyhoeddus Prydain a ledled y byd. I mi, roedd mynychu Coleg Prifysgol Aberystwyth yn 1950 yn fraint aruthrol, ac roeddwn yn ymwybodol o hynny. Ar y pryd, hi oedd unig ysgol y gyfraith yng Nghymru. Felly, gan mai'r bwriad oedd mynd i ysgol y gyfraith o safon, ni ellid gwell nag Aberystwyth.

Mae yna ddau berson arbennig sydd wedi bod yn ffrindiau gydol oes a oedd yn gyd-fyfyrwyr â mi yn yr adran. Un, wrth gwrs, oedd fy hen gyfaill ysgol John Morris, un o'r bechgyn disgleiriaf a ddaeth o'r Adran erioed ac a fu'n aelod mewn pum Llywodraeth Lafur, gan gynnwys bod yn Ysgrifennydd Cymru ac yn Dwrnai Cyffredinol. Y llall oedd Dr Alwyn Roberts, cyn Ddirprwy Is-ganghellor Prifysgol Bangor, oedd yn yr un flwyddyn â mi. Er mai dim ond dwy ar bymtheg oed oeddwn i'n mynd i'r coleg, roedd Alwyn bron flwyddyn yn iau na mi. Fe ddaeth i'r Adran fel *state scholar*, ac yn ddiamau ystyrid ef ymhlith y galluocaf o'r myfyrwyr. Ar ôl dyddiau Aberystwyth, fe raddiodd mewn athroniaeth ym Mangor, ac yna mewn diwinyddiaeth yng Nghaer-grawnt, gan gyrraedd y safonau uchaf. Bu'n ffawd dirion i'r gweddill ohonom nad arhosodd Alwyn ym myd y gyfraith – neu mi fyddai bywyd wedi bod yn feinach i nifer ohonom, rwy'n siŵr! Deil i fod yn un o wŷr doethaf a mwyaf hirben Cymru.

Yn dilyn yr Athro Levi fel Pennaeth yr Adran daeth Llewelfryn Davies, a gymerodd at yr awenau yn 1940. Yn academaidd roedd yn ddigymar, ac fe fu yno am oddeutu deng mlynedd ar hugain. Efe oedd y *pater familias* (pennaeth traddodiadol y teulu Rhufeinig), ond ni fu penteulu mwy caredig, na mwy llariaidd tuag at ei braidd, na Llewelfryn Davies. Fe lwyddodd i ddenu nifer o academyddion gwych i'r Adran, rhai ohonynt yn bobl liwgar dros ben: Diaz, a ysgrifennodd lyfr clasurol ar gyfraith ryngwladol; Wilson, a oedd yn enwog ym myd cyfraith cytundebau; a Charles Crespi, oedd yn ddyn anferth o gorff a gallu. Ychydig flynyddoedd y bu ef yn Aberystwyth, cyn dychwelyd i'r Bar. Ef yn fwy na neb, mae'n debyg, oedd sail cymeriad ffuglenol John Mortimer yn y gyfres deledu *Rumpole of the Bailey* (er nad amddiffynnydd oedd Crespi, ond prif erlynydd). Bob nos fe adawai lys yr Old Bailey am El Vinos yn Fleet Street, a dyna lle byddai'n cynnal ei 'lys', a'r bargyfreithwyr ifainc yn ymdebygu i goleg o gardinaliaid wrth ei draed. Dyn ffraeth ydoedd yn ystod ei ddyddiau cynnar yn Aberystwyth. Traddododd ddarlith inni unwaith ar y 'Frustrated Contracts Act 1943', a gofyn, ynglŷn â rhyw sefyllfa, 'Where does the defendant stand?' gan holi'r cwestiwn i fachgen o'r enw John Harris (pêl-droediwr oedd wedi bod yn gapten ar dîm Chelsea, cyn cael ei anafu a derbyn iawndal uchel a gyfrannodd at ei addysg yn y gyfraith).

Meddai Harris, yn ei iaith Lundeinig, 'He's 'ad it, sir!'

'Yeth, Mr Harrith,' meddai Crespi â'i ddeilen ar dafod. 'Ath you tho beautifully and eloquently put it, though he be reduthed to beggary, penury and all manner of dejection, he hath indeed, hath had it.'

Un llawn hiwmor ydoedd trwy gydol ei oes. Yn y saithdegau fe ffrwydrodd bom y tu allan i'r Old Bailey. Y bore wedyn ymddangosodd llun yn y *Times* o'r bargyfreithiwr enfawr hwn mewn crys gwyn – yn waed drosto. Plannwyd ugeiniau o ddarnau bach o wydr yn ei gorff, ond yn ffodus heb achosi unrhyw anaf difrifol. A dyma ryw las hogyn o newyddiadurwr yn gofyn iddo,

'And what did you do, Mr Crespi, when the bom exploded?'

Fel y dywed yr adnod yn Llyfr y Diarhebion, 'Ateb yr ynfyd yn ôl ei ynfydrwydd.' Dyna wnaeth Crespi:

'Well, in fact, I plathed my vatht bulk between the bomb and the Bailey,' fel petai wedi cael y cyfle i wneud unrhyw beth yn y nano-eiliad honno!

Ceir stori arall ddiddorol iawn y tu ôl i'r hanes yma. Erlyn a wnâi Crespi yn y Bailey, a'r diwrnod hwnnw pwy a ymddangosai dros y diffynnydd yn yr un achos ond John Morris. Roedd y cloc wedi taro hanner awr wedi pedwar – ac yn y Bailey does nemor yr un llys yn eistedd funud ar ôl yr amser hwnnw – felly i ffwrdd â'r bargyfreithwyr i'r *robing room* i newid eu dillad. Meddai Crespi wrth John,

'Shall we take a taxi?'

Ac fe atebodd yntau,

'Yes, but just one minute, I must go to the gents.'

O ganlyniad, pan ffrwydrodd y bom, roedd John ar y ffordd i'r tŷ bach a dim ond Crespi oedd yn sefyll ar y stryd. Petai'r ddau wedi bod ar y palmant gyda'i gilydd, mae'r gobaith y byddai'r ddau wedi cael y fath ddihangfa wyrthiol ag a gafodd Crespi yn annhebygol.

Fe dderbyniais ysgoloriaeth i fynd i'r coleg, ond doedd hi ddim o ryw fudd materol mawr i mi oherwydd i'r awdurdodau dynnu gwerth yr arian o'r swm roeddwn i'n ei dderbyn o'r Cyngor Sir! Eto, mae'n rhaid i mi gyfaddef, roedd yn swm teilwng yn ôl anghenion y pumdegau cynnar. Roedd dyn yn medru byw'n gyfforddus ddigon gan nad oeddwn i'n smocio, nac yn yfed yn y dyddiau hynny, ac felly byddwn yn gorffen y tymor gyda rhyw ddeg punt yn y banc ac efallai bum neu ddeg punt pellach wedi'u benthyca i gyfeillion. Ni fu cyfnod arall erioed yn fy mywyd pan feddyliwn lai am arian!

Nid oedd angen imi wynebu'r daith hir sydd gan y myfyrwyr cyfoes, o ddringo rhiw Penglais. Yn yr Hen Goleg y derbyniais fy addysg brifysgol. Fe godwyd y baddonau a'r ganolfan chwaraeon sydd ar y campws modern cyn fy nyddiau i, ond yn y cyfnod ar ôl hynny y sefydlwyd nifer helaeth o'r adeiladau presennol. Am dair blynedd mi fues yn lletya yn Dinas Terrace, rhes o dai sydd yn gorwedd fel gwddfdorch o gylch gwaelod bryn Pendinas. Cofiaf reidio beic i lawr yn y boreau i gyrraedd erbyn naw, ac ar ddyddiau gaeafol roeddwn i wastad yn gwisgo fy nhrôns hir neu fy mhyjamas o dan fy nhrowsus, a hyd yn oed wedyn teimlwn oerfel pegynol yr hen adeilad di-wres. Mae'r atgofion o'r cyfnod hwnnw'n para'n fyw o hyd. Roedd dyn yn rhedeg lan y grisiau troellog o'r cwad i fyny i'r llyfrgell, ac yno ar y top mae colofn lle byddai pob myfyriwr yn swingio'i fraich o'i chwmpas, cyn saethu fel bwled i mewn trwy ddrysau'r llyfrgell. (Mae gan Syr T. H. Parry-Williams gyfeiriad at hyn yn un o'i ysgrifau.) Atgof llachar arall oedd cerdded i lawr Heol y Wig cyn troi am Marine Terrace, a theimlo slap sydyn gwynt hallt y môr ar y bochau.

Er bod y rheolau wedi'u llacio ryw ychydig ers cyfnod fy mam a'm brawd hŷn, roedd rheolau cymharol lym ynglŷn â diota pan euthum i i'r coleg. Nid oedd hyn yn effeithio arna i yn y blynyddoedd cyntaf. Yr oedd yna waharddiad ffurfiol ar i aelodau'r coleg fynychu mannau trwyddedig yn y dre – ond ni weinyddid y rheol yn slafaidd ar hyd y blynyddoedd, a dweud y lleiaf! Roedd stori am S. F. H. Johnson, uwch-ddarlithydd yn yr Adran Hanes ac awdur gwaith clasurol ar hanes y Fyddin Brydeinig, yn mynd i mewn i hen dafarn y

Boar's Head un noson, a phwy oedd yno ond myfyriwr o'r coleg yn ei flaser coch a gwyrdd. Dyma Johnson yn martsio lan ato:

'And what do you think you are doing here?'

'What business is it of yours?' gofynnodd hwnnw.

'I am Major S. F. H. Johnson, of the University Training Core.'

'Pleased to meet you,' meddai'r myfyriwr, 'I was Captain Bloody Jenkins of the army once!'

Yn yr un flwyddyn â mi yn Adran y Gyfraith roedd y cymeriad unigryw Robyn Léwis. Mae nifer o'i driciau ef yn fyw yn y cof. Yn yr ail flwyddyn roedd yna gyfarfod o Undeb Gymraeg Bangor a'r Gymdeithas Geltaidd, a myfyrwyr Bangor wedi teithio i lawr mewn bws wedi'i logi i'r pwrpas. Roedd Robyn yn lletya gyda bachgen oedd yn fathemategydd disglair ond yn gymeriad braidd yn ddiniwed. Llwyddodd Robyn i ddwyn perswâd ar hwnnw i yrru'r bws, oedd wedi'i barcio y tu ôl i'r Hen Goleg, a'i symud i rywle ar y prom. Dyma Robyn ac yntau'n dringo i mewn i'r cerbyd, cychwyn yr injan, a'i yrru i ffwrdd heb fawr o fedr. Sut yn y byd mawr y llwyddon nhw i droi allan o stryd gul Heol y Brenin i mewn i Heol y Wig, ac yna i lawr y prom, wn i ddim. Roedd pobl yn eu hugeiniau yn gadael sinema'r pier, ac yn rhedeg fel cwningod am eu bywydau o lwybr y bws. Fe sleidrai yn ôl ac ymlaen o un ochr i'r stryd i'r llall, cyn iddo ddod i stop mewn gardd flodau wrth ochr hen Neuadd y Brenin. Roedd hi'n noson wlyb anghyffredin, ac fe redodd Robyn a'i gyd-droseddwr i ffwrdd, gyda'r heddlu'n chwythu eu chwibanau yn eu canlyn, ond methon yn lân â'u dal. Mae'n debyg fod Robyn wedi cuddio mewn gardd ar war Ffordd y Gogledd, a gorwedd ymhlith rhychiau bresych am oriau gwlybion!

O'm hochr i, fe ddechreua'r stori ychydig oriau'n hwyrach, a minnau'n cysgu yn fy ngwely. Roedd yna dri ohonom yn rhannu ystafell eang yn ffrynt y tŷ yn Dinas Terrace, pob un â'i wely, a thua un o'r gloch y bore dyma gerrig mân yn taro'r ffenest. Codais heb ddeffro fy nghyd-letywyr ac agor y ffenest. Pwy oedd yno ond Robyn, yn fwd i gyd wedi bod yn y rhychiau bresych digysur.

'Tyrd i lawr,' plediodd, a dyma fi'n camu i lawr y grisiau i agor y drws iddo. Mi adroddodd yr hanes, a'r cwestiwn mawr oedd, beth oedd Robyn i'w wneud? Wel, mi roeddwn i yn fy ail flwyddyn fel myfyriwr cyfraith ar y pryd, yn astudio cyfraith Rhufain, cyfraith cytundeb, cyfraith tort, cyfraith tir a daear, a nifer o bynciau aruchel eraill – ond dim byd oedd yn cyffwrdd â deddfau'r ffordd fawr! Yn y diwedd, dyma fi'n dweud wrtho,

'Fe ddweda i wrthot ti be wnewn ni.'

'Beth?'

'Ewn ni i lawr i Cambrian Street i weld John Morris.' (Roedd e flwyddyn o'n blaenau yn y coleg.) Dyma ni'n cerdded yno'n llechwraidd, rhag ofn y byddai'r heddlu'n ymddangos, a chofiaf godi John Morris o'i wely, a hwnnw wedyn yn ei *dressing gown* coch, yn cerdded yn ôl ac ymlaen yn mwngian wrtho'i hun.

'Arswyd fawr, arswyd y byd ...'

Yn y diwedd, doedd yna ddim byd i'w wneud ond darbwyllo Robyn y byddai'r heddlu'n rhwym o fod yn gwybod pwy gipiodd y bws, ac nad oedd unrhyw fodd o ddianc rhag hynny. Yr unig beth i'w wneud oedd ceisio lliniaru'r gosb – ac i wneud hynny byddai'n rhaid iddo ymweld yn wirfoddol â swyddfa'r heddlu.

'Ond paid â gadael iddyn nhw dy holi di – fe rown ni ddatganiad ysgrifenedig i ti.' Fe ysgrifennodd John a minnau'r datganiad, yn hollol ffeithiol gywir ond gan gyflwyno'r ochr orau y gallem (os oedd yna ochr orau i'w chael!) i'r sefyllfa. Wedyn, mi aethon ag ef i swyddfa'r heddlu. Erbyn hyn roedd hi wedi dau o'r gloch y bore, ac roedd yno ryw swyddog digon cysglyd yr olwg wrth y ddesg.

'What do you want here?'

Meddai Robyn, 'I've been involved in a bus incident', ac wrth iddo ddweud hynny, gallech feddwl ei fod wedi hawlio mai ef oedd Al Capone! Daeth rhyw dri phlismon ato fel piranas newynog a'i restio. Cafodd ei anfon o flaen y llys ond pwy a roddodd eirda ar ei ran ond yr Athro Llewelfryn Davies, a eisteddai'n aml fel Cadeirydd y Llys Ynadon. Doedd yna ddim yn y byd na wnâi hwnnw dros ei fyfyrwyr neu ei gyn-fyfyrwyr. O ganlyniad, dirwy ysgafn gafodd Robyn, gan ennill iddo'i hunan y llysenw 'Robyn y Gyrrwr'.

Felly, dyna ddiwedd hanes y bws, ond mi anfarwolodd Robyn ei hunan yn yr un cyfnod pan ddaeth pac o gŵn Bertie Stephens i'r dre. Roedd y pac yma'n enwog yng nghanolbarth Cymru, ac mi roedden wedi ymddangos mewn ffilm o'r enw *Gone to Earth*. Stori oedd honno am draserch trist rhwng mab y sgweier a merch y sipsiwn, gyda rhai o actorion mwyaf blaenllaw'r cyfnod yn ymddangos ynddi. Bore'r digwyddiad fe ofynnwyd imi gan Robyn,

'Wyt ti'n gwybod ble galla i gael gafael ar gynffon llwynog?'

'Wel, fel mae'n digwydd,' meddwn, 'fe laddes i lwynog yr wythnos diwethaf ac mae gen i'r gynffon yn ôl yn Llandre.' Felly, dyma fi'n dal y bws a mynd yn ôl i Landre i'w nôl. (Mae'r stori wedi'i hadrodd ychydig yn wahanol yn llyfr Robyn, *Bwystfilod Rheibus*, gan ddweud fy mod i wedi mynd i'm *digs* i ddwyn cynffon oddi ar wal neu rywbeth felly!) Dyma fi'n rhoi'r gynffon i Robyn, ac yntau'n ymweld â siop fferyllydd i brynu dwy botelaid o had anis. Yn ddiweddarach y prynhawn hwnnw, safwn ar bwys y pier, lle roedd nifer fawr wedi ymgasglu a'r cŵn hela i lawr ym mhen pellaf y prom wrth ochr Neuadd Alexandra. Y peth nesaf a welwyd oedd y gyflafan fwyaf anhygoel yn datblygu. Dyma Robyn yn ymddangos o stryd ochr ar gefn ei feic mewn macintosh gwyn a hwnnw'n sopen o *aniseed*, a chynffon y llwynog wedi'i chlymu wrth gortyn yng nghefn y beic ac yn cyhwfan y tu ôl iddo fel *pennant* brwydr llong ryfel. Fe aeth y cŵn yn wallgof! Roedd Robyn yn lwcus fod y geist wedi'u cadwyno wrth ei gilydd, neu mi fydden nhw wedi'i fwyta'n fyw. Aethant ar wasgar dros y dre i gyd ac allan o bob rheolaeth. Rhedodd pâr i mewn i wagen ddodrefn John Potts, ac mi aeth eraill i ymweld â Woolworths, rhai eraill i Boots, gan greu'r anhrefn mwyaf anhygoel.

Roedd Bertie Stephens, druan, yn ddyn o barch uchel. Roeddwn wedi'i glywed lawer gwaith yn canu'n gyhoeddus – 'Dyma Feibl annwyl Iesu' a 'Pwy fydd yma ymhen can mlynedd?' – ac roedd yn flaenor yn ei enwad. Ond, y diwrnod hwnnw, roedd yn sefyll yn ei warthaflau wrth ochr hen Neuadd y Brenin a'i wyneb yn lasddu, ac yn rhegi nes bod y nen yn atsain. Mi gymerodd oriau iddyn nhw gael y cŵn 'nôl at ei gilydd. Golygfa fythgofiadwy!

Yn fy nghyfnod yn y coleg roedd yna draddodiad cryf wedi'i hen sefydlu o fyfyrwyr tramor yn mynychu Adran y Gyfraith, nifer fawr ohonynt o Falaysia. Fe ffynnodd yr arferiad, nes i nant fechan ddod yn afon gref a chyson erbyn y saithdegau, â channoedd ohonynt yno – a hynny er gwaethaf y ffaith fod Malaysia wedi dechrau datblygu ei sefydliadau academaidd ei hunan yn y cyfamser. Pery'r ffrwd yma i lifo'n gryf o hyd. Cofiaf yn arbennig ddau fyfyriwr yn fy nghyfnod i a aeth ymlaen i lanw swyddi uchel yn eu mamwlad. Bu Ghazali bin Shafie yn bennaeth gweinyddiaeth sifil ac wedyn yn weinidog tramor Malaysia, ac fe ddyrchafwyd Salleh bin Abas i swydd Arglwydd Lywydd yr Uchel Lys. Roedd Bin Abas yn fyfyriwr yn yr un flwyddyn â mi, ond fe'i cymerwyd yn wael. Bu i ffwrdd am rai misoedd a chofiaf i nifer ohonom ymweld ag ef droeon yn yr ysbyty.

Mae'r cof arbennig sydd gennyf o Ghazali bin Shafie yn wahanol. Mab i un o dywysogion Malaysia ydoedd, ac roedd yn greadur lliwgar a direidus. Un flwyddyn bu rhywun mor ffôl â threfnu darlith agoriadol gan Athro disglair o'r Swistir – yng nghanol 'Rag Week'! Sut yn y byd y llwyddodd neb i fod mor ysbrydoledig o ynfyd, ni wn. Dyna lle roedd Neuadd y Brenin yn orlawn, a'r Prifathro, Ivor L. Evans, yn cyflwyno'r academydd o dramor. Nid oedd gan yr un ohonom y peth lleiaf yn erbyn y gŵr bonheddig hwnnw, ond yr eiliad y cododd ar ei draed dyma'r bagiau fflŵr yn ffrwydro, y clociau larwm yn clochdar, a thrwmpedau'n canu o bob cwr o'r neuadd, a hynny er gwaethaf pob bygythiad i'r myfyrwyr gan y Prifathro am yr hyn a ddigwyddai pe na baent yn bihafio. O'r diwedd, ar ôl cyfnod maith o anhrefn cydgordiaidd, cafwyd tawelwch. Fe ddechreuodd yr Athro ei ddarlith, ac am funud neu ddwy ymddangosai fel y byddai'r ddarlith yn mynd rhagddi'n ddigyffro. Ond yn sydyn, pwy ymddangosodd yn cerdded ar rêl y balconi (a honno ddim ond rhyw chwe modfedd o led) ond Ghazali bin Shafie – yn ei lifrai traddodiadol fel mab tywysog, yn cario *fly-whisk* ac yn ei symud yn dywysogaidd-urddasol o'i flaen! Wrth gwrs, fe gododd pawb ar eu traed a dyma fonllef enfawr. Cafodd ei wahardd o'r coleg am fis, ond fel y dywedodd wrthyf wedyn, 'It was well worth it.'

Flynyddoedd yn ddiweddarach, roedd John Morris yn adrodd stori wrtha i o'i gyfnod fel ail weinidog yn y Weinyddiaeth Amddiffyn, ar ddiwedd y chwedegau. Roedd wedi hedfan i Falaysia i gyfarfod ag aelodau o'r Llywodraeth yno a chafodd ei wahodd i gartref Bin Shafie. Enw ei drigfan oedd Pumlumon, fel teyrnged i'w hen neuadd breswyl. Geiriau cyntaf Shafie oedd,

'Hello, John, so good to see you. How's the Prof?'

Fe fu'n deyrngar i'r coleg ar hyd y blynyddoedd ac fe gadwodd gysylltiad agos, fel y gwnaeth llawer iawn o gyn-efrydwyr Aberystwyth ym Malaysia. Yn Kuala Lumpur mae'r gangen gryfaf sydd gennym o gyn-fyfyrwyr ledled y byd. Gellid dweud gyda balchder uchel nad oedd erioed *colour bar* yn Aberystwyth. Yn wir, teimlem oll fod ein cyfeillion o'r Affrig ac Asia yn cyfoethogi ein bywydau'n aruthrol. Mae'n lled debyg fod yna fwy o groeso i fyfyrwyr lliw yn Aberystwyth nag yn unrhyw dref arall ym Mhrydain.

Nid y myfyrwyr tramor oedd yr unig rai i ychwanegu amrywiaeth a chymeriad i'r sefydliad. Profais fywyd diddorol iawn yn y llety y bûm ynddo, yn un o nifer o fyfyrwyr o wahanol gefndiroedd a gwahanol brofiadau, dau ohonynt wedi bod yn y lluoedd arfog ac wedi gweld erchylltra'r rhyfel. Cofiaf fod cyfeillachu â phobl o brofiadau amrywiol yn y coleg yn hynod o iach, ac i mi ddysgu deall a chydymdeimlo â phobl wahanol iawn i ni; mae'n ffactor sylfaenol o addysg coleg. Y peth olaf dylsai addysg coleg ei wneud yw creu sefydliad lle mae pawb yn glonau mecanyddol o'i gilydd, â'r nod o greu rhyw gynnyrch hollol unffurf. I mi, mae hyn yn groes i bopeth mae addysg uwch a cholegau'n ei gynrychioli.

Ni feddyliais am eiliad, pan oeddwn yn fyfyriwr yn Aberystwyth, y byddai ffawd mor garedig â gadael i mi chwarae unrhyw ran ym mywyd y coleg a'r brifysgol, ond felly y bu. Bûm am flwyddyn yn yr wythdegau yn llywydd Cymdeithas y Cyn-fyfyrwyr (ni chredaf fod i unrhyw sefydliad cyffelyb drwy Brydain fudiad mor deyrngar ac ymroddedig ag a fedd Aberystwyth). Yn y nawdegau cefais fy ethol yn un o is-lywyddion y coleg, ac yn dilyn ymddeoliad Syr Melvyn Rosser o'r gadair ar ôl deng mlynedd o wasanaeth clodwiw fe'i dilynais i'r swydd, ond dim ond am fod Syr Glanmor Williams (a oedd wedi bod yn Brif Is-lywydd gweithgar a diwyd am flynyddoedd maith) wedi gwrthod derbyn gwahoddiad unfryd y Cyngor i'r gadair.

Bûm yn y swydd am y ddau dymor o bum mlynedd a ganiateir i'r daliedydd. Yn Aberystwyth, yn wahanol i nifer o sefydliadau cyffelyb, fe unir swydd seremonïol y llywydd â'r swydd o gadeirio Cyngor y Coleg. Er bod y cyfnod y bu i mi ddal y swyddi hyn (1998–2008) yn un digon anodd, ac i raddau'n argyfyngus, yr oedd y profiad yn un adeiladol a diddorol. Bu i'm tymor fel is-lywydd gydredeg â chyfnod yr Athro Kenneth Morgan fel is-ganghellor, a'm cyfnod fel llywydd â chyfnod yr Athro Derec Llwyd Morgan ac yn rhannol yr Athro Noel Lloyd fel is-gangellorion. Yr oedd yn bleser ac yn brofiad cyfoethog gwasanaethu yng nghysgod pob un o'r tri.

Mae coleg o faintioli Aberystwyth (rhyw ddeng mil neu fwy o fyfyrwyr, dyweder) bob amser ar drugaredd elfennau'r amgylchedd addysg uwch drwy'r Deyrnas Unedig, a pholisïau Cyngor Cyllido Addysg Uwch Cymru yn arbennig. Bu'n gyfnod o argyfwng ariannol arnom rai blynyddoedd yn ôl pan fu raid ad-drefnu'n sylweddol, ond fe wnaed hyn gyda thegwch a sensitifrwydd mawr o dan arweiniad y Prifathro Derec Llwyd Morgan a'r cofrestrydd bryd hynny, yr Athro Noel Lloyd.

Dros y blynyddoedd bu dau beth yn arbennig yn fy mhoeni fel llywydd. Un oedd yr arswyd y byddai Aberystwyth yn crebachu i fod yn goleg bach o ystod cyfyng o bynciau. Cofiem beunydd am y ffaith fod cyfartaledd uchel o is-raddedigion yn mynd i goleg a oedd o fewn hanner can milltir i'w cartref. Petaech yn rhoi pwynt cwmpawd yn Aberystwyth i gylch o hanner cant o filltiroedd, byddai ei hanner yn fôr a llawer o'r hanner arall yn fynydd-dir heb yr un ardal boblog o'i fewn. Eto, bu i Aberystwyth oresgyn yr her hon, a hynny yn rhannol drwy ymdrechion glew ei swyddogion a'u staff ac yn rhannol ym mhwys y ffaith fod rhieni a myfyrwyr yn gweld amgylchedd Aberystwyth yn un diogel, a'i fod ymysg yr uchaf ym Mhrydain yng nghynghrair bodlonrwydd myfyrwyr â'u hamgylchedd. A heddiw, mae Aberystwyth mor boblogaidd gyda myfyrwyr ag y bu erioed.

Yr ail destun pryder oedd y diwygiadau hynny ym myd addysg uwch a gysylltid â'r gwron hwnnw, y diweddar Arglwydd Dearing. Cyfeiriaf at y penderfyniadau (a oedd ac awdurdod statud y tu cefn iddynt) i geisio lleihau'n sylweddol nifer aelodaeth cynghorau'r colegau a'r prifysgolion. Ar hyd y blynyddoedd yr oedd Cyngor Aberystwyth wedi tueddu i fod yn un gweddol lwythog, a hynny o gyfnod cynnar y coleg pan oedd yr awydd i sicrhau bod cynrychiolaeth deilwng o bob rhan o Gymru. Petaem wedi gweinyddu egwyddorion Dearing i'r llythyren, byddem wedi dioddef anorecsia gweinyddol, ond llwyddom i osgoi'r gwaethaf. Wrth gwrs, nid mater o nifer yr aelodau yn unig oedd y newidiadau hyn, ond yr ystyriaeth ar ran rhai o uchel fandariniaid y byd addysg uwch y gellid rhedeg prifysgol ar linellau nid annhebyg i eiddo cwmni masnachol, â'r penderfyniadau tyngedfennol yn nwylo corff o ryw ddeuddeg i bymtheg aelod. Greddf gref

Aberystwyth oedd fod y cysyniad o *collegium* yn weledigaeth fwy cytbwys a oedd yn gwarantu gwell cydbwysedd rhwng dysg ar yr un llaw ac effeithlonrwydd ariannol ar y llaw arall. Yr hyn a erys yn felys yn y cof yw'r cyd-dynnu a'r cyd-ddyheu a nodweddai bob un o eisteddiadau'r Cyngor. Wrth gwrs yr oedd gwahaniaethau dyfnion o ran barn, ond trwy gydol yr amser yr oedd ethos o gwrteisi a chytgord yn rheoli'r cyfan. Lles Aberystwyth oedd yn gyntaf ac yn olaf bob tro.

Un o ragoriaethau mawr Aberystwyth yw'r berthynas rhwng y coleg a'r dref. Gan fod y coleg mor fychan yn y dyddiau cynnar, roedd yn help i fagu perthynas glòs rhyngddynt; a chofier bod cyfartaledd mawr o fyfyrwyr – cyn i'r neuaddau preswyl gael eu sefydlu – yn lletya yn y dref. Wrth i'r coleg ddatblygu a thyfu, y tueddiad fu i'r berthynas wanhau ychydig, ond rwy'n mawr obeithio – er gwaethaf yr angen i dyfu rhywfaint – na fydd twf y coleg yn y dyfodol y cyfryw fel bod ei niferoedd yn anghytbwys â maint y dref.

Un sefydliad ac iddo draddodiad cryf yn y coleg yw'r gymdeithas ddadlau. Ers talwm cynhelid hi ar nosweithiau Gwener yn yr hen neuadd arholiadau – ystafell eang a honno'n aml dan ei sang. Dros y blynyddoedd bu'r neuadd yn dyst i rai o'r dadleuon mwyaf brwd a thanllyd y gallech eu dychmygu. Gymaint oedd fy niddordeb yn y sefydliad hwn fel y mynychwn y lle flwyddyn neu ddwy cyn imi ddod yn fyfyriwr – gan wisgo hen sgarff coleg fy mrawd Gwyn ac eistedd ac edrych fel petai hawl gen i fod yno! Mae gen i un atgof llachar o ddadl lle roedd Gwilym Prys Dafis – yr Arglwydd Prys Dafis erbyn hyn – yn un o'r dadleuwyr. Plediai yn huawdl ac yn eofn dros hawliau Cymru ac yn erbyn imperialaeth Prydain. Cofiaf am ei gorff tenau, ei wyneb llwyd a'i wallt pygddu'n disgyn dros ei arlais yn gudyn Hitleraidd yr olwg, bron. Llwyddodd i greu rhyw dawelwch dwys ac fe orffennodd ei araith â'r geiriau yma: 'If you pass this motion tonight, I and my party will regard you as the drainpipes that pour this imperialist filth into Wales.'

Meddyliais i mi fy hun, y rhoeswn bob dim i fod â'r

huodledd a'r gwroldeb i annerch cynulleidfa yn y fath fodd. Meddai ar bersonoliaeth aruthrol, ac yn ei ddyddiau ifanc roedd yn fwy herfeiddiol nag y bu wedyn. Yn ddiamau, mae'n un o'r dynion galluocaf a welodd Cymru yn ystod yr hanner canrif diwethaf.

Cefais y fraint o lywyddu'r gymdeithas ddadlau, a thraddodiad o bwys mawr oedd gwahodd y llywydd anrhydeddus i'r coleg. I'r perwyl hwn fe ymwelodd Hugh Gaitskell â ni, ac ym mlwyddyn fy llywyddiaeth fe ddaeth yr Ysgrifennydd Cartref Torïaidd, ac Arglwydd Ganghellor ar ôl hynny, David Maxwell Fyfe – achlysur rwy'n ei gofio'n dda. Oherwydd ei gyfenw, roedd wedi cael y llysenw 'Dai Bananas'. Fe gyrhaeddodd rai munudau'n hwyr, ac wedi iddo godi i'n hannerch a'r distawrwydd yn disgyn, dyma ryw lais bach coeglyd o'r cefn yn dweud, 'Very good of you to come, Dai.' Does gen i ddim llawer iawn o gof o'i araith, ond mi gofiaf un digwyddiad ynghlwm â'r achlysur. Yn yr hen undeb roedd yna groen epa y medrech fynd i mewn yn gyfan gwbl iddo. Y noson honno roedd rhywun wedi gwisgo'r croen ac wedi neidio ar y llwyfan er mwyn cyflwyno bwnsiad mawr o fananas i Syr David! Am eiliad neu ddwy, roedd ein gwestai fel petai'n ansicr ai person dynol oedd y creadur a safai o'i flaen, a chofiaf ei sicrhau bod popeth yn iawn!

Saesneg oedd iaith y gymdeithas ddadlau drwyddi draw, ond mi roedd yna Gymdeithas Geltaidd, a honno'n un gref. Yn y dyddiau hynny roedd yno nifer o Gymry blaenllaw fel Carwyn James, Dewi Maelor Lloyd, Gwyn Tudno Jones, Islwyn ('Gus') Jones ac eraill, ac roedd cefnogaeth frwd iddi gan staff yr Adran Gymraeg. Byddai'r Athro Tom Jones, Gwenallt, a Syr Thomas Parry-Williams, fel cyn-Athro, yn mynychu'r cyfarfodydd o bryd i'w gilydd. Bodolai cyswllt hynod gynnes rhwng tiwtoriaid a myfyrwyr ac roedd cinio dydd Gŵyl Dewi ac achlysuron tebyg yn brofiadau i'w trysori.

Fel cenhedlaeth a oedd wedi osgoi cyflafan yr Ail Ryfel Byd, teimlem ein bod yn hynod ffodus. Roedd dyddiau coleg yn rhai hyfryd; dyna'r dyddiau mwyaf dedwydd, mwy na thebyg, ym mywyd dyn – yn sicr yn y cyfnod ifanc. Doeddwn i ddim yn orweithgar fel myfyriwr, mae'n flin iawn gen i ddweud: cyflawnwn y lleiafswm o waith i ennill marciau parchus. O edrych yn ôl, roedd hon yn agwedd ddigon diegwyddor, ond y gwir oedd fod cymaint o bethau eraill, yn hytrach na gwaith astudio, yn hudo dyn. Rwy'n arswydo wrth feddwl na weithiais yn galed ym myd y gyfraith tan imi ddod yn gyfreithiwr. Yna, sylweddolais yn sydyn fod dyfodol pobl yn fy nwylo a bod rhaid gwneud fy ngorau glas, felly gweithiwn yn galed. Fe sefais fy arholiadau anrhydedd yn 1953 a graddio yn y gyfraith. Es ymlaen i ymchwilio i gyfreithiau Hywel Dda wrth imi wneud fy erthyglau yn y Cyngor Sir, ond ni orffennais y gwaith ar y testun 'Lladrad, sarhad a dynladdiad'. Fe ddaeth pethau eraill yn fuan ar fy nhraws.

Myfyriwr Cyfraith a Chyfreithiwr Ifanc

Ar ôl gadael coleg fe gododd y cwestiwn amlwg – pa yrfa roeddwn am ei dilyn yn y gyfraith. Roedd fy mryd er yn fachgen ar fynd i'r Bar, ac roeddwn wedi bod yn darllen hanes bargyfreithwyr amlwg fel Marshall Hall, F. E. Smith a Norman Birkett. Ond roedd fy nhad yn ei ddoethineb – ac mi roedd yn ddyn doeth a chytbwys – yn argymell ymgynghori â Gwyn, a oedd, fel y cyfeiriwyd eisoes, yn gyfreithiwr a chlerc i gyngor yng Nghanolbarth Lloegr. Ac yntau wedi gweld bechgyn gyda'r disgleiriaf yn methu yn eu gyrfaoedd yn y Bar, fe awgrymodd Gwyn y dylwn ymgymhwyso fel cyfreithiwr yn gyntaf. Roedd yn gyngor teg a chywir, ac fe'i derbyniais.

Euthum, felly, i wneud fy erthyglau gyda gŵr bonheddig, cwbl anghyffredin, sef Eric Carson, clerc Cyngor Sir Aberteifi. Bachgen o'r Bow Street oedd yn wreiddiol, ac un oedd wedi bod yn ffrind agos i Gwyn ac yn gyfaill i'r teulu. Felly roedd yn naturiol imi fynd ato. Roedd yn ŵr o ddiwylliant eang – dyn llengar o allu eithriadol fel cyfreithiwr ac fel swyddog llywodraeth leol. Ond mi ddywedodd wrthyf lawer gwaith y byddai wedi bod yn well ganddo fwynhau gyrfa fel hanesydd.

Teg yw dweud nad oeddwn yn edmygus o bob agwedd ar lywodraeth leol, neu o leiaf yr haenau hynny y deuwn ar eu traws fel clerc erthygledig. Wedi dweud hynny, roedd yna nodweddion eraill yn perthyn i'r Cyngor Sir na fedrwn lai na'u hedmygu. Sir dlawd oedd Sir Aberteifi; eto, roedd ganddi syniadau pendant ynglŷn â dyletswyddau llywodraeth leol, yn arbennig yng nghyswllt addysg ac iechyd. Dyma un o'r siroedd Cymreig a ddangosodd ysbryd radicaliaeth a gwreiddioldeb, ac felly roedd yna gymysgedd diddorol o'r cynllwynio ystrywgar ymhlith rhai cynghorwyr, a hefyd ymddygiad dewr a blaengar – hunanaberthol yn aml – y gallen ei edmygu fel Cardis. Ond, gwaetha'r modd, bywyd digon di-fflach oedd bywyd y clerc erthyglau. Ni dderbyniwn gyflog, ac fe dalodd fy nhad yn ogystal bremiwm sylweddol am fy mraint o fod yn erthygledig i'r Cyngor Sir.

Mi fues am gyfnod o dair blynedd mewn ystafell yn edrych allan ar y môr, ac mae'n sicr imi feddwl mwy am gynghanedd y tonnau nag am egwyddorion cyfraith llywodraeth leol – ac yn deisyf i'r dyddiau ddod i ben yn fuan. Mae gen i fwy nag un atgof o'r ffordd y byddai dyn yn lladd amser y dyddiau hynny. Rwy'n cofio un haf fod awyren anferth – Sunderland Flying Boat – wedi angori allan yn y bae. Wrth edrych dros ddŵr mae twyll, a bydd y llestr ar wyneb y dŵr yn edrych yn agosach o lawer nag ydyw mewn gwirionedd. Roeddwn yn nofiwr pur dda yn y dyddiau hynny, a phenderfynais osod her i mi fy hun, sef nofio allan i'r Sunderland. Ond roedd yn llawer iawn pellach nag a ddisgwyliwn, ac erbyn imi gyrraedd yn ôl roeddwn i wedi llwyr ymlâdd. Pwy oedd ar y traeth yn fy nisgwyl ond fy nghyd-glerc, Gwilym Thomas, yn chwifio'i freichiau. Roedd ar Mr Carson ein heisiau ar unwaith i edrych ar ryw ddogfen a ddaethai i'r Cyngor rai dyddiau ynghynt. Daeth stori'r nofio i glustiau Eric Carson ond bu'n drugarog wrthyf. Nid yn unig roedd Eric Carson yn ddyn diwylliedig a gweithgar, roedd hefyd yn ŵr bonheddig o'i gorun i'w sawdl.

Perthynai iddo haen eang o dynerwch a gwyleidd-dra. Cofiaf un diwrnod yn ei stafell a sŵn aflafar yn dod o'r tu allan, lle roedd plymer wrth ei waith ac yn chwibanu'n uchel. Dyma Eric Carson yn ei dymer yn cerdded allan a dweud, 'Stop it at once, these are county council offices, not an Irish doss house', ac yn ôl â fe. Fodd bynnag, roedd yn amlwg ei fod yn teimlo'n anesmwyth wedi dychwelyd, ac mi aeth allan eto mewn rhyw funud neu ddwy a gofyn i'r dyn gamu i mewn i'r swyddfa er mwyn iddo ymddiheuro a gofyn maddeuant – gan iddo gael diwrnod anodd. Dim ond dyn eneidfawr a thringar fyddai'n gwneud hynny, mewn oes pan fyddai gan glerc cyngor sir statws tywysogaidd – os nad yn wir agos ddwyfol – yn llygaid y cyhoedd.

Mae gennyf gof arbennig hefyd o'i ddisgleirdeb. Fe ddigwyddodd yr achos tua'r flwyddyn 1954, a'r Cyngor Sir yn erlyn cwmni o'r enw The Cardigan Timber Company ynglŷn â thorri coed a oedd dan orchymyn cadwraeth (*Tree Preservation Orders*). Enillwyd elw mawr ganddynt ar sail y gwaith anghyfreithlon hwnnw, ac roedd yr achos yn bwysig i ddyfodol y cwmni. Pwy oedd yn eu hamddiffyn ond Syr Geoffrey Lawrence, un o fargyfreithwyr mwyaf hynod ei ddydd, gyda Roderic Bowen, Cwnsler y Frenhines ac Aelod Seneddol, a Tasker Watkins VC (yr Arglwydd Farnwr Tasker Watkins yn ddiweddarach) yn ymddangos dros y Cyngor. Roedd yn achos diddorol, a pharhaodd am rai dyddiau. Ond, i mi, yr uchafbwynt oedd pan aeth Eric Carson i'r bocs i roi tystiolaeth ar ran y Cyngor Sir, a disgrifio pa gamau a gymerwyd ganddo a pha ohebiaeth oedd wedi'i phasio rhwng y diffynyddion a'r Cyngor Sir. Pan gododd Syr Geoffrey Lawrence i groesholi Eric Carson, un o'r pethau cyntaf a ofynnodd oedd:

'It's true, is it not, Mr Carson, that the defendants offered to sell these trees to the Council?' Cafwyd distawrwydd llwyr yn y llys.

'Yes, sir,' atebodd Carson, 'that is quite correct.'

'But the County Council refused to allow that.'

'Yes, sir,' meddai Carson.

'Why was that, Mr Carson?'

Edrychodd Carson allan drwy'r ffenest fel pe bai'n edrych am ryw ysbrydoliaeth bellennig.

'Come come, Mr Carson,' meddai Lawrence, 'I must press you for an answer.'

Ac yn y diwedd, atebodd Carson.

'Well, sir,' meddai, 'I advised the County Council that it would be unlawful to do so under Section [—] of the Local Government Act 1948,' gan enwi'r union gymal. Edrychodd Lawrence fel petai wedi cael ei saethu; syllodd ar gopi o'r ddeddf yn *Halsbury's Statutes*, ac o'r diwedd dyma fe'n dweud,

'*Touché*, Mr Carson.'

I mi, athrylith y sefyllfa oedd, nid bod Carson yn iawn a bod Lawrence yn anghywir, ond bod Carson wedi hudo Lawrence i gredu bod yna ryw fath o dwll anferth yn achos y Cyngor Sir nad oedd wedi'i rag-weld. O'r funud honno gwyddwn na allai'r Cyngor golli'r achos. Dyna un o'r darnau gorau o dactegaeth llys imi ei weld erioed.

Yn ystod fy nghyfnod fel clerc erthygledig mi fûm yn ymgeisydd seneddol yn Wrecsam ddwy waith, yn ogystal â gwneud amryw o bethau eraill. Felly, rhyw glerc erthygledig absennol oeddwn ar y cyfan. Yn ffurfiol, rhaid oedd bod yno am gyfnod o dair blynedd yn ddi-dâl ac nid oedd cymhelliad i ddyn weithio'n ormodol. Fe droais allan gannoedd o drawsgludiadau – darnau ar ochr y ffordd roedd y Cyngor Sir yn eu prynu a'u hymgorffori yn y ffordd fawr – ond dyna i mi oedd y diflastod mwyaf ar wyneb daear. Treuliwn dipyn o'r amser yn ceisio anghofio'r amgylchiadau, ac yn anochel, bron, arweiniodd hyn at drafferth annisgwyl.

Yn wir, bu bron i fy ngyrfa gyfreithiol ddod i ben yn y modd mwyaf sydyn a therfynol, a hynny tua hanner ffordd drwy fy erthyglau. Gydag un diwrnod mor ddiflas â'r llall, roeddwn i lawr un tro yn ystafell y teipyddion, ac yno roedd un o'r merched yn clirio cwpwrdd allan, a llond ei chôl o ffurflenni glas gwysiadau (ffurflenni oedd wedi mynd allan o ddefnydd fel y cyfryw rai degawdau cyn hynny). Gofynnais iddi beth roedd hi'n bwriadu ei wneud â nhw.

'O, dwi'n eu twlu nhw,' meddai. Felly mi gymerais ryw hanner dwsin ohonynt, a menthyg teipiadur. Cyfaill agos imi yn y dyddiau hynny oedd Dafydd Bowen, darlithydd yn yr Adran Gymraeg a dderbyniodd Gadair yno rai blynyddoedd yn ddiweddarach. Ar y pryd roedd yn ddirprwy warden Pantycelyn: ysgolhaig manwl, dyn parchus – ac yn ymwybodol yn ogystal fod rhai ym Mhantycelyn ar brydiau'n camu tu hwnt i linell y gyfraith. Yr hyn a wnes i oedd teipio ag un bys ryw hanner dwsin o wysiadau yn ei gyhuddo o bob math o bethau ar nos Sadwrn arbennig, fel: 'Urinating against a lampost'; 'Assaulting a police officer in the execution of his duty'; 'Being drunk and disorderly in a public place' ac yn y blaen. Mi ges afael wedyn ar lythyr gan Gadeirydd yr Ynadon, Sidney W. Herbert, i'r Cyngor Sir. Roedd ef yn uwch-ddarlithydd yn yr Adran Hanes ac yn hanesydd o fri. Edrychai'n debyg iawn i Mr Gladstone, a chanddo ryw wy mawr o ben moel a sbectols, a chymerai ei hunan o ddifrif. Mi lwyddais i gopïo llofnod Herbert ar bob un o'r gwysiadau yma. Cofrestrais y pecyn, a'i anfon drwy'r post at Dafydd Bowen ym Mhantycelyn. Yn fy meddwl i, rhyw sbort digon diniwed oedd hyn oll, a chredwn y byddai Dafydd yn siŵr o sylweddoli ar unwaith mai rhyw greadur fel y fi oedd y tu ôl i'r weithred.

Dim o'r fath beth! Fe ddaeth Dafydd i'r casgliad ar unwaith fod trosedd o'r fath *wedi* digwydd ac mai un o fyfyrwyr Pantycelyn oedd yn gyfrifol am y camymddygiad, a bod hwnnw wedi rhoi ei enw *ef* yn hytrach na'i enw ei *hunan* i'r heddlu. Fe aeth Dafydd ar ei union i swyddfa'r heddlu i achub ei enw da. Sylweddolodd yr heddlu yn fuan mai twyll a hoced oedd y gwysiadau yma. Yng ngofal y swyddfa, ac un a adnabyddai fy nhad, yr oedd y Dirprwy Brif Gwnstabl, E. J. Evans. Derbyniais alwad ffôn ganddo'n dweud, 'Dewch i lawr fan hyn ar unwaith, ry'ch chi mewn trwbl mawr.'

Mi es, ac mi gyfaddefais ar unwaith mai fi oedd wedi chwarae'r tric â'm cyfaill.

Dywedodd Evans wrthyf fod Sidney Herbert yn gynddeiriog, ac yn bwriadu trosglwyddo'r mater i sylw'r Cyfarwyddwr Erlyniadau Cyhoeddus.

'Mae e am eich gwaed chi,' meddai. 'Petawn i'n chi, awn i'w weld ar unwaith' – a dyna a wnes.

Fe drigai Herbert mewn fflat ar y prom, yn weddol agos i'r hen Goleg Diwinyddol. Llosgai tân mawr yn y grât, a thu allan roedd yn ddiwrnod gwyllt o aeaf a'r tonnau'n tasgu ac yn poeri ar fur y prom. Dyna lle roedd Sidney Herbert mewn tymer stormus, yn tasgu yn ei hunangyfiawnder, a dyma fe'n dechrau arni:

'This is an outrage; I'm not going to tolerate this for a moment. It's not simply an insult against me, holding as I do, the Queen's Commission as a magistrate. It's an affront to the whole administration of law.'

Daliai i daeru, a minnau'n dweud dim byd ond edrych ar y tân, ac yna ar y môr. Dyma fe'n cyrraedd anterth ei gondemniad, a chamu tuag ataf a'i wyneb bron yn fy wyneb, a gofyn,

'And *why* did you use *my* name?'

Mi edrychais ym myw ei lygaid, gan ddweud,

'Well, sir, I simply did not think that any *other* name would carry the same distinguished authority.'

Mi dawelodd am funud hir, ymsythodd, ac mi edrychodd lan a lawr gan ddweud,

'I have come to a decision; I'm not going to ruin the career of a promising young man.'

A dyna sut y bu dihangfa.

Fel y digwyddai, roedd yn ateb llythrennol eirwir, ond rwy'n eitha sicr mai seboni'r hen foi a weithiodd y wyrth. Roeddwn hefyd wedi dod ar ei draws ryw flwyddyn cyn hynny yn ystod 1954, ac ymgyrch Senedd i Gymru yn ei hanterth. Roeddwn yn bresennol mewn cyfarfod mawr ym Machynlleth a Megan Lloyd George ac eraill yn annerch, gyda Sidney Herbert yn cadeirio. Mi gwrddais ag ef yr adeg honno gan i mi dderbyn y dasg o gynnig pleidlais o ddiolchgarwch i'r siaradwyr.

Rydw i wedi meddwl lawer gwaith: petawn i ddim wedi bod mor wenieithus, tybed a fyddwn wedi dod yn gyfreithiwr o gwbl, a beth fyddai'n hanes i? Gyrfa fel twyllwr, efallai! Yn ôl yr hyn a ddywedodd y Dirprwy Brif Gwnstabl wrthyf wedyn, pan ddangoswyd y gwysiadau ffug i Sidney Herbert, edrychodd yn ei lyfr bach gan ddweud, 'Well, it's my signature, but I never signed those summonses on that day.' Dyna ddangos *forger* cystal oeddwn i! Ond mi fyddwch yn falch o wybod mai dyna fy ymdrech gyntaf, a'r olaf, yn y maes arbenigol hwnnw.

Fe ddaeth fy nghyfnod erthyglau i ben ac mi basiais yr arholiadau, a dyma'r cwestiwn yn codi nawr o fynd i'r fyddin. Roeddwn wedi derbyn trwydded i ohirio mynd i'r lluoedd arfog tan imi orffen fy erthyglau. Bodolai gorfodaeth filwrol y pryd hwnnw, ac fe barhaodd am rai blynyddoedd ar ôl hynny. Nid wyf yn heddychwr, ond roeddwn am fynd ar fy nhelerau fy hunan. Pe cymerwn 'Short Service Commission' o bedair blynedd a oedd yn agored i raddedigion, telid swm sylweddol o arian ar ddiwedd y cyfnod hwnnw – tua phedair mil o bunnoedd, gyda'r opsiwn o barhau am bedair blynedd arall a derbyn swm mwy sylweddol eto. Ni chofiaf yr union symiau, ond yn y dyddiau hynny medrech brynu tŷ sylweddol am bum neu chwe mil o bunnau; felly roedd yr atyniad yn bwerus. Fy mwriad oedd mynd i gatrawd y Royal Welch Fusiliers neu'r South Wales Borderers, ac mi wnes gais, felly, am gomisiwn.

Fodd bynnag, mi newidiwyd popeth imi oblegid digwyddiad ryw flwyddyn ynghynt. Roedd fy arholiadau terfynol fel cyfreithiwr ar y gorwel, a minnau gartref yn Llandre. Ym Mhwllglas, fferm fy ewythr a'm cefndryd, roedd yna ferlen wen, hanner arab, hanner cob. Er nad oeddwn yn reidiwr soffistigedig, roeddwn yn hoff o farchogaeth honno. Fel mae pob un sy'n trin ceffyl yn gwybod, pan rowch gyfrwy ar geffyl, fe ddylai fod y fath beth â chrwper arno hefyd. Darn yw hwn sydd yn pasio yn ôl o'r cyfrwy, o amgylch cynffon y ceffyl, ac yn atal y cyfrwy rhag symud ymlaen. Yn fy niogi, doeddwn i ddim wedi trafferthu i osod y crwper ar y cyfrwy. Euthum i farchogaeth yn ôl ac ymlaen ar y lleiniau y tu ôl i bentref Dole – rhyw dri neu bedwar canllath o dir tonnog. Yn sydyn, fe lithrodd y cyfrwy ymlaen, fe gwympais o dan y ferlen, ac fe sathrodd hithau ar fy ysgwydd chwith. O fewn ychydig ddiwrnodau roedd yr ysgwydd yn ddideimlad, ac roedd yn amlwg fod niwed wedi ei wneud i'r gewynnau. Dros y misoedd fe waethygodd yr anaf cyn iddo liniaru rhywfaint.

Bûm o flaen Bwrdd Dewis y Swyddfa Ryfel, a'r cyfan rwy'n ei gofio yw rhyw gyrnol yn gofyn imi, 'Do you play rugger?'

'Not with any great success,' atebais, 'but I enjoy the game.'

'Very good,' meddai yntau, a chefais fy nerbyn 'subject to medical' i gwrs 'officer cadet'. Wrth wneud yr archwiliad meddygol, fe ddarganfuwyd bod fy mraich chwith fodfedd neu ddwy yn llai yn ei chylchyn, a bod y gewynnau'n dangos mesur o niwed. O ganlyniad, dywedwyd wrthyf na fyddwn yn cael mynd i'r RWF ond, petai raid, gallwn gael fy anfon i Adran y Gyfraith, y Corfflu Addysg neu'r 'Intelligence Corps'. Rydw i eto i dderbyn y llythyr bach brown yn fy ngalw i'r fyddin!

Er imi orfod anghofio'r yrfa arfaethedig yma, roedd y broses wedi bod yn allweddol trwy fy ngosod ar ben y ffordd ar drywydd arall. Roedd yn rhaid mynd i Wrecsam am yr archwiliad meddygol, ac yn ystod yr wythnosau y bûm yn disgwyl am fedical, euthum yno a chael swydd dros dro – fel cyfreithiwr cynorthwyol yn ffyrm Hooson & Hughes – hen gwmni I. D. Hooson, y bardd, a sefydlwyd ddegawdau cyn hynny. Ar ôl imi fethu'r archwiliad, fe ofynnwyd imi aros ymlaen yno. Yn yr un cyfnod cefais gynnig ysgoloriaeth Rotari i fynd am flwyddyn i'r Amerig. Er iddo fod yn demtasiwn atyniadol, rywsut neu'i gilydd fe benderfynais na fyddwn yn ei derbyn. Erbyn hynny roedd gennyf awydd dechrau gweithio a chael rhywfaint o brofiad fel cyfreithiwr. Dyna'r peth callaf a wnes i erioed, oherwydd o fewn ychydig fisoedd cyfarfyddais ag Alwen, a dilynodd fy mywyd gwrs newydd. Rydw i wedi meddwl lawer gwaith: beth fyddai wedi digwydd petawn i wedi rhoi crwper ar y cyfrwy a bod y ddamwain fach honno ddim wedi digwydd? Gall pethau bychain dibwys, felly, bron yn rhagluniaethol, newid a rheoli ein bywydau.

Y bonws mwyaf a ddaeth i'm rhan yn sgil damwain y ceffyl oedd i mi symud i Wrecsam a chyfarfod Alwen. Daeth gwawr newydd o ddedwyddwch i'm bywyd. Priodasom yn 1959. Ni chafodd yr un dyn well cymar bywyd. Hoffwn ddweud hefyd am ei theulu hyfryd, mor serchus a charedig y buont yn fy nerbyn i'w plith. Hen ŷd y wlad ar ei orau oeddynt – ac ydynt, ac ni bu air croes erioed rhyngom. Diolchaf yn wylaidd amdanynt.

Roedd Hooson & Hughes yn gwmni llewyrchus, ac mi fues yn gweithio gyda nhw am naw mis. Roedd I. D. Hooson nid yn unig yn fardd hyfryd ond yn gyfreithiwr hynod lwyddiannus ac wedi dal swydd 'Official Receiver' gogledd Cymru. Yn y cyfnod pan euthum yno roedd Wrecsam yn dref oedd yn tyfu, diwydiant yn ffynnu, a digonedd o waith cyfreithiol o bob math ar gael. Er mai trawsgludo a phrofeb a wnâi'r cwmni gan fwyaf, mi wnes lawer o waith llys a chael mwynhad mawr wrth ei wneud.

Ar ôl naw mis roeddwn yn ddigon ffodus i dderbyn cynnig partneriaeth mewn ffyrm o'r enw Lloyd ac Emyr Williams. Roedd Dr Emyr Williams wedi bod yn ffigwr amlwg gyda'r Eisteddfod ac ym mywyd diwylliannol Cymru, ac ar ôl ei farw roedd ei frawd, Baldwyn Williams, yn chwilio am bartner. Bûm yn anhygoel o ffodus; roedd Baldwyn yn ddyn anghyffredin a oedd yn chwilio am Gymro Cymraeg i'r ffyrm, gan i Emyr, ei frawd, fod yn gyfreithiwr i nifer o Gymry Cymraeg ar draws gogledd Cymru. Roedd yn hen bractis, a dathlodd ei ganmlwyddiant yn fuan ar ôl imi ymuno ag ef. Nid hi oedd y ffyrm fwyaf yn y dref, ond roedd yn sefydlog ac yn gwneud busnes llewyrchus. Talai cleientiaid cyfoethog ffioedd sylweddol am drawsgludo tir a daear, ac yn ôl y traddodiadau gorau, petai person a ddeuai atom mor anghenus fel nad oedd modd iddo dalu, yn sicr byddem yn gwneud ein gorau drosto. Bûm yn hynod hapus gyda'r cwmni, nes imi orfod ymddiswyddo ar ôl cael fy mhenodi'n weinidog yn y Llywodraeth yn 1968.

Pan ddechreuais yn Wrecsam gyntaf, cefais wahoddiad i de gan y gŵr cadarn ac enwog hwnnw Cyril Jones, un o brif gyfreithwyr gogledd Cymru, oedd â'i swyddfa dros y ffordd i ni.

'Mi fyddwch chi'n reit hapus yma,' meddai. 'Mae'r rhan fwyaf o'r cyfreithwyr yn y lle yma'n gallu bod yn ddigon milain a chas weithiau, ond ar wahân i "A a B" gallwch eu trystio nhw i gyd.' (A gwir oedd ei eiriau; digwyddodd un neu ddau o bethau gydag A a B a brofodd ei bwynt.) Yn gyffredinol, roedd y gyfundrefn yn dibynnu'n gyfan gwbl ar ymddiriedaeth cyfreithwyr yn ei gilydd. Fel enghraifft o hyn, fyddech chi ddim yn aros nes bod siec cyfreithiwr y prynwr wedi pasio trwy'r banc cyn i chi gwblhau trosglwyddiad rhwng ffyrmiau lleol. Doedd yna ddim colli winc o gwsg, na theimlo y dylech chi fod wedi gofyn am orchymyn banc i fod yn hollol sicr na fyddai'r siec yn methu, oblegid yr ymddiriedaeth a fodolai. Ni chefais erioed achos i golli ffydd yn un o gyfreithwyr eraill Wrecsam – ac eithrio 'A a B'! Roedd yn gyfundrefn geidwadol ar lawer golwg, ond yn un anrhydeddus. Y peth gwaethaf y gallech ei wneud, heblaw dwyn arian oddi wrth gleient, oedd canfasio am fusnes – roedd hynny'n bechod yn erbyn yr Ysbryd Glân. Fe wnaed hyn gan un neu ddau mewn rhyw ffyrdd digon dirgel, ond roedd hyn yn ysgymun gan y gweddill ohonom. Heddiw, mae pob cyfreithiwr yn hysbysebu, ac mi fyddech yn cael eich ystyried yn gyfreithiwr od iawn pe na wnaech hynny.

Dyn swil oedd Baldwyn Williams, ond roedd yn gyfreithiwr galluog, ac wedi bod yn gweithio i'r trysorlys yn ddyn ifanc. Nid oedd yn un a fyddai'n awyddus i fynd i'r llys, ond roedd ganddo feddwl cyfreithiol praff, a gallu arbennig ym materion tir a daear a phrofeb. Yn anad dim, roedd yn ddyn o anrhydedd ac egwyddor, yn hollol anhunanol, ac roedd rhaid ichi fod ar eich gwyliadwriaeth bob amser na fyddai'n rhoi mantais ichi nad oeddech yn ei haeddu. Ddewch chwi ddim ar draws llawer iawn o bobl felly yn y byd yma, credwch fi! Ond roedd Baldwyn yn un ohonynt. Eto, fe ddigwyddodd un peth oherwydd ei haelioni a allai fod wedi rhoi harten imi.

Perthynai Baldwyn i un o hen deuluoedd Wrecsam ac roedd yn gyfeillgar â nifer o deuluoedd adnabyddus eraill yn yr ardal. Y pryd hwnnw, mewn cartref hen bobl, fe drigai gwraig oedrannus, merch i un o'r teuluoedd hyn. Roedd wedi colli ei chof, a chafwyd gorchymyn i roi ei materion yng ngofal y Comisiwn Elusennau. Yn hytrach na gofyn i'r Comisiwn am arian ychwanegol i'w chynnal, bu Baldwyn yn talu symiau nid ansylweddol i sicrhau cysur iddi – fis ar ôl mis a blwyddyn ar ôl blwyddyn. Mae'n rhaid fod y symiau wedi cyrraedd gwerth miloedd lawer yn ein harian ni heddiw. Bu farw'r wraig, ac mi ysgrifennodd y Comisiwn lythyr caredig at Baldwyn yn diolch iddo am ei garedigrwydd ac yn gofyn am gyfrif eitemedig o'r holl arian roedd wedi'i dalu. Roedd hyn, wrth gwrs, yn groes i'r graen iddo; ystyriai'r peth yn fwy fel rhodd na dim arall. Nid atebodd y llythyr, na'r llythyr nesaf, na'r llythyr wedyn, na dim un arall. Ni wyddwn i ddim o gwbl am y sefyllfa.

Fe barhaodd hyn am gyfnod maith, ac yn y diwedd bygythiodd y Comisiwn ysgrifennu at Gymdeithas y Gyfraith pe na bai'r bil yn cael ei gyflwyno. Fe wrthododd Baldwyn. Ar ôl tua deunaw mis, fe gyrhaeddais y swyddfa un bore Llun, a darganfod rhyw Mr Jenkins yno. Pwy oedd y Mr Jenkins hwn? Wel, roedd Mr Jenkins yn un o brif gyfrifwyr Cymdeithas y Gyfraith, a'i waith oedd archwilio cyfrifon cyfreithwyr a ddrwgdybid o gamymddwyn. Derbyniwyd achwyniad gan y Comisiwn Elusennau, a oedd wedi cyrraedd pen ei dennyn ac yn awyddus i gael y cyfrifon er mwyn cwblhau ystad yr hen wraig. Ef, felly, a anfonwyd i archwilio ein cyfrifon fel cwmni.

Mi es yn wyn ac i grynu drosta i, ac roedd meddwl am y peth yn ysgytwol. Mi fuodd Mr Jenkins yno am ddiwrnodau yn edrych drwy ein llyfrau, ac mewn ffaith, bu hynny'n hynod broffidiol i ni. Fe ffeindiodd filoedd o bunnoedd oedd yn perthyn i'r ffyrm, nad oedd dros y blynyddoedd wedi cael eu trosglwyddo o gyfrifon cleientau i gyfrif y ffyrm – yn wahanol iawn i'r hyn roedd e'n ei ffeindio yn y rhan fwyaf o lefydd eraill!

Tua'r nos Iau yr wythnos honno dyma Mr Jenkins yn dod ata i a dweud, 'You'll be very happy to know I've gone through your books and am more than satisfied. In fact, there's a lot of money due to you, and we're very sorry that it was ever necessary for us to come here. By the way, your partner, Mr Williams, has given me a ticket to attend tomorrow night's Medico-legal Annual Dinner, but given the nature of my work I don't think I should really go!'

Dyna Baldwyn ichi – dyn hollol arallfydol. Roedd yn gyfreithiwr praff a doedd dim yn naïf yn ei fywyd proffesiynol, ond os gwelais i sant o ddyn erioed, ef oedd hwnnw. Faint o bethau caredig a wnaeth, ni ellid eu cyfri. Chredai neb fyth y stori am yr hen wraig, heddiw. Mi fyddai staen y sgandal o gael ymchwiliad gan Gymdeithas y Gyfraith yn ddigon i ladd llawer ffyrm gyfreithiol, ac ar y gorau'n fathodyn o gywilydd tragwyddol. Fel y digwyddodd hi, fe aeth y stori o amgylch Wrecsam yn ei chyflawn gywirdeb, a doedd neb yn rhyfeddu – dyna'r fath o gymeriad oedd Baldwyn wedi bod erioed. Cofiaf lawer gwaith, pan fyddai rhywun yn marw – gan gynnwys aelodau o'i deulu – y byddai'n ystyried y peth fel dyrchafiad: eu bod wedi esgyn o'r byd llygredig hwn i amgylchedd uwch ac anllygredig, a dyna oedd ei holl agwedd at fywyd a marwolaeth. Rwy'n cofio bod gydag ef ddiwrnod neu ddau cyn ei farw, ac yno roedd o'r un anian, ac yn edrych ymlaen at y byd 'tu hwnt i'r llen' mewn ffydd a hyder.

Er mai trawsgludo a phrofeb oedd prif waith y cwmni wedi bod ar hyd y blynyddoedd, yn bersonol achubwn beunydd ar y cyfle i fynd i'r llys ynadon neu'r llys sirol, gan ymgymryd ag achosion troseddol ac achosion sifil. Er fy mod ar ôl hynny wedi ymladd achosion llawer trymach a mwy difrifol, y profiadau cynnar hyn adawodd yr argraff fwyaf arnaf. Tueddai ustusiaid y cyfnod i fod yn hynod geidwadol ac roedd ganddynt ragfarnau dyfnion o blaid yr heddlu ac yn erbyn diffynyddion, er ei bod hi'n bosib ennill achosion er gwaethaf hynny.

Cofiaf un mater yn llys yr ynadon lle bu ymladdfa ffyrnig rhwng ciperiaid a photsiars ar lan afon Dyfrdwy. Taniwyd gwn, ond heb ei anelu at neb, a bu'n ysgarmes waedlyd â dyrnau a thraed yn chwarae eu rhan, cyn i'r potsiars ddianc – gan adael gwn ar eu hôl. Yr unig dystiolaeth yn erbyn y dyn roeddwn i'n ei amddiffyn oedd fod yna ddwy lythyren ddigon cyffredin ar stoc y gwn oedd yn cyfateb i flaenlythrennau enw'r cyhuddedig – potsiwr o fri a hanai o deulu o botsiars. Taerai ei fod yn ddieuog. Fe lwyddais i godi'r pwynt fod o leiaf un o aelodau'r llys â'r union flaenlythrennau – a doedd yna ddim awgrym mai fe oedd un o'r rheini ar lan yr afon y noson arbennig honno! Chwarddwyd yr achos allan o'r llys. Cyn gadael y llys fe ddaeth y dyn ataf i ddiolch imi am fy ngwasanaeth, gan ddweud,

'Diolch yn fawr i chi, Mr Morgan. Dach chi'n credu y galla i gael y gwn yn ôl?'

Mae gen i gof arall o ymryson digon dramatig o flaen mainc o ynadon yn un o ardaloedd gwledig y gogledd. Cyn-gyrnol o'r fyddin oedd y cadeirydd, ac edrychai fel y byddech chi'n disgwyl i gyrnol edrych – mwstasien fawr wen, wyneb cochbiws, a llais fel petai'n annerch milwyr ar sgwâr y barics. Roedd yr achos yn un difrifol. Fe anfonwyd beili i fferm, a gorchymyn yn ei feddiant i gymryd eiddo. Ni chredaf i'r perchnogion sylweddoli eu bod mewn dyled o gwbl, gan eu bod yn fab a thad gonest, ac yn sicr roedd ganddynt ddigon o fodd i dalu. Prin iawn oedd eu Saesneg, a phan gyrhaeddodd y beili, credent ei fod am gymryd meddiant o'r fferm yn y fan a'r lle – eu fferm deuluol – a'u troi allan i'r ffordd. Mi aeth pethau'n helynt. Cydiwyd yn y beili, ac fe'i clymwyd yn y beudy. Aeth y mab i'r tŷ i nôl gwn ac fe'i llwythodd, ac am ryw awr neu ddwy yn y fan honno bu'r beili'n pledio am ei fywyd a'r tad a'r mab yn taeru nad oeddent am ildio'r fferm. Does gen i ddim cof cywir sut daeth yr argyfwng i ben, ond rwy'n gwybod i'r beili gael ei ryddhau yn y diwedd. Wrth gwrs, roedd y drosedd yn un ddifrifol, ond fe ddadleuais fod y cyfan yn tarddu o gamgymeriad enfawr, oherwydd bod y tad a'r mab i bob pwrpas yn uniaith – yn 'monoglots'.

'Don't talk nonsense,' meddai'r Cyrnol-Gadeirydd wrtha i. 'There are no monoglots in Wales today.'

'Indeed, sir, I respectfully beg to differ. It may very well be that *you* are a monoglot.'

Mi gollodd ei bwyll yn gyfan gwbl, a gofyn am ymddiheuriad ar unwaith. Atebais innau,

'If you, sir, speak with some fluency any language other than English I will gladly withdraw that submission, but if I am correct, I am sure that, in your integrity, you'll accept my point.'

Dyma fe'n chwythu bygythion, ond roedd hi'n weddol amlwg nad oedd yn siarad yn rhugl mewn unrhyw iaith arall heblaw'r Saesneg! Mae'n rhaid fy mod i wedi ennill cydymdeimlad yr ynadon eraill, oblegid cafwyd y tad a'r mab yn ddieuog.

Byddai'r fath yna o ustus yn teyrnasu'r adeg honno a wnâi ichi deimlo nad ymladd dros gyfiawnder cyfreithiol yn unig fyddech chi, ond bod rhaid ichi hefyd ymladd am gyfiawnder cymdeithasol. Roedd person yn aml yn teimlo'i fod yn wynebu rhyw nerthoedd a oedd yn atsain o'r canoloesoedd. Ac, wrth gwrs, roedd nifer o frwydrau tebyg i'w hwynebu oddi mewn, a thu hwnt i'r llys.

Dyddiau'r Blaid

Bûm yn aelod o Blaid Cymru am ddwy neu dair blynedd cyn imi fynychu'r coleg yn hogyn dwy ar bymtheg. Yno, ymhen amser, fe'm hetholwyd yn ysgrifennydd y gangen, ac yna'n llywydd. Cangen ddigon anymfflamychol ydoedd, un â'i bryd ar ennill senedd i Gymru trwy ddatblygiad graddol, ac ennill statws dominiwn yn yr un modd. Ni chredaf i'r syniad o dor cyfraith groesi ein meddyliau, ac roedd dyddiau cychwynnol Cymdeithas yr Iaith rywfaint yn y dyfodol. Yn wir, cynrychiolem feddylfryd cyfreithlon a pharchus dros ben.

Mae'n debyg y llechai tueddiadau mwy milwriaethus ymysg ein cyfoeswyr yng nghymoedd y de. Roedd y Blaid Weriniaethol wedi'i sefydlu rai blynyddoedd ynghynt a chynigiai honno ymgeiswyr seneddol, er mai bychan oedd eu dylanwad. Roedd tuedd i gefnogi Plaid Cymru fel plaid wleidyddol nad oedd yn ffafrio tor cyfraith, ac yn sicr un nad oedd yn cyd-fynd â dulliau chwyldroadol, yn rhywbeth hollol gydnaws ag anian a theithi meddwl y cyfnod.

Cofiaf un achlysur yn ystod fy nghyfnod fel llywydd a barodd dipyn o sioc i'r gangen. Roedd gwestai arbennig yn ymweld â'r coleg, sef yr Athro David Greene, ysgolor gwadd a chenedlaetholwr Gwyddelig brwd. Roedd o gorffolaeth helaeth, ac ymdebygai i Dylan Thomas; gwisgai drowsus melfaréd ac roedd barf fawr goch ganddo. Fe'i gwahoddwyd i'n hannerch, a gresynai at yr agweddau parchus, di-drais a glastwraidd a nodweddai genedlaetholdeb Cymru ar y pryd. Uchafbwynt ei anerchiad oedd y geiriau, 'Nid yw Plaid Cymru yn ddiffuant. Fel mudiad cenedlaethol nid yw wedi saethu'r un plismon hyd yn hyn. Yr wyf o ddifrif.'

Roedd y gynulleidfa wedi'i syfrdanu. Dyma'r fath o agwedd

na chlywyd mo'i thebyg ymysg Pleidwyr y cyfnod, a dyna ichi grynhoi'r gwahaniaeth sylweddol rhwng cenedlaetholdeb Cymreig ac eiddo Iwerddon. Er gwaethaf pwysigrwydd llosgi'r ysgol fomio ym mlynyddoedd cynnar y Blaid, erbyn dechrau'r pumdegau, drwgdybus, a dweud y lleiaf, oedd y rhan fwyaf o'r fath agweddau. Serch hynny, byddai'r ddadl ynglŷn â dulliau gweithredu Ghandiaidd yn codi maes o law.

Cafwyd llawer o gyfarfodydd cynnes a brwd yn y cyfnod hwn, a daeth rhai o arweinwyr Plaid Cymru i'n hannerch. Cofiaf un cyfarfod a drefnwyd gan yr annwyl Carwyn James, llywydd y flwyddyn honno. Fe ddaeth Gwynfor atom i siarad, ac roedd hefyd yn bresennol mewn swper yn dilyn y cyfarfod yn llety Carwyn. Roedd fy edmygedd o Gwynfor yn ddi-ben-draw. Meddyliwn amdano fel gwleidydd ac arweinydd aruthrol, ac eto fe gofiaf amdano y tro hwnnw'n arbennig yn ailadrodd stori fach gellweirus o enau D. J. Williams, Abergwaun. Hanes ydoedd am noson agoriadol sinema newydd Dinbych-y-pysgod, a'r bobl leol yn cael mynd yno'n rhad ac am ddim. Dyma ryw greadur yn troi i mewn, fel y dywedai Gwynfor, 'wedi'i dal hi' ac erbyn y toriad teimlai alwad natur yn drwm arno. Yn lle mynd i'r tŷ bach, fe anelodd am yr oriel i wneud dŵr! Dyma lais bach o'r gwyll oddi tano yn gweiddi,

'Woblwch hi o gwmpas dipyn – mae'r cyfan yn syrthio i lawr fy ngwar i!'

'A wyddoch chi,' meddai Gwynfor wrthym, 'byth ers hynny, bob tro y bydd D. J. Williams yn ysgrifennu ata i, mae'n arwyddo, "yn ddi-woblo, DJ".'

Cofiaf imi weld ochr ddynol a ffraeth Gwynfor yn hynny. Fe ddywedwch, efallai, nad oes lawer o ddim byd i'r atgof yma, ond i mi mae'n ddadlennol iawn o fyfyriwr ifanc oedd yn edmygu'r dyn fel apostol gwleidyddol, ac yn gweld hefyd yr ochr ddynol i'w gymeriad am y tro cyntaf.

Yn y cyfnod hwnnw deuthum yn aelod o Bwyllgor Gwaith y Blaid, ac ystyriwn hyn yn anrhydedd ac yn brofiad cyfoethog ac addysgiadol. Fe deimlwn fel rhyw hogyn ysgol breintiedig yn yr amgylchedd aruchel hwn. Mor aruthrol oedd y profiad o glywed pobl fel Dr Tudur Jones, Gwenallt, Waldo, D. J. Williams, Dr Gwenan Jones, Dr D. J. Davies a'i wraig, Dr Noel Davies, yn traethu o'u disgleirdeb ar faterion cyhoeddus y dydd. Heddiw, wrth gwrs, mae'n annhebyg y byddai neb yn edrych arnynt fel pobl y byddech yn eu cyfrif yn gyfuniad gwleidyddol soffistigedig o ran strategaeth wleidyddol, ond i mi fe gynrychiolent olud anhraethadwy'r genedl Gymreig.

Mae un digwyddiad arbennig yn y Pwyllgor Gwaith wedi'i argraffu'n ddwfn ar fy nghof. Yn 1955, ar achlysur dathlu cyfnod o ddeng mlynedd o arweinyddiaeth Gwynfor fel llywydd, fe gyflwynwyd anrheg iddo gan D. J. Williams. Gallaf weld D. J. Williams nawr yn ei frethyn llwyd, yn sefyll ar ei draed gan wenu, a'r ddau afal coch yn ei fochau mor amlwg pan fyddai'n pwysleisio rhywbeth, a'i lygaid bron â diflannu yn ei wyneb. Rwy'n ei gofio'n dweud yn ei anerchiad, 'Fe fethodd Mr Saunders Lewis am ei fod e'n credu ei fod yn arwain cenedl gref. Mae'n bosib, Mr Llywydd, y byddwch chi'n llwyddo am eich bod chi'n gwybod eich bod chi'n arwain cenedl wan.'

Rydw i wedi meddwl llawer am y geiriau hynny, a'u hystyried yn ddadansoddiad treiddgar. Cydnabyddid ynddynt y gwahaniaeth rhwng yr agwedd heriol, filwriaethus oedd i wleidyddiaeth Saunders Lewis – lle roedd y tywysog yn annerch ei bobl fel 'unben ... yn nydd rhaid', fel y sonia T. Gwynn Jones yn ei gerdd 'Cynddilig' – ac arweinyddiaeth fwy tringar o lawer Gwynfor Evans, arweinydd a geisiai gynnal deialog â'r bobl yr oedd am eu harwain. Symleiddio'r sefyllfa fyddai derbyn geiriau D. J. Williams fel dedfryd derfynol a chynhwysfawr, ond rwy'n credu iddo ddatgelu gwirionedd gwaelodol a oedd yn nodweddu'r ddau arweinydd.

Erbyn imi ymuno â'r Blaid, roedd Saunders Lewis wedi gorffen ei gyfnod fel llywydd, ac wedi diosg pob awdurdod ffurfiol. Eto, fe barhaodd yn ffigwr cefndirol, tadol a phroffwydol i wladgarwch Cymreig, ac fe daflai ei gysgod dros y Blaid yn aml. Teimlwn fod Plaid Cymru yn y cyfnod cynnar wedi cael ei rheoli gan ei bersonoliaeth, ac roedd ei agwedd tuag at Gymru yn gydnaws â phetai'n un o'r hen dywysogion. Meddai ar ddoniau ac egnïon arweinyddol aruthrol ac ymddangosai ar adegau fel pe medrai hudo deiliaid y genedl i'w ddilyn. Dywedaf hynny fel un â pharch iddo, ond pe byddai rhywun yn anghytuno â'i resymeg neu ei dactegau, byddai hynny'n ysgymun iddo. Gwelai bob brwydr mewn termau ciarosgwraidd, ac i'm meddwl i roedd yna anfanteision i'r meddylfryd digymrodedd yma i arweinydd gwleidyddol yng Nghymru yn yr ugeinfed ganrif. Nid oedd polisïau megis ei gynllun i ddad-ddiwydiannu de Cymru yn debyg o ennill llawer o gefnogaeth chwaith.

Un frwydr fawr a ymladdodd Saunders Lewis, ac un hollol annoeth, yn fy marn i, oedd ymgyrchu yn erbyn dyfodiad y Bath and West Show i dde Cymru, fel petai'n fygythiad marwol i'r genedl Gymreig. Fe lwyddodd i ennyn teimladau mor gryf nes iddo greu sefyllfa dra chynhennus, lle gallai unigolyn naill ai fod o blaid y genedl ac yn erbyn y Bath and West, neu o blaid y Bath and West ac yn erbyn y genedl. Dyna fel roedd hi o'i safbwynt unigryw ef: du a gwyn, y da a'r drwg.

Wrth fyfyrio ar y gorffennol heddiw, gellir awgrymu mai achos felly oedd yr ysgol fomio. Mewn un ystyr, mae'n drueni na fyddai mwy o ysgolion bomio gan Brydain adeg dechrau'r rhyfel. Gallai fod wedi sicrhau mwy o lwyddiant ym mlynyddoedd cynnar y rhyfel, a phwy a ŵyr, wedi achub bywydau nifer. Doedd a wnelo sefydlu ysgol fomio yn agos i Bwllheli ond ychydig â Chymreictod a pharhad yr iaith yng ngogledd Cymru yn gyffredinol. Y ddadl bwysicaf yn safiad Saunders Lewis, efallai, oedd fod yna ardaloedd yn Lloegr a lwyddodd i wrthod y prosiect – ac roedd hynny'n ddigon gwir. Yn ychwanegol at hyn, dadleuai fod y safle yn agos at lwybr y pererinion i Ynys Enlli, a bod tresmasu difrifol ar fywyd ysbrydol Cymru yn digwydd. Ac eto, dyma'i ddull o gynhyrfu ei deimladau ei hun ac eiddo pawb arall, fel nad oedd modd ystyried y mater mewn termau eraill ac eithrio rhai du a gwyn. Iddo ef, roedd sefydlu'r ysgol fomio fel petai'n weithred o ladd cenedl. Â phob ewyllys da, anodd, o bersbectif y dydd sydd ohoni, ydyw gweld yr achos yn yr union oleuni hwnnw. Wrth gwrs, mae barn derfynol yn dipyn rhwyddach yn ein dyddiau ni gyda synnwyr trannoeth. Yn y tridegau nid oedd unrhyw sicrwydd fod ail ryfel byd i ddod ac yr oedd yn lled boblogaidd i gondemnio awyrennau bomio yn gyfan gwbl.

Er gwaethaf y feirniadaeth, rwyf wedi teimlo parch enfawr tuag Saunders Lewis erioed. Câi ei edmygu'n fawr gan fy rhieni, ac roedd ei ysgrifau 'Cwrs y Byd' yn efengyl yn fy nghartref. Ond ni chredaf y gallai fyth feithrin plaid wleidyddol lwyddiannus. Pan gafodd ei gyfle yn isetholiad y brifysgol, fe'i gwrthodwyd yn ddigon pendant. Er imi bob amser fawrygu miniogrwydd meddwl y dyn, dur ystyfnig ei bersonoliaeth ac eglurdeb ei weledigaeth, ni allaf fyth gyfaddef imi dderbyn ei ddadleuon. Ond wedi'r cyfan, yr oedd yn un o'r ychydig rai a oedd yn fodlon aberthu popeth dros Gymru yn y cyfnod hwnnw. Oni bai amdano, mae'n ddigon posib na fyddai Plaid Cymru wedi goroesi hyd heddiw. Mae'n bosib dadlau hefyd nad ymladdwyd ymgyrch Penyberth gyda'r gobaith o ennill, ond yn hytrach o gymhelliant cwbl ferthyrol ac mai dioddefaint a merthyrdod oedd y nod.

Y Rhos

Ddiwedd y flwyddyn 1954 fe fu farw Aelod Seneddol annwyl a phoblogaidd Wrecsam – Robert Richards, dyn o ddiwylliant aruchel a fu'n gefnogol i bopeth da yng Nghymru ac ar lawer ystyr yn genedlaetholwr. Gofynnwyd imi gan bwyllgor sirol Dinbych o'r Blaid i sefyll yn yr isetholiad. Bûm 'yn hir yn sad gysidro', fel y dywed yr hen gân, ond yn y diwedd mi gytunais, er mai dim ond newydd gyrraedd fy nwy ar hugain mlwydd oed oeddwn ar y pryd. Meddwn ar hyder ieunctid. Penderfyniad digon annoeth ydoedd o safbwynt gyrfa

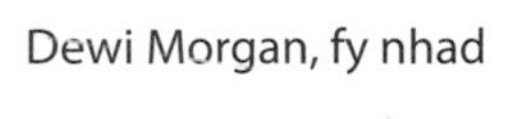

Dewi Morgan, fy nhad

Fy nhad a'm mam ar
ddydd eu priodas

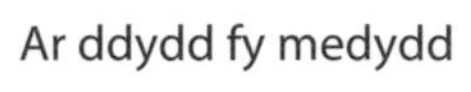

Ar ddydd fy medydd

Fi a ’mrawd bach

Gwyn, fy mrawd hynaf

Fy mam a'i motor-beic

Alwen a minnau ar ddydd ein priodas

Ceidwad gôl y Bow Street

Tîm rygbi ysgol Ardwyn 1949/50 – yng nghanol y rheng ôl

Y teulu yng Ngharreg Afon

Alwen a'r plant

Y teulu'n mwynhau stori

Ymweliad Hugh Gaitskell â chymdeithas ddadlau Coleg Prifysgol Cymru, Aberystwyth, 1949

Ymgeiswyr isetholiad Wrecsam, 1955

Anerchiad etholiad 1966

Alwen a minnau adeg etholiad Hydref 1974

Cyfweliad gydag I. B. Griffith

Llun trwy ganiatâd Llyfrgell Genedlaethol Cymru

Llun a dynnwyd pan ddeuthum yn is-ysgrifennydd yn y Swyddfa Gartref

Llun: Godfrey Argent; hawlfraint: National Portrait Gallery

Alwen a minnau yng nghyfarfod anrhegu Gwynfor ym Meirion, 1962

Llun trwy ganiatâd Llyfrgell Genedlaethol Cymru

Gwynfor yn llongyfarch David Walters a David Pritchard y tu allan i Lys Ynadon y Bala; bûm yn eu hamddiffyn wedi iddynt gyflawni gweithred ddinistriol yn yr ymgyrch i ddiogelu Cwm Tryweryn

Llun trwy ganiatâd Llyfrgell Genedlaethol Cymru

Capel y Garn, Bow Street
Llun: Iestyn Hughes

Eleri a Gerard

Deulwyn a Nans a minnau

Diwrnod cymryd y llw fel barnwr

Cyfarfod graddau anrhydeddus yn Aberystwyth, gydag Edward Heath a Jacques Santer

Dod yn aelod o Dŷ'r Arglwyddi

Cartŵn gan Tegwyn Jones ar fy mhen blwydd yn drigain

Gŵr gwadd i gynulliad o siryfion Cymru a Chaer

Owain a Debbie a Lowri fach

Yr wyrion bach – Daniel, Catrin a Lowri – wrth eu bodd

Llywydd Prifysgol
Aberystwyth

Y teulu yng ngardd
Carreg Afon, haf 2000

oherwydd fy mod ar ganol fy erthyglau, ond fe gefais ganiatâd Eric Carson i dreulio cyfnod yn Wrecsam. Ymdrechwn ar y pryd i gyflawni fy ymchwil ar gyfreithiau Hywel Dda, ond yn ofer; a bu'n rhaid dirwyn y gwaith i ben. Nid oedd unrhyw obaith imi gyflawni'r testun o fewn ystod o amser rhesymol ac ymgymhwyso fel cyfreithiwr yr un pryd. Ond roedd cyfnod yr isetholiad yn brofiad gwerthfawr, ac ychydig a wyddwn bryd hwnnw y byddai'r ardal hon yn chwarae rhan mor ganolog yn fy mywyd am flynyddoedd i ddod.

Bûm yn aros yn Rhosllannerchrugog, mangre gryfaf Plaid Cymru yn y gogledd-ddwyrain yn y dyddiau hynny. Roedd yn ardal unigryw, yn ynys fach o Gymreictod, a honno o fewn ychydig filltiroedd i'r ffin â Lloegr. Roedd hefyd yn ddeinamo o wleidyddiaeth flaengar, yn gartref i bobl ddewr, eofn, a sicr eu cred. Ond, yn fwy na dim, pentref glofaol ydoedd, ac iddo draddodiadau radicalaidd cryf. (Defnyddiaf y gair pentref, ond mae'n debyg iddi fod yn gymuned o tua deng mil o bobl.) Ym mherfeddion pwll Bersham neu bwll yr Hafod yr enillai'r rhan fwyaf o'r dynion eu bywoliaeth – pobl ffraeth, gynnes, a diflewyn-ar-dafod. Sonnid am y Rhos yn y cyfnod hwnnw fel 'Rhos Uffern', oblegid mai anodd fyddai clywed neb yn y Rhos, nad oedd yn orbarchus, yn siarad heb i'r gair 'uffern' ymddangos yn y frawddeg yn rhywle. Gofynnwyd unwaith i bentrefwr o'r ardal,

'Why do you say this word "uffern"?'

A'r ateb oedd,

'Uffern – I don't know, uffern!'

Dyma bobl oedd â gwreiddioldeb yn eu ffraethineb. Adroddid stori arall am fws yn teithio o Johnstown i fyny i'r Rhos, a theithiwr yn cynnig dwy geiniog i'r tocynnwr. Fe atebodd hwnnw mai tair ceiniog oedd y pris, ac mi aeth yn ymryson poeth rhwng y ddau ohonynt p'un ai dwy neu dair ceiniog oedd hi i fod.

'Rwy'n dy nabod di,' meddai'r teithiwr wrth y tocynnwr. 'Cythraul diog wyt ti.' (Cofier nad term o sarhad fel y cyfryw oedd 'cythraul diog' bryd hynny, ond enw technegol, bron, am rywun oedd yn gweithio ar yr wyneb yn hytrach nag o dan ddaear.)

'Ond o'n i'n gweithio ar lawr, a mi ddaru mi ga'l cythgam o ddamwain fawr, a mi ges i fy mhwytho,' meddai hwnnw gan dynnu ei law ar draws ei fol.

A beth oedd ymateb y gŵr arall?

'Dwi'm yn hidio 'set ti 'di ca'l dy sodro, uffern. Dim ond dwy geniog sy arna i i ti!'

Dyna i chi enghraifft o ganolbwyntio ar ffactorau amherthnasol mewn dadl – ac o ffraethineb y Rhos. Enghraifft arall o'r arabedd naturiol oedd yr arfer o roi llysenwau ar bobl. Peth cyffredin iawn yno oedd derbyn llysenw. Un tro, fe ddaeth yno ryw ddyn o ardal arall yng Nghymru, ac fe'i rhybuddiwyd am fod yn ofalus iawn o'r hyn a ddywedai, a'r hyn a wnâi, am ei fod yn siŵr o gael llysenw.

'O jiw jiw, mi fydda i'n ofalus fel oen,' meddai – a 'John bach yr oen' fuodd hwnnw am weddill ei oes!

Profiad hynod ac adeiladol iawn oedd byw ymhlith y bobl hyn. Ni châi'r un drws ei gloi, a cherddai pobl i mewn ac allan o'u tai yn gyfeillgar a brawdol. Doedd oriau'r dydd a'r nos ddim yn bodoli yn yr un modd ag yr oeddynt i bobl eraill. Oherwydd patrwm y shifftiau gwaith, peth hollol gyffredin oedd gweld pobl yn nhai ei gilydd yn oriau mân y bore. Bu'r Rhos nid yn unig yn ardal oedd yn frwd o blaid sosialaeth, gan herio pob gorthrwm, ond yn ardal a oedd hefyd yn gryf o blaid cenedlaetholdeb. Yr oeddynt yn bobl a ffieiddiai ffurfioldeb. Go brin y byddai neb, oni bai eu bod yn haeddu rhyw barch aruthrol, yn cael eu galw'n 'chi'.

Adroddid straeon di-ben-draw am eu gwroldeb yn wyneb gorthrwm a chyni, ac eto meddent ar y gallu i chwerthin yn wyneb pob adfyd. Roedd un stori'n arbennig am un o streiciau'r dauddegau. Ffurfiwyd parti canu gan lowyr y Rhos i deithio i swydd Gaerhirfryn, i ganu er mwyn hel arian. Dyna lle roedden nhw fin nos yn canu mewn rhyw dref, a'r dôn oedd 'Codwn hwyl'. Dyma ffenest llofft yn agor a Chymraes oedd yn ceisio cael y plant i gysgu yn gweiddi,

'Codi hwyl? Cerwch i godi glo'r diawled!'

Ond, chwarae teg iddi, fe wahoddwyd y glowyr i'r tŷ, a gosodwyd pryd helaeth o gig moch ac wyau ar eu cyfer.

Craith ddofn ar gof yr ardal gyfan oedd tanchwa Gresford yn 1934, a llawer tro y clywais hanes y drasiedi erchyll honno pan gollwyd 266 o ddynion. Mae'n debyg i lawer un ddrwgdybio ers misoedd, yn y tymheredd poeth a oedd yno, fod y pwll ar fin ffrwydro – arwyddion a fyddai wedi dylanwadu ar gydwybod a rheswm unrhyw gyflogwr cyfrifol, ond nid felly'r perchnogion hyn. Ar y diwrnod trychinebus hwnnw aeth nifer o ddynion i lawr i weithio'r ail shifft, a hynny ar ôl derbyn eu cyflog.

Cofiaf Jim Griffiths, a oedd wedi bod yn asiant i'r glowyr, yn dweud wrthyf, a dagrau yn ei lygaid,

'Dech chi'n gwybod, Elystan, doedd 'na ddim mwy na thair punt ym mhoced yr un ohonyn nhw.'

Claddwyd cannoedd yno gan fod yr amodau'n rhy beryglus i godi eu cyrff o'r pwll.

Mae'n anodd iawn i genhedlaeth heddiw fedru meddwl am bobl yn gweithio dan y fath amgylchiadau dienaid. Dim ond dirwyon sarhaus o fychain a gafodd perchnogion y pwll.

Bu'r traddodiad gwleidyddol yn yr ardal yn un gwrth-sefydliadol erioed, a sonnid yn aml am yr adegau yn ôl yn y dauddegau a'r tridegau pan na fyddai'r ymgeiswyr Toriaidd byth braidd yn mentro ar gyfyl y lle – a hynny ar berygl eu bywydau! Glendid pobl y Rhos oedd fod eu sosialaeth yn ffordd o fyw. Roedd yna frawdoliaeth agos, fel y gallwch ddychmygu, rhwng pobl oedd yn gweithio yn yr un pwll gan fod eu bywydau'n dibynnu ar ei gilydd. Byddai'r solidariaeth ddiwydiannol yna'n cael ei throsi'n solidariaeth gymdeithasol a gwleidyddol, wrth i bobl bwyso ar ei gilydd a chefnogi ei gilydd. Dyma sosialaeth naturiol, un y gallech ei galw bron yn sosialaeth yr Eglwys Fore. Sosialaeth bur ac organig ydoedd, heb fod yn deillio o unrhyw draddodiad deallusol neu academaidd.

Erbyn imi gyrraedd yno, roedd y Rhos yn frwd o blaid

Cymreictod a chenedlaetholdeb, er mai etholaeth eithaf Seisnig oedd Wrecsam yn gyffredinol. Yn gymdeithasol, yn y Rhos, roedd yna yn aml wrthwynebiad i'r Blaid Lafur. Pam yr oedd hynny'n bod, nid wyf yn hollol siŵr. Rhaid cofio bod dyheadau traddodiadol Llafur ymhell y tu hwnt i'w chyraeddiadau, ac felly fod yna ymhlith rhai deimlad o ddadrithiad ac o siomedigaeth. Ond ar yr un pryd roedd yna deimlad cryf yn y Rhos fod gwladgarwch Cymreig a sosialaeth radicalaidd yn ddwy ochr i'r un geiniog.

Ceid yn etholaeth Wrecsam ffrwd o wleidyddiaeth genedlaetholgar oedd yn mynd yn ôl i ddechrau'r ugeinfed ganrif a'r hen feistr haearn E. T. John, a ymgyrchai dros Senedd i Gymru. Ar droad y ganrif, felly, roedd cynsail wedi'i sefydlu, ac yn ddiweddarach arddelid y traddodiad hwnnw gan Robert Richards, o ganol y tridegau ymlaen. Roedd yn Gymro brwd, diwylliedig a llengar, a bu'n gyfrifol am ysgrifennu llawer o gynnwys cylchgrawn byrhoedlog o'r enw *Y Tyddynnwr* (1922–23). Cyn i mi ymgeisio bu dau arall yn sefyll dros y Blaid yno. Un oedd y Prifardd Geraint Bowen, a oedd yn ddyn o ddiwylliant ac egni, a'r llall oedd Dan Thomas, tad-yng-nghyfraith Gwynfor, a safodd yn 1951; roedd yntau'n gyn-reolwr banc ac yn hynod dderbyniol yn yr ardal. Ac felly, fe baratowyd lle i genedlaetholdeb yno flynyddoedd cyn 1955.

Un o ddynion mwyaf blaenllaw'r gymuned honno oedd un o dri gwron Penyberth, y Parchedig Lewis Valentine, gweinidog Penuel, y Rhos, ac un o gewri'r genedl. Cefais gefnogaeth ymroddedig ganddo drwy gydol fy adeg fel ymgeisydd. Dadleuwn bob amser fod pob pleidlais a fwrid i Blaid Cymru yn yr etholiad yn un a fyddai'n tynnu rhyw ronyn mwy o sylw at ofynion Cymru fel gwlad a chenedl, a bod yr hawl a'r ddyletswydd i ennill statws cyfansoddiadol yn gwbl gydnaws â rhai o ddelfrydau mwyaf hanfodol sosialaeth. Adleisiwn yn gyson eiriau hanesyddol Keir Hardie: 'I sometimes wonder what it is that makes men able to oppose home rule for the land of their birth.'

Ac eto, ymgyrch ddigon amaturaidd oedd yr ymgyrch yn arwain at isetholiad yr 17eg o Fawrth – dydd Gŵyl Sant Padrig. Cefais dderbyniad pur dda yn rhai o'r pentrefi Cymraeg eraill, megis Bwlch-gwyn, Gwynfryn, a Choedpoeth yn arbennig, a oedd fel rhyw frawd bach i'r Rhos. Yn y dyddiau hynny roedd cyfarfodydd cyhoeddus yn achlysuron pwysig i ardal, ac fe'u cynhelid wrth yr ugeiniau ym mhob tref a phentref yn yr etholaeth, a'r rheini'n aml iawn yn cael eu mynychu gan niferoedd teilwng. Uchafbwynt yr ymgyrch oedd cyfarfod y noson olaf ym Mhlas Mwynwyr – y 'Stiwt' fel roedd hi'n cael ei galw – a'r lle'n orlawn.

Nid oedd canlyniad yr isetholiad yn annisgwyl: Llafur a enillodd gyda mwyafrif anferth ond fe gafodd Plaid Cymru bleidlais ddigon parchus o 4,572. Dilynwyd yr isetholiad o fewn deufis gan etholiad cyffredinol. Fe'm gwahoddwyd i sefyll unwaith eto, ac roedd hyn yn creu problem imi, oblegid rhaid oedd sefyll un o arholiadau'r gyfraith yn fuan ar ôl yr etholiad. Ond derbyn a wnes am yr eildro, a'r her yn awr oedd cadw'r bleidlais. Un peth yw ennill pleidleisiau mewn isetholiad; peth arall yw cadw'r bleidlais mewn etholiad cyffredinol. Eto, fe lwyddasom i wneud hynny, gyda chynnydd o dros 500, a chafwyd 5,139 o bleidleisiau. Sefais yno unwaith eto yn 1959, a minnau bellach wedi ymsefydlu yn Wrecsam fel cyfreithiwr, ac mi gododd y bleidlais y tro hwnnw i 6,579.

Wedi dweud popeth y gellid ei ddweud am genedlaetholdeb cynhenid yr etholaeth, dylid nodi hefyd nad oedd yna'r un Rhyddfrydwr yn sefyll yn y dyddiau hynny. Roedd llawer o bobl o anian yr hen Ryddfrydwyr gorau, a gredai mewn rhyddid cenedl a rhyddid unigolyn, yn gefnogol imi. Mi fyddai'n llai na theg, felly, i beidio â chyfaddef bod eu cyfraniad nhw i bleidlais y Blaid ym mhob un o'r etholiadau hyn wedi bod yn un sylweddol. Pan safodd y Rhyddfrydwyr wedi hynny, a phleidlais y Blaid yn disgyn, nid adlewyrchiad o ymgeiswyr y Blaid oedd hynny.

Trasiedi fawr Rhosllannerchrugog oedd na chafodd

erioed fwy na statws cyngor plwyf. Gallai fod wedi meddu ar gyngor dosbarth graenus, ac mi fyddai hynny nid yn unig wedi gwireddu llawer breuddwyd i'r Rhos fel cymuned, ond hefyd wedi ei gwneud yn ardal a chanddi awdurdod dros adeiladu tai cyngor. Ar ôl yr Ail Ryfel Byd, y drasiedi i'r pentref oedd y câi tai cyngor eu codi bron ym mhobman arall yn yr etholaeth ac eithrio yn y Rhos, a bod aml i deulu ifanc oedd eisiau tŷ yn gorfod symud o'r pentref. Teimlwn fod y Rhos yn ddameg o Gymru mewn ffordd eironig – yr holl wroldeb, yr holl weledigaeth, y cymeriad unigryw, ac eto'n methu ennill y statws hanfodol hwnnw a fyddai wedi gallu diogelu ei dyfodol.

I mi'n bersonol bu'n brofiad cyfoethog ac yn gyfnod o aeddfedu. Does gen i ddim ond teimlad o gynhesrwydd a diolchgarwch mawr tuag at y rhai a fu mor garedig tuag ataf, yn eu mysg ffrindiau gwych sydd bellach wedi marw, Tywyn Jones, a'i wraig, Gwen, a fu'n gyfeillion mynwesol imi, a llawer o rai eraill. Dyna'r trueni pan adewais Blaid Cymru, fy mod hefyd yn newid cyswllt â phobl roedd gennyf feddwl mor uchel ohonynt ac mor ddyledus iddynt.

Amddiffyn yr Achos

Yn fuan ar ôl 1959 fe ddaeth Gwynfor i'r casgliad nad oedd ganddo obaith ennill yn Sir Feirionnydd bellach, ac y byddai'n well ganddo sefyll yn Sir Gâr. Mi ddes yn ymgeisydd ym Meirion a dechrau ar y dasg o'i ddilyn – tasg amhosib. Wrth reswm ceid yno seiliau solet, a llawer o bobl gwbl ymroddedig, ac mi welais eu gorau a phrofi cefnogaeth galonogol. Bu'r adeg hon yn un ddiddorol hefyd gan i mi weithredu fel cyfreithiwr mewn dau achos arbennig, y naill a'r llall ohonynt o arwyddocâd gwleidyddol sylweddol.

Y cyntaf o'r rheini oedd achos dyn o'r enw Gwynfor S. Evans yn 1961. Roedd yn aelod o Blaid Cymru, ac am sefyll fel ymgeisydd mewn etholiad i Gyngor Sir Gâr. Fe gyflwynodd ei bapurau enwebu yn y Gymraeg, gan ddisgrifio'i hunan fel 'ffermwr'. Roedd Clerc y Cyngor Sir, dyn o'r enw Thomas, wedi gwrthod y papur enwebu ar sail y ffaith nad ysgrifennwyd ef yn Saesneg. Mae'n anodd credu heddiw sut y gallai dyn ddod i'r fath gasgliad. Ond, er tegwch â chlerc y sir, roedd yna ôl-nodyn yn *Halsbury's Laws of England* a oedd yn dweud rhywbeth fel hyn: 'It is anticipated that if a nomination paper were to be submitted in the Welsh language that it would be invalid.'

Felly, doedd y gŵr hwn yn gwneud dim mwy na gweinyddu llythyren yr ôl-nodyn. Gwrthodwyd y papur, ac fe aeth Gwynfor S. Evans â'i achos o flaen llys etholiadol a oedd yn cynnwys dau farnwr uchel lys, i herio'r penderfyniad.

Gweithredwn fel cyfreithiwr, a'r bargyfreithiwr oedd Dewi Watkin Powell – y Barnwr Dewi Watkin Powell yn ddiweddarach. Cafwyd trafodaeth sylweddol ar y ffôn ynglŷn â'r mater, ac fe gyfarfu'r ddau ohonom yn y Bala i benderfynu beth oedd i'w wneud. Barn gychwynnol y ddau ohonom oedd ei bod yn annhebyg y llwyddem i ennill buddugoliaeth; ond, yn fuan, daethpwyd i'r casgliad y byddai bron yn amhosib inni golli, a hynny oherwydd geiriad atodlen i Ddeddf Cynrychiolaeth y Bobl (Representation of the People Act) 1949. Yn ôl honno, dim ond ar dir cyfyng iawn y gellid gwrthod papur enwebu: yn gyntaf, pe na bai llofnod yr ymgeisydd ei hunan arno; yn ail, pe na bai'r nifer cywir o gefnogwyr dilys. Ni sonnid yr un gair am iaith, ac felly, teimlem, ar dir cwbl dechnegol, fod y fuddugoliaeth o fewn ein cyrraedd, oni bai i'r llys etholiadol ddod i'r casgliad fod yr iaith Gymraeg yn afrealaeth yn y cyswllt hwn.

Ac ennill fu ein hanes, ar y tir cyfyng yna i raddau helaeth; ond cafodd y canlyniad ei ddehongli'n fuddugoliaeth sylweddol i'r iaith Gymraeg, a hynny ar sail y ffaith i'r llys wrthod unrhyw awgrym fod y Gymraeg yn 'afrealaeth' yng nghyswllt cyfraith Cymru a Lloegr. Yn fwy na hynny, fe lefarwyd ambell frawddeg gan y barnwyr a ddengys iddynt ystyried bod i'r iaith Gymraeg statws arbennig, yn enwedig yn y mannau hynny o Gymru lle roedd hi'n iaith y mwyafrif, ac yn iaith bywyd o ddydd i ddydd. Mi gredaf i'r achos hwnnw, *Evans v. Thomas*, chwarae rhan yn y deffroad newydd a ddaeth i fod yng nghyswllt yr iaith Gymraeg, tua'r un adeg â darlith Saunders Lewis, *Tynged yr Iaith*, a ffurfio Cymdeithas yr Iaith.

Afraid dweud mai sbardun arall i'r deffroad hwn oedd hanes trist Cwm Tryweryn. Yn y cyfnod hwnnw, gweithiwn yn ddygn tuag at yr ymgyrch etholiadol nesaf ym Meirionnydd. Ym Medi 1962, yn hwyr un nos Sul, fe'm cefais fy hun mewn sefyllfa amwys iawn. Derbyniais neges fod dau ddyn ifanc, Walters a Pritchard, wedi cyflawni gweithred ddinistriol ar drawsnewidydd yng Nghwm Tryweryn i rwystro gwaith paratoi boddi'r cwm, a'u bod wedi eu restio ac yn awyddus i mi eu hamddiffyn.

Mi es i'w gweld yn y ddalfa yn y Bala, gan deimlo – a dweud y gwir plaen – braidd yn hallt tuag atynt, oherwydd roedd hi'n amlwg i mi nad oedd hyn yn mynd i hyrwyddo ymdrech etholiadol Plaid Cymru yn Sir Feirionnydd. Ond, yr eiliad y deuthum wyneb yn wyneb â hwy, fe ddiflannodd y teimladau hynny. Roedd hi'n amlwg eu bod yn fechgyn o wroldeb cadarn, a bod dur y merthyr yn eu hysbryd. Beth bynnag fyddai'r gost yn wleidyddol, teimlwn hi'n ddyletswydd, yn fraint ac yn anrhydedd eu hamddiffyn.

A dyna a fu. Ymhen rhyw wythnos neu ddwy fe ddaeth yr achos o flaen ustusiaid y Bala. Ofnwn yn fawr y byddai'r llys naill ai'n eu hanfon ar unwaith i garchar, neu'n waeth o bosib, yn trosglwyddo'r achos i'r brawdlys, lle y gallai'r gosb fod yn drom. Trwy ryw ryfedd ras, cymerodd yr ustusiaid agwedd drugarog tuag atynt a'u cosbi drwy eu dedfrydu i ddirwy fechan. Cofiaf annerch y llys drwy ddweud nad oeddwn am funud yn cyfiawnhau'r hyn roedden nhw wedi'i gyflawni, a bod yr hyn a wnaethent yn beryglus a difrifol. (Nid wyf yn cofio'n union nawr faint y difrod, ond roedd yn dra sylweddol.) Es ymlaen i ddadlau bod yna rywbeth nobl – mewn byd lle roedd cynifer o bobl ifanc yn meddwl am ddim byd ond am bleserau gwag a diddori eu hunain mewn ffyrdd hunanol – am ddau fachgen fel hyn, oedd yn meddwl cymaint am ddyfodol eu cenedl nes iddynt nid yn unig beryglu eu rhyddid, ond hefyd eu bywydau. Cofier iddynt orwedd o dan y trawsnewidydd ac agor y falf ac i gannoedd o alwyni o olew bistyllo arnynt; wydden nhw ddim a fyddai'r olew yna'n ferwedig ai peidio.

Yn naturiol ddigon, gyda dulliau cyfreithlon a chyfansoddiadol yn ddiymadferth i achub Tryweryn, gofynnai llawer o bobl iddynt eu hunain a oedd lle i ystyried dulliau anghyfreithlon i achub ein hetifeddiaeth. O'm rhan fy hun, gwyddwn nad oedd unrhyw wir ddewis i Blaid Cymru yn hyn o beth. Dim ond y llwybr cyfreithiol oedd yn bosib. Nid dyma'r prif ymryson a rannai'r Blaid y dyddiau hynny, ond yn hytrach y frwydr rhwng arweinyddiaeth swyddogol y Blaid o dan arweiniad Gwynfor, a'r garfan o bobl a gredai fod yn rhaid cael gwared ar y 'sefydliad' yn gyfan gwbl, ac ailffurfio'r Blaid o amgylch corff o bobl oedd yn credu y gallent roi arweiniad mwy modern ac effeithiol i genedlaetholdeb Cymru.

Yr wyf wedi meddwl droeon am dor cyfraith yng nghyd-destun yr ymryson – digon stormus weithiau – a fu rhyngof yn ddiweddarach a Chymdeithas yr Iaith Gymraeg. Yr oedd bwriadau'r aelodau mor nobl ac anrhydeddus ag y gallai cymhellion fod, a theimlwn yn aml wrth anghytuno â hwy fod yr holl fater yn codi dadl fawr o'm mewn innau hefyd. Wrth gwrs, yr unig beth yr anghytunem yn ei gylch oedd dulliau eu hymgyrch, i'r graddau bod y rheini'n anghyfreithlon, er, ym mhob tegwch, yn ymatal rhag trais corfforol a pheryglu bywydau.

Yr hyn a ddywedai fy *nghalon* wrthyf oedd eu bod – yn enwedig y to ieuengaf – yn fodlon aberthu eu rhyddid a'u gyrfaoedd er budd dyfodol yr iaith, ac na allai hynny yn ei hunan fod yn ddim llai na chyfraniad amhrisiadwy i barhad y Gymraeg.

Yr a hyn a ddywedai fy *rhesymeg* oedd fod hyn, er yn ymddygiad anrhydeddus a hunanaberthol, yn gynsail beryglus i fywyd cymdeithas. Beth petai ugain o grwpiau eraill, pob un ohonynt lawn mor ddiffuant a chywir ei amcanion, yn dweud, 'Ry'm ninnau'n credu mor angerddol yn ein hachos fel ag i fabwysiadu dulliau o dor cyfraith di-drais'? Gallech yn rhwydd feddwl am faterion megis hawliau dynol, heddychiaeth, hawliau'r henoed, anghenion plant a llu o bynciau cyffelyb a allai, bob un ohonynt, arwain at ymgyrch gyffelyb i Gymdeithas yr Iaith. Beth fyddai cyfanswm yr holl ymgyrchu merthyrol hyn? Oni ddymchwelid pob cyfundrefn o reol a threfn?

Wrth edrych yn ôl yn awr dros blyg y blynyddoedd, credaf fod fy nadansoddiad rhesymegol yn parhau'n ddilychwin. Eto, pa faint o'r hawliau a gymerir yn ganiataol heddiw gan y byd gwâr, nad enillwyd trwy dor cyfraith o ryw fath neu'i gilydd? Ni raid ond crybwyll y gair *suffragettes* i brofi'r pwynt. Yng nghyswllt Cymdeithas yr Iaith, medrwn yn deg ofyn y cwestiwn, 'Pa fath o statws a fyddai i'r iaith Gymraeg heddiw a beth fyddai tynged yr iaith oni bai i gannoedd o bobl, y mwyafrif ohonynt yn bobl ieuanc, aberthu mor anrhydeddus er mwyn parhad yr iaith?' *Hwy* ac nid *y fi* oedd agosaf at fod yn iawn.

Wrth gwrs, roedd nifer o'r rhai a aberthodd heb gyflawni trosedd o unrhyw fath. Yr enghraifft fwyaf nobl o blith y rhain oedd eiddo Trefor ac Eileen Beasley, a wrthododd dalu eu treth cyngor leol hyd nes eu bod yn derbyn y cyfrif yn Gymraeg yn ogystal â Saesneg. Yn y diwedd enillasant eu brwydr, ond dim ond ar ôl colli pob celficyn, bron, o'u cartref i ddwylo beilïaid y llys. Nid troseddwyr o unrhyw radd oeddynt hwy, ond merthyron a seintiau.

Gwynfor a'r Gelyn Mewnol

Daeth yr adain wrthryfelgar ym Mhlaid Cymru o dan arweiniad y dawnus Emrys Roberts, a ystyriai arweinyddiaeth Gwynfor o'r blaid yn drymaidd ac yn llafurus, ac yn ymdebygu i elfennau mwyaf llipa Undeb Cymru Fydd. Teimlent fod yr arweinyddiaeth wedi'i hoelio'n barhaol wrth fur y gorffennol, heb obaith o'i haddasu ei hun i'r Gymru fodern, yn enwedig i Gymru'r de. Cafwyd brwydro chwerw a llawer iawn o gynllwynio, a daeth cyfarfodydd y Pwyllgor Gwaith yn llai a llai dymunol fel yr âi'r misoedd a'r blynyddoedd rhagddynt. Roedd y casineb a deimlai Emrys Roberts, Neil Jenkins ac eraill tuag atom ni fel arweinwyr 'sefydliad' y Blaid, a thuag ata i'n bersonol, yn hysbys. Yn eu tyb hwy, ymddengys mai y fi oedd yr adweithydd gwaethaf, ac nad oeddwn yn ddim byd mwy na *sidekick* i Gwynfor, yn adlais ohono ac yn un o'r rhai a adwaenid fel *kitchen cabinet* Llangadog. Roedd rhywfaint o wirionedd yn y cyhuddiad fod yna gorff ffyddlon o amgylch Gwynfor, ond nid corff cynlluniedig mohono. Nifer o ffrindiau teyrngar Gwynfor oeddem, ac yntau'n dactegydd a wyddai sut i wrthdaro'n effeithiol. Oni bai am gyfeillion o'r fath, ni chredaf y byddai Gwynfor wedi para fel arweinydd yn hir iawn.

O tua 1960 ymlaen felly, roedd eisteddiadau'r Pwyllgor Gwaith yn faes cad rhwng y ddwy garfan, a dyma pryd y daeth ymryson arall ar ein traws – o blaid mabwysiadu dulliau anghyfansoddiadol. Yn 1962 fe ychwanegodd geni Cymdeithas yr Iaith at yr ymryson. Roedd gan nifer ohonom gydymdeimlad â'r rhai oedd yn rhoi blaenoriaeth i'r iaith, a hynny gan fodloni dioddef yn drwm. Eto i gyd, roedd tor cyfraith fel ffordd o fyw yn gwbl groes i hanfod athroniaeth a thacteg Plaid Cymru. Plaid wleidyddol oedd hi, yn defnyddio dulliau cyfansoddiadol a chyfreithlon, a'i nod beunydd oedd ennill seddau yn San Steffan. Er mai gweithred o ffydd oedd athroniaeth o'r fath, ychydig iawn ohonom yn y chwedegau cynnar a gredai y gwelem ni fyth Blaid Cymru yn ennill sedd o fewn y dyfodol agos.

Roedd fy safiad i o'r cychwyn cyntaf wedi bod yn un o blaid Gwynfor yn gyfan gwbl. I mi, byddai colli ei arweinyddiaeth ef yn golygu chwalu Plaid Cymru, ac er ei wendidau roeddwn yn gyfan gwbl deyrngar i'r nod o'i gadw fel arweinydd. Yng nghynhadledd Llangollen, 1961, bu dadl frwd ar y cwestiwn o fabwysiadu dulliau anghyfreithlon a milwriaethus. Amlygodd yr achlysur hwn anghytundeb tanllyd a gwaelodol rhwng dau feddylfryd. Un oedd carfan Penyberth, a ystyriai weithred hunanaberthol y tri wrth losgi'r ysgol fomio yn symbol a fyddai bob amser yn galon a chnewyllyn Plaid Cymru; dyna'r weithred a gynrychiolai ei henaid a'i hysbryd. Ar y llaw arall roedd llawer ohonom, er ein hedmygedd o'r ysbryd o ferthyrdod, yn credu petai rhywun yn enw Plaid Cymru yn ceisio efelychu Penyberth yn y chwedegau y byddai'n ergyd farwol i fodolaeth y Blaid.

Bu'r drafodaeth yn un filain a dramatig, a'r casineb yn tasgu o'r naill ochr a'r llall. Fy atgof arbennig o'r noswaith honno yw Catrin Daniel, yn huawdl groch dros yr achos milwriaethus. Bu'n ddadl hir â theimladau dyfnion a diffuant yn ymgodymu â'i gilydd. Fe enillon y frwydr, o fwyafrif bychan, os cofiaf yn iawn o ryw 7 i 10 o bleidleisiau, a rhai wedi atal eu pleidleisiau. Er gwaethaf y fuddugoliaeth denau yma, teimlwn o'r diwrnod hwnnw fod cwrs Plaid Cymru, fel plaid gyfansoddiadol, wedi cael ei osod yn sicr. I mi roedd digwyddiadau dramatig y diwrnod hwnnw'n rhai tyngedfennol.

Ond roedd heriadau eraill i ddod, a daeth cynnen ac anghydfod i'r brig eto yn Hydref 1964. Yn yr etholiad cyffredinol y flwyddyn honno disgynnodd pleidlais y Blaid o 77,571 yn 1959 i 69,507 – er inni ymladd mwy o seddau na chynt. Cyn y digwyddiad alaethus hwnnw teimlem nad oedd ots pa mor wael yr oedd y cyfrif etholiadol, gan y byddai rhyw fath o gynnydd yn anochel; bu hynny'n wir o 1929 ymlaen pan ymladdodd Plaid Cymru ei sedd seneddol gyntaf. Ond cipiwyd hyd yn oed y cysur tila hwnnw o'n dwylo, a bu llawer iawn o gyhuddo a siarad gwirioneddol chwerw ar ran nifer o bobl ledled Cymru.

Felly, nid oedd yn syndod darganfod, ychydig wythnosau'n ddiweddarach, fod Emrys Roberts, a oedd erbyn hyn yn ysgrifennydd y Blaid, yn ffurfio rhywbeth tebyg i blaid o fewn y Blaid, drwy sefydlu grŵp o'r enw The New Nation. Nifer bychan oedd y rhain, ond tueddent i fod yn ddraenogllyd-filain tuag at bawb na chytunai â hwy. Rwy'n cofio i mi ddweud mewn cyfarfod o'r Pwyllgor Gwaith,

'Mae yna rai ohonoch chi'n gas oherwydd eich bod chi'n genedlaetholwyr, ond mae yna rai ohonoch chi'n genedlaetholwyr oherwydd eich bod chi'n gas.'

Eto i gyd, roedd gen i barch ac edmygedd mawr tuag at Emrys Roberts – dyn deallus a gwleidydd hynod o alluog (bu iddo ennill pleidlais sylweddol iawn yn isetholiad Merthyr yn 1972), a feddai ar ddawn ac egni na pherthynai i nifer o'i gyd-gynllwynwyr. Ond roedd ei alluoedd egnïol yn tueddu i'm harswydo, oblegid os bu yna unrhyw un erioed allai wyrdroi democratiaeth fewnol Plaid Cymru, Emrys oedd hwnnw. Edmygedd ac arswyd: nid gormodedd yw dweud bod y ddau beth yn cydredeg yn fy nheimladau tuag ato.

Fe ddaeth yn amlwg iddo lythyru aelodau'r grŵp, yn ei rôl hunan-ddewisedig fel pennaeth y New Nation, a'i fwriad oedd ceisio tanseilio Gwynfor a chael gwared ohono fel Cadeirydd y Pwyllgor Gwaith. O bosib y byddai yna rôl i Gwynfor fel llywydd mewn enw, ond y bwriad amlwg oedd ceisio llesteirio'i awdurdod yn gyfan gwbl. Fe fyddai'r Pwyllgor Gwaith yn esblygu i fod yn rhyw fath o *politburo*, yn penderfynu ar bopeth. Daeth diwedd ar y cynllwynio mewn cyfarfod arbennig o'r Pwyllgor Gwaith yn yr hydref, yng ngwesty'r Belle Vue yn Aberystwyth. Bu raid i Emrys ymddiswyddo, ond mi ddangosodd hyn i mi pa mor ddwfn oedd y rhaniadau a pha mor anodd fyddai hi i Gwynfor, gyda'r cymhellion gorau, arwain plaid unedig wedi hynny.

Ond nid proffwyd gwae fu Gwynfor erioed, nac un i ganolbwyntio ar wendidau. Gwelai amgylchiadau yn y golau gorau posib, a gallai ei ddarbwyllo ei hunan beunydd fod llwyddiant yn llechu'r tu draw i'r gornel nesaf. Tueddai i lareiddio realaeth nifer o'r problemau a wynebai'r Blaid: rhai ohonynt yn argyfyngau ariannol, eraill yn broblemau trefniadaeth. Yn y modd hwn, ei wendid oedd ei gryfder, a'i anfodlonrwydd i gydnabod y cymylau stormus a oedd yn crynhoi. Byddwn o'i blaid bob tro, oblegid credwn mai ef oedd yr arweinydd gorau y gallai'r Blaid ei chael, ac na allai unrhyw berson arall roi i Blaid Cymru'r ysbrydoliaeth roedd ei hangen arni hi yn y cyfnod hwnnw. Cymaint hefyd oedd ei gyfaredd bersonol. Fwy nag unwaith bûm yn trafod ag ef, yn ddigon tawel a chyfeillgar, gan geisio newid rhywfaint ar ei ogwydd ar ryw fater neu'i gilydd. Ac eto, ar ôl ychydig amser fe sylweddolwn fy mod yn gyfan gwbl o dan ei swyn, ac nad oedd yna unrhyw bosibilrwydd y gallwn newid ei feddwl.

Tarddai pob gweithred y bu imi ei chyflawni gyda Phlaid Cymru o reddfau digon syml a gwaelodol. Un o'r pwysicaf oedd y reddf o fod yn hoff o Gwynfor, ac un arall oedd y reddf o gredu mewn dulliau cyfansoddiadol yn hytrach na dulliau milwriaethus a synhwyro, ymhell cyn i D. J. Williams ddweud hynny, mai cenedl wan oedd Cymru, ac na ellid ei harwain mewn dull Saundersaidd. Clywais Gwynfor yn dweud lawer gwaith nad oedd y sefyllfa yn un chwyldroadol – a gwyddwn fod hynny'n wir yn yr union gyfnod hwnnw.

Gwynfor a'r Blaid Lafur

Doeddwn i ddim o'r un meddwl ag ef, fodd bynnag, yng nghyswllt ei elyniaeth tuag at y Blaid Lafur. Yn yr ystyr yma, nid oedd agwedd Gwynfor yn annhebyg i eiddo Saunders Lewis, a gyhoeddodd ei sgrech yn erbyn Aelodau Seneddol Llafur yn ei ddrama *Excelsior* yn 1962. Roedd yr elyniaeth yna'n rhywbeth yr oedd y ddau ohonynt yn ei rhannu.

Yn fy marn i, mae'n wirionedd fod Gwynfor yn dirmygu'r Blaid Lafur, a dyna oedd un o'i wendidau cynhenid. Er mai dyn bonheddig, tawel, swil ei ddull ymadrodd oedd Gwynfor, ac nad oedd yn dangos casineb, eto i gyd ffieiddiai'r Blaid Lafur. Ni dderbyniodd erioed ei bod yn '*fit to govern*', fel yr honna'r ymadrodd a briodolwyd i Winston Churchill yn nauddegau'r ganrif ddiwethaf. Petai modd gosod Gwynfor mewn unrhyw gategori gwleidyddol y tu allan i genedlaetholdeb, mentrwn i mai Rhyddfrydwr asgell dde ydoedd, â chryn dipyn o barch ac edmygedd tuag at y Blaid Geidwadol. O'r hyn a glywais ganddo wrth sôn am wleidyddiaeth y bedwaredd ganrif ar bymtheg a'r ugeinfed ganrif, does gen i ddim amheuaeth nad dyna, yn ei hanfod, oedd ei gartref ysbrydol gwleidyddol a bod Llafur iddo'n ysgymunbeth. Yn wir, credaf y byddai wedi bod yn llai o loes iddo petawn i, pan ddaeth yr adeg imi adael Plaid Cymru, wedi ymuno â'r Blaid Ryddfrydol, neu hyd yn oed â'r Blaid Geidwadol, yn hytrach na gyda Llafur.

Credaf hefyd fod yna resymau personol digon dealladwy am y drwgdeimlad yma. Mae'n debyg i'w dad gael ei drin yn wael gan aelodau o'r Blaid Lafur yn Sir Gâr, ac efallai hefyd yn y Barri. Unwaith y cafodd ei ethol i Gyngor Sir Gaerfyrddin, felly, fe'i gwelai ei hunan yn fflangell ar gefn y Blaid Lafur, a pharhau a wnaeth i geisio cyflawni'r rôl honno. Cofiaf fyrdwn cynifer o'i areithiau cynnar wedi iddo gyrraedd Tŷ'r Cyffredin yn 1966: 'The Labour Party is morally bankrupt.' Wrth edrych yn ôl ar lywodraethau Llafur ym mhedwardegau a chwedegau'r ugeinfed ganrif, go brin, yn fy marn i, y gellir dweud bod dyfarniad Gwynfor yn adlewyrchiad teg ohoni – ond dyna oedd ei agwedd tuag ati. O gofio fy agwedd wahanol i, teimlwn yn anghysurus ynglŷn â'r elfen yma o fydolwg Gwynfor. Eto, roedd yna gynifer o bethau mawr a thywysogaidd yn perthyn iddo, a'i ymroddiad mor absoliwt i Gymru fel gwlad a chenedl, fel y byddai dyn yn teimlo bod y mawredd yma'n gwneud iawn am wendidau eraill.

Wrth gwrs, roedd rhesymau cenedlaetholgar teilwng dros wrthwynebu'r Blaid Lafur yn y pedwardegau a'r pumdegau, a hynny yng nghyswllt nifer o bolisïau oedd yn ymwneud â Chymru. Gwrthodwyd cenedlaetholdeb Cymreig yn gyfan gwbl gan nifer yn y Blaid Lafur, gan y gwelent ef fel brad yn erbyn brawdoliaeth dyn. Tarddai'r agweddau hyn i raddau hefyd o'r dyhead am weld Prydain fel un gyfundrefn fonolithaidd i'w rheoli a'i chynllunio yn gynhwysfawr. Roedd yr agwedd yma o geisio gomedd elfen annibynnol genedlaethol yng Nghymru yr un mor gryf yn asgelloedd de a chwith y Blaid Lafur. Fe fyddai cymeriad fel Ernest Bevin yn arddel y fath agwedd oblegid bod anianawd cenedlaethol Cymreig yn torri ar draws ei ddull o drefnu a llywodraethu. Doedd ffin Cymru yn cyfri dim i'r cynllunwyr hyn, ac yn y cyd-destun yma, roedd Gwynfor yn llygad ei le yn condemnio'r Blaid Lafur. Ond mi gredaf fod agwedd hanfodol Gwynfor tuag at y Blaid Lafur yn troi ar ffactorau mwy creiddiol na hynny.

Nid perthynas syml mohoni rhwng cenedlaetholdeb a sosialaeth y cyfnod. Mae Huw T. Edwards, 'Prif Weinidog Answyddogol Cymru', yn ffigwr oedd yn adlewyrchu'r tyndra yma. Am flynyddoedd lawer cynrychiolai'r tueddiadau at ganoli biwrocrataidd a oedd yn wrthun i genedlaetholwyr. Bu Huw T. yn swyddog o Undeb y Gweithwyr Cludiant a Chyffredinol (TGWU) am flynyddoedd lawer, ac yn y dyddiau enbydus hynny nid oedd ffin Cymru mor hanfodol bwysig yn nhermau trefnu undebaeth ar linellau rhanbarthol. Ysgrifennodd bamffled dirmygus yn dwyn y teitl 'They went to Llandrindod' am y mudiad Senedd i Gymru yn dilyn ei lansio yn y canolbarth yn nechrau'r pumdegau. Ac eto, roedd elfen wlatgar Gymreig yng nghalon Huw T. Yn wir, fe groesodd y ffin rhwng y Blaid Lafur a Phlaid Cymru ymhell cyn i mi wneud hynny – ond i'r cyfeiriad arall. Mi ddes i'w adnabod yn bur dda trwy nifer o gyfarfodydd yn dilyn ei dröedigaeth. Un atgof arbennig sydd gennyf yw ei ymateb i'r cwestiwn a ofynnodd rhywun iddo,

'Tell me, Mr Edwards, what post do you think you'll have in a Welsh Parliament?'

'My dear boy, I would be proud to be a door-keeper in that place' (gan adlewyrchu'r geiriau ysgrythurol, 'Dewiswn gadw drws yn nhŷ fy Nuw ...').

Perthynai elfen o farddoniaeth i'w ysbryd: roedd yn ddewr, ac wedi arwain ac ymladd yn erbyn gormes cyfalafiaeth mewn dyddiau blin ac anodd. Roedd ganddo lawer o feddwl o Gwynfor fel person, ond roedd yn ystyried ei ogwydd gwleidyddol yn un gwahanol iawn i'w eiddo ef.

Er bod elfen o wirionedd yn perthyn yn amlwg i'r hyn a

gredai Huw T. am Gwynfor, does dim dau nad cenedlaetholdeb – ac nid ceidwadaeth nac unrhyw agwedd glasurol wleidyddol arall – oedd cred hanfodol Gwynfor. Meddai ar ddeongliadau o amgylchiadau nad oedd yn rhesymegol imi. Enghreifftiwyd hyn yn nifer o'i lyfrau a'i ddadansoddiad o ddigwyddiadau cyfredol ym Mhrydain. Sonia am y newid a fu yn y llynges o redeg llongau ar lo i'w rhedeg ar olew fel petai'n bolisi a fabwysiadwyd yn unswydd er mwyn dinistrio'r diwydiant glo stêm yn ne Cymru. Yn ei lyfr *Aros Mae*, ceir yr argraff fod y ffeithiau'n cael eu mowldio i gydsynio â'i fydolwg a'i ddamcaniaethau, heb ddadansoddiad gwrthrychol digonol o'r ffactorau. O safbwynt Gwynfor, roedd popeth a wnâi'r Saeson, yn enwedig os oeddynt yn Saeson o'r Blaid Lafur, yn cael ei wneud yn fwriadol er mwyn dinistrio Cymru a'i phobl. Wrth reswm, fe allai Whitehall a San Steffan fod wedi gwneud llawer mwy dros y blynyddoedd i liniaru sefyllfa echrydus Cymru, ond y gwir amdani oedd fod ein gorddibyniaeth ar ddiwydiannau trymion yn achosi dioddefaint oedd ar raddfa lawer gwaeth na gweddill Prydain. Ffactor arall amlwg oedd na fu gan Brydain cyn 1945 lywodraeth Lafur oedd â'r gallu i newid strwythur cyfalafiaeth yn ei hanfod.

Roedd yna beryg i'r agwedd unllygeidiog yma danseilio Gwynfor. Ond dyna'i wendid – a'i ogoniant. Petai Gwynfor yn greadur fel y mwyafrif mawr ohonom ac yn gweld dwy ochr pob problem – neu dair ar brydiau – a fyddai wedi cael y nerth a'r gwroldeb i sefyll ei dir? Mewn llawer ystyr, roedd y gallu yma i weld pethau mewn termau o ddu tywyll a gwyn llachar o fantais iddo. Ac onid oes yna agwedd fel yna'n perthyn i deyrngarwch creiddiol pob un ohonom? Does yr un ohonom yn gweld ein teuluoedd mewn termau gwrthrychol: mae'n achos o *ni* a *nhw* mewn perthynas â'r byd oddi allan. Ac mae'r rheini ohonom sydd yn genedlaetholwyr yn ystyried cenedl yn yr un modd. A phe na bai Gwynfor wedi bod mor ddigymrodedd ei gred ac mor benderfynol ei nod, beth fyddai hanes Cymru heddiw?

O Blaid i Blaid

Nid tröedigaeth mohoni – yn sicr o ran fy agweddau tuag at genedlaetholdeb ar y naill law, a sosialaeth ar y llaw arall. Fe ddaeth y penderfyniad i adael Plaid Cymru yn sgil blynyddoedd rhwystredig, di-dwf a dilewyrch. Yn y cyfnod alaethus ac anadeiladol hwnnw bu Gwynfor o dan warchae gan ei wrthwynebwyr, â phob cyfarfod o'r Pwyllgor Gwaith yn fwy chwerw na'r un cynt. Fe gafodd y cweryla di-baid, y mewn-ymladd cynyddol rhwng Emrys Roberts a'i glic, a Gwynfor a'r lleill ohonom, a'r blynyddoedd o gynnen filain a sur effaith gronnol ar ddyn, gan ferwino a llethu'r ysbryd. Byddai unrhyw un nad oedd yn meddu ar yr un bydolwg a ffydd ddigymrodedd â Gwynfor wedi wynebu amheuon dirfawr a dybryd. Gofynnodd llawer un iddo'i hunan, 'Beth mae dyn yn ei wneud yn gwastraffu ei amser ymysg y bedlam yma? A oes yna unrhyw beth arall ar wyneb daear y gall ei wneud er lles Cymru y tu allan i rengoedd y Blaid?'

Ac yna fe ddaeth Etholiad Cyffredinol 1964. Nid yn unig roedd canlyniad Meirionnydd yn ergyd drom i mi'n bersonol, ond fel y soniais eisoes fe amlygwyd sefyllfa alaethus y Blaid gan y canlyniad cenedlaethol: roedd ein pleidlais gyffredinol wedi disgyn o dros wyth mil, er gwaetha'r ffaith inni ymladd nifer mwy o seddau. Chwalwyd yn gyfan gwbl y gred y byddai yna gynnydd solet, di-droi'n-ôl ym mhleidlais Plaid Cymru a fyddai'n parhau am genedlaethau.

Fe adlewyrchai yn ogystal wirionedd dyfnach, un a oedd yn arwyddocaol a thorcalonnus ar yr un pryd. Cyn ymuno â Phlaid Cymru fe gredwn o lwyrfryd calon y gallai clymblaid o genedlaetholwyr o bob lliw gwleidyddol ryw ddydd, yn y dyfodol pell efallai, ennill y fath gefnogaeth fwyafrifol yng Nghymru gan orfodi llywodraeth y dydd – mewn termau ymarferol, wrth gwrs, Llywodraeth Lafur – i ganiatáu senedd i'r genedl. Erbyn canol y chwedegau roedd yn ymddangos yn hollol amlwg na fyddai hyn yn digwydd o fewn ein dyddiau ni. Er bod mudiad amlbleidiol 'Senedd i Gymru o fewn Pum Mlynedd' wedi ennill peth cefnogaeth yn y pumdegau cynnar, cyfyngedig oedd honno. Yn ddiweddarach, roedd y methiant i achub Cwm Tryweryn yn hunllef barhaol. Sut y gallai cenedlaetholdeb gwleidyddol Cymru fod yn gredadwy, â dinas ffroenuchel a hunanol Lerpwl yn cipio tir y byw a rheibio beddau'r meirw i ladrata dŵr i'w diwydiant o Gapel Celyn? Erbyn 1965, llwm iawn yr ymddangosai dyfodol cenedlaetholdeb Cymreig yn y cyswllt gwleidyddol.

Er bod gennyf, fel erioed, y parch eithaf i amcanion Plaid Cymru i ennill statws cyfansoddiadol teilwng i'r genedl, fe ddes i deimlo fwyfwy nad oedd strategaeth y Blaid yn cyfateb i realaeth y sefyllfa na'r tymheredd gwleidyddol cyfredol. Fe deimlwn o'm rhan fy hunan, pe bai'r degawd nesaf yn ailadrodd patrwm y degawd blaenorol, nad oedd yna mewn gwirionedd ddim o werth y medrwn ei gyfrannu i sefyllfa Cymru o fewn Plaid Cymru. Ac rwy'n cofio dweud wrthyf fy hun (fel creadur sydd yn ei ffeindio hi'n dân ar fy nghroen i ysgrifennu dim!), tybed a allai dyn fynd ati i ymchwilio ac ysgrifennu yng nghyswllt statws dominiwn? Er gwaethaf fy amheuon ynglŷn â'm gallu i wneud hyn, credwn y byddai mentro ar waith o'r fath yn well na dim ond baldereiddio yn y nyth cacwn gynhenllyd oedd yn Blaid Cymru yn y cyfnod hwnnw. Cofiaf imi feddwl lawer gwaith: 'Mae unrhyw beth yn well na hyn.'

Yn y cyfnod hwnnw y datblygodd y syniad o ymuno â'r Blaid Lafur. Rhywfaint i'r chwith yn y sbectrwm gwleidyddol fu fy nghynefin naturiol erioed, ac fe welwn y Blaid Lafur fel etifedd ochr radicalaidd gwleidyddiaeth Prydain. Wrth ymuno â Phlaid Cymru yn grwt ifanc, doeddwn i ddim yn ystyried hon fel gweithred a oedd yn negyddu fy nhueddiadau sosialaidd, oblegid i mi roedd rhyddid cenedl a rhyddid yr unigolyn yn ddelfryd a briodai'n naturiol â'i gilydd. Mae'r syniad fod yna anghynwysoldeb hanfodol rhwng Llafur a chenedlaetholdeb yn un cyfeiliornus. I mi, does yna'r un rheswm pam na fedrwch fod â dyheadau cenedlaetholgar os ydych yn Llafur, neu pam na fedrwch gydymdeimlo â delfrydau creiddiol Llafur os ydych yn genedlaetholwr. Mae symud o agwedd sosialaidd i agwedd genedlaetholgar i mi yn fater o ba bwyslais rydych ar y pryd yn ei ddewis er mwyn arwain a rhoi cyfeiriad i'ch bywyd a'ch gweithredoedd.

Dichon nad achosodd y syniad o newid plaid gymaint o anesmwythyd i mi oherwydd fy nghefndir teuluol. Rwy'n sicr, petaech wedi gofyn i'm tad a'm mam ai sosialwyr neu genedlaetholwyr oeddent, y byddech wedi cael y math o ymresymu ac ateb rydw i nawr yn ceisio'i gyflwyno. Wedi i mi ymuno â'r Blaid Lafur doedd yna ddim anghytundeb rhyngof i a Nhad, ac rwy'n cofio iddo ddymuno'n dda imi. Ar y pryd gwnaethpwyd yn fawr o'r anwiredd fod fy nhad wedi fy niarddel yn gyfan gwbl ac nad oedd 'yr hen foi ddim yn siarad ag e o gwbl'. Yn wir, fe'm cefnogwyd ganddo ar lwyfannau fwy nag unwaith yn ystod ymgyrchoedd 1966 ac 1970. Adroddwyd stori debyg ar y pryd, 'bod Elystan Morgan yn ddyn teidi reit, nes iddo symud i Wrecsam a chwrdd â merch o deulu o Lafurwyr a Saeson rhonc o Lerpwl'. Merch ffarm o Sir Feirionnydd oedd Alwen: Cymraes lân, loyw!

Trwy gydol y cyfnod y bûm yn ymgeisydd dros Blaid Cymru, ni fu i mi erioed esgus fy mod yn ddim arall na sosialydd o ran gwleidyddiaeth Prydain. Nid ymosodais erioed ar egwyddor sosialaeth nac awgrymu bod sosialaeth a chenedlaetholdeb Cymreig yn anghymharus. Fy achos a'm safiad i, fel cyfeillion addfwyn y Rhos, oedd fod y ddau blanhigyn yn cyd-dyfu ac yn tynnu nodd o ddaear ei gilydd. Rwy'n parhau i gredu hynny mor gryf heddiw ag erioed. Nid newid egwyddor, felly, fyddai newid plaid, ond newid strategaeth.

Er hynny, roedd yna un garreg rwystr fawr i'r newid hwn, a honno oedd y dôn gron roeddwn i wedi'i chlywed gan Gwynfor ac eraill dros y blynyddoedd: nad oedd lle i genedlaetholdeb Cymreig o fewn y Blaid Lafur Brydeinig. Yn wir, yn ôl propaganda cyson Plaid Cymru, roedd Llafur yn casáu Cymru ac yn wrthwynebus i fodolaeth Cymru fel gwlad a chenedl, ac am ei diddymu. Ni chredaf imi erioed lyncu'r stori honno ond fe wyddwn fod yna elfennau yn y Blaid Lafur a oedd yn wrthwynebus i genedlaetholdeb Cymreig. Cofiwn hefyd fod Aelodau Seneddol Llafur oedd wedi cefnogi'r ddeiseb dros Senedd i Gymru yn y pumdegau cynnar wedi dioddef rhywfaint o gerydd gan eu plaid. Sylweddolwn hefyd mai bygythiad cenedlaetholdeb Cymreig i garfan o'r Blaid Lafur oedd ei bod yn lladd y syniad o syndicaliaeth gyffredinol roedd rhai ohonynt mor awyddus i'w mabwysiadu. Petai'n eu siwtio nhw i ymgorfforі glannau Mersi a gogledd Cymru o dan un bwrdd trydan, neu atodi Fforest y Ddena at dde Cymru fel rhanbarth o'r Bwrdd Glo, yna dyna fyddai eu nod. Doedd ffin Cymru yn cyfri dim iddynt.

Ar y llaw arall, roedd yna draddodiadau cenedlaetholgar amlwg yn y Blaid Lafur, a ddeilliai o gyfnod Keir Hardie, oedd yn ymwrthod â'r meddylfryd hwn. Ond nid oedd Gwynfor na'r Blaid am eu gweld na'u cydnabod. Roedd yr honiad, felly, fod Llafur yn sefydliadol wrth-Gymreig ac na fyddai byth yn arwain Cymru i statws cyfansoddiadol uwch, yn un o ganonau canolog Plaid Cymru. Mae'n rhaid i mi gyfaddef i minnau hefyd deimlo weithiau na fyddai Llafur yn mynd allan o'i ffordd i ategu a phwysleisio cenedligrwydd Cymru, er bod y polisi o sefydlu Ysgrifennydd i Gymru wedi bod yn rhan o'i maniffesto yn Etholiad Cyffredinol 1959.

Yr ail ddiwrnod wedi'r Etholiad Cyffredinol yn Hydref 1964, cyhoeddodd y Blaid Lafur ei bod am sefydlu Ysgrifenyddiaeth i Gymru. Os oedd yna ddydd pan welais oleuni newydd yng nghyswllt fy nghenedl, hwnnw ydoedd. Profwyd yn ddiamheuol fod prif ddadl Plaid Cymru yn erbyn y Blaid Lafur bellach yn gwbwl ddi-sail, a bod dimensiwn newydd o bosibiliadau i Gymru wedi'i greu. Wrth gwrs, rhyw swyddfa fechan oedd y Swyddfa Gymreig yn y dyddiau cynnar, ond i mi golygai fod Cymru yn 1964 wedi ennill yr hyn a gawsai'r Alban yn 1885. Roedd sefydlu ysgrifenyddiaeth yn achos y ddwy wlad yn seiliedig ar un peth yn unig, a hynny oedd fod yr Alban a Chymru, ill dwy, yn *wledydd* ac yn *genhedloedd* cydnabyddedig o fewn y gyfundrefn Brydeinig. Nid yw rhanbarth yn cyfiawnhau ysgrifennydd gwladol.

Er mwyn gosod hyn mewn cyd-destun hanesyddol, hwn oedd y newid cyfansoddiadol hanfodol cyntaf yng Nghymru er Deddf Uno 1536 a oedd (ynghyd â Statud Rhuddlan, 1284) wedi diddymu bodolaeth Cymru fel gwlad a chenedl bron yn gyfan gwbl. Ni fodolai o fewn y cyfansoddiad Prydeinig, er gwaethaf yr awgrym mewn ambell statud megis Deddf Addysg Foster 1870 a mân ddeddfau trwyddedu fod y fath beth â thiriogaeth Cymru mewn bodolaeth. Ni chafwyd unrhyw gydnabyddiaeth hanfodol hyd y wawr ragorwen honno yn 1964. I mi, felly, yng nghyswllt Cymru, roedd yr holl sefyllfa wedi'i gweddnewid. Cyn sefydlu'r ysgrifenyddiaeth, roedd ennill tir yn y maes cyfansoddiadol bron yn amhosib; ar ôl sefydlu'r ysgrifenyddiaeth, doedd yna fawr ddim nad oedd o fewn cyrraedd pobl Cymru.

Daeth yn amser, felly, imi fy holi fy hun i waelod fy mod, pa beth y dylswn ei wneud. Beth bynnag oedd agwedd y Blaid Lafur tuag at hunanlywodraeth i Gymru, roedd yn amlwg imi nad oedd yn gynllwyngar elyniaethus i Gymru fel gwlad a chenedl, fel yr honnai Plaid Cymru. Roedd y Blaid Lafur, yr oeddwn i wedi bod yn llai na chrediniol yn ei theyrngarwch i Gymru am flynyddoedd, wedi creu posibiliadau dihysbydd i ni fel cenedl. Ar y sail gadarn honno gellid adeiladu strwythur cyfansoddiadol mor fawr neu mor fychan ag y gwelai pobl Cymru yn dda i anelu amdano.

O'm safiad personol i, roeddwn yn parhau, fel erioed, yn genedlaetholwr Cymreig ac yn sosialydd o ran gwleidyddiaeth yn gyffredinol. Erbyn hyn, roedd hefyd yn amlwg i mi mai breuddwyd gwrach oedd y gred draddodiadol y byddai Plaid Cymru, trwy gynnydd cyson yn ei phleidlais o etholiad i etholiad, yn ennill y fath rym fel ag i ddisodli'r Blaid Lafur fel prif blaid Cymru, a thrwy hynny sefydlu senedd yn nannedd pob gwrthwynebiad. Pa lwyddiant bynnag a ddeuai'n ysbeidiol i Blaid Cymru, ni fyddai byth o fewn gwleidyddiaeth Cymru yn ddim amgenach na phlaid leiafrifol weddol fechan, na allai yn y sefyllfa honno fyth *orfodi* Llafur i wneud dim sylweddol yng nghyswllt cyfansoddiadol Cymru. O fewn Llafur, felly, yr oedd y gwaith mwyaf i'w wneud. Yn olaf, roedd yr holl hinsawdd o gecru a gwrthryfela ym Mhlaid Cymru, y cyfeiriwyd ato eisoes, yn gwneud aros ynddi yn amhosib. Wedi rhwystredigaeth y blynyddoedd anodd a hyll ym Mhlaid Cymru, dyma oedd y cyfle am ddechreuad newydd. Deuthum i'r casgliad anochel mai fel aelod o'r Blaid Lafur yr oedd y posibilrwydd gorau imi fod o unrhyw wasanaeth i Gymru.

Wrth gwrs, nid peth rhwydd oedd gadael Plaid Cymru. Yn ychwanegol at y ffaith nad oedd gennyf unrhyw gweryl â'i hamcanion creiddiol, roedd y Blaid, y dyddiau hynny, yn deulu bach cryno lle'r adwaenai bron bawb ei gilydd. Roeddwn wedi bod yn agos at Gwynfor ers blynyddoedd ac yn edmygydd digymrodedd ohono. Roedd nifer o'm cyfeillion agosaf hefyd yn aelodau brwd ac ymroddedig o'r Blaid. Boed hynny fel y bo, penderfynais mai gadael a wnawn, ac mai'r peth cywir i'w wneud oedd rhoi rhybudd i Gwynfor a'r Blaid. Felly, yn gynnar yn 1965 fe ddatgelais fy mwriad iddo a chael sgwrs hefyd â Dr Gareth Evans, cyfaill arall yr oedd gennyf barch aruthrol iddo. Bu Gwynfor yn ymbil arnaf i ailystyried. Rwy'n cofio cyfarfod ag ef ryw nos Sul yn y Metropole yn Llandrindod, a chael swper yno a sgwrs hir, ddirdynnol. Cymaint oedd swyn personol Gwynfor, a chymaint oedd y teimlad fy mod yn dolurio dyn roedd gen i gymaint feddwl ohono, fel y cytunais i ailystyried y penderfyniad.

'Cewch i weld Lewis Valentine,' meddai, ac wrth gwrs roedd hynny'n dyngedfennol mor bell ag roedd unrhyw benderfyniad i adael Plaid Cymru ar unwaith yn y cwestiwn. Cawr arall o ddyn oedd hwnnw yn fy ngolwg i, ac un roeddwn yn ei barchu'n enfawr. Ar ôl noson yn ei gwmni mi dynnais yn ôl a dweud na fyddwn yn gadael y blaid. P'un a ddywedais na fyddwn i *byth* yn gadael y blaid, ni chofiaf erbyn hyn, ond roeddwn yn argyhoeddedig ar y pryd na fedrwn adael.

Ond, fel yr âi'r misoedd heibio ac ar ôl tystio i un neu ddau o Bwyllgorau Gwaith tebyg i'r rhai a ddisgrifiwyd eisoes, fe benderfynais yn y diwedd nad oedd ond un peth y gallwn ei wneud – heblaw gadael gwleidyddiaeth yn gyfan gwbl – a hynny oedd ymuno â'r Blaid Lafur. Bûm yn siarad wedyn â rhai aelodau o'r Blaid ond er eu hapêl daer arnaf i aros, mynd a wnes, a hynny yn Awst 1965 gan deimlo o lwyrfryd calon mai oddi mewn i'r Blaid Lafur y byddai fy nghartref gwleidyddol o hynny ymlaen.

Roeddwn wedi bwriadu aros tan yr hydref cyn gwneud fy mhenderfyniad yn hysbys, ond fe'i dadlennwyd gan rywun neu rywrai yn yr Eisteddfod Genedlaethol, a oedd yn y Drenewydd. Fe'i datgelwyd er mwyn cyfleu'r argraff fy mod am fanteisio ar gyhoeddusrwydd yr Eisteddfod. Ond dyna'r lle olaf y dymunwn wneud y cyhoeddiad, oblegid peth ffroenuchel, yn fy marn i, fyddai defnyddio'r achlysur hwnnw fel llwyfan personol. Roedd Eisteddfod 1965 yn ddigwyddiad digon emosiynol imi: fy nhad enillodd y Gadair genedlaethol union ddeugain mlynedd cyn hynny, ac os oedd cyfnod pan oeddwn am osgoi bod yn ffigwr dadleuol ym myd gwleidyddiaeth, hwnnw ydoedd. Gwn pwy oedd yn gyfrifol am y weithred, ac roedd yn beth braidd yn ddichellgar i'w wneud, ond dyna ni: nid yw menig meddal bob amser yn addas i wleidyddiaeth.

O dro i dro rwy'n ystyried, petawn i wedi cael fy magu yn Lloegr ac wedi ymuno â'r Blaid Lafur yn bymtheg oed, pwy a ŵyr, efallai, gyda lwc y byddwn wedi dod yn ymgeisydd Llafur, a byddai bywyd wedi bod yn symlach o lawer! Serch hynny, dydw i ddim yn edifar am unrhyw beth a wnes o fewn Plaid Cymru.

Y Blaid Lafur

Pan ymunais â'r Blaid Lafur doedd gen i'r un cynllun pendant ynglŷn â'r hyn y dymunwn ei wneud. Roedd bwriad gennyf o hyd i geisio ysgrifennu ychydig am senedd i Gymru a'r nod o sicrhau statws dominiwn – ond o fewn cwmpawd delfrydiaeth y Blaid Lafur dros y degawdau cyn hynny. Cefais groeso cynnes gan nifer o wleidyddion Llafur y dydd, gan gynnwys Jim Griffiths, Cledwyn Hughes, Goronwy Roberts ac, wrth gwrs, fy hen gyfaill ysgol, John Morris. Cymhellent fi i fod yn ymgeisydd seneddol Llafur cyn gynted ag y gallwn. Derbyniais lythyrau gan bobl yn awgrymu pob math o seddau lle y dylwn sefyll, rhai ohonynt yn seddau dymunol; ni wn hyd heddiw a fyddai gen i unrhyw obaith o gael fy newis i unrhyw un ohonynt. Fy agwedd reddfol oedd y dylwn bwyllo am rai blynyddoedd, ond yn ddisymwth cefais gennad oddi wrth John Morris yn dweud bod Plaid Lafur Sir Aberteifi yn chwilio am ymgeisydd, a bod fy enw wedi cael ei grybwyll gan nifer.

Nid oedd wedi croesi fy meddwl i sefyll mor fuan yn Sir Aberteifi ar ôl gadael y Blaid. Ond fel roedd un cais ar ôl y llall yn cyrraedd oddi wrth bobl wahanol iawn, roedd y sefyllfa'n ymddangos yn fwy a mwy atyniadol. Wedi'r cyfan, dyma sir fy ngeni, roedd fy nghefnder Iwan wedi sefyll yma – yn enw Llafur – ac roedd yr hinsawdd ar y pryd yn awgrymu y gallai ennill Sir Aberteifi fod o fewn cyrraedd Llafur am y tro cyntaf erioed. Roedd mwyafrif aruthrol Roderic Bowen yn 1959 wedi disgyn i ryw 2,200 yn 1964, diolch i D. J. Davies, Panteryrod – ffermwr galluog, huawdl, herfeiddiol a hynod liwgar. Am y rheswm hwnnw roedd galwad John Morris yn syndod i mi, gan imi gymryd yn ganiataol y byddai DJ yn sefyll unwaith eto, ond am ryw reswm ni fynnai. Pan ofynnwyd imi ystyried cael fy enwebu, un o'm cwestiynau cyntaf oedd 'Pam yn y byd nad yw DJ yn sefyll?'

Trefnwyd imi fynd i'w gyfarfod, ac rwy'n cofio ymweld â'i ffarm. Dyna lle roedd, allan yn y cae gwair yn llwytho bêls. Safai ar ben un o'r llwythi, yn pregethu'n huawdl ei weledigaeth ohonof yn sefyll yn Sir Aberteifi. 'Drychwch,' meddwn, 'fyddwn i ddim am funud yn meddwl sefyll pe baech chi am sefyll, a byddwn i'n falch petai yna ryw fodd i'ch helpu chi a bod yn gefnogwr i chi,' ond roedd yn benderfynol na fyddai'n sefyll.

Yna, fe ges anogaeth gan R. L. Jones, un o hen 'stalwarts' y mudiad Llafur yn Sir Aberteifi a oedd wedi bod yn arweinydd o'r cychwyn cyntaf yn y dauddegau. Fe'm perswadiwyd i adael i'm henw fynd gerbron, a dyna a wneuthum; cefais fy newis gyda mwyafrif sylweddol. Ceisiais dwyllo fy hun y gallai'r Llywodraeth Lafur barhau am flwyddyn neu ddwy, efallai, er gwaethaf y mwyafrif bach oedd ganddi, ac y cawn amser i gynllunio a threfnu a dod i adnabod cefnogwyr Llafur Sir Aberteifi. Ond nid oedd hynny i fod; fel y cofiwch, fe gynhaliwyd yr etholiad ar 31 Mawrth 1966.

Petai rhywun wedi gofyn i mi ar y pryd, 'A elli di ennill Sir Aberteifi?', byddwn wedi darogan mai cymharol fychan oedd y tebygolrwydd. Cofiaf yn glir achlysur tua Hydref 1965 oedd yn adlewyrchu fy meddylfryd ar y pryd. Roedd Alwen a minnau wrthi'n penderfynu ar brynu tŷ newydd yn Wrecsam, pan ofynnodd hithau,

'Beth petait ti'n ennill y lecsiwn?'

Eisteddais a thynnu papur o 'mhoced, a phrofi iddi'n ddiamheuol na fedrwn fyth ennill! Fe benderfynasom brynu'r tŷ. Roeddwn yn fwy pendant fyth pan ddigwyddodd un peth annisgwyl ychydig wythnosau wedi imi ddod yn ymgeisydd.

Bu farw Llefarydd Tŷ'r Cyffredin, Syr Harry Hylton-Foster, yn sydyn. Mwyafrif o dri dros y pleidiau eraill oedd gan Lafur, a chan mai dyletswydd Llywodraeth y dydd yw darparu Llefarydd, fe olygai hyn, fel mater o rifyddeg noeth, y gallai mwyafrif y Llywodraeth ddisgyn i un – gyda Llafur yn colli un bleidlais a'r Wrthblaid yn ennill un. Yr unig ffordd allan ohoni oedd penodi rhywun o un o'r pleidiau eraill i fod yn rhan o'r hafaliad. Y peth nesaf a glywais oedd fod Roderic Bowen wedi'i wahodd i fod yn Ail Ddirprwy Lefarydd. Pan glywais am hyn, mi ddywedais wrth Alwen, 'Wel, fydd yna ddim etholiad yn Sir Aberteifi, gei di weld!' A'r rheswm oedd hyn: byddai Roderic Bowen yn gwneud ei hunan yn bur amhoblogaidd yn ei blaid trwy ymwneud â threfniant cyfansoddiadol o'r fath, felly waeth iddo fynnu cadair y Llefarydd na dim. A phetai'n dewis cymryd y safiad cwbl resymol hwnnw, ni allai Llywodraeth Lafur fforddio gwrthod y cais, ac felly ni fyddai etholiad yn Sir Aberteifi. Fyddai yna ddim unrhyw gwestiwn o sefyll yn erbyn y Llefarydd. Am yr eildro, felly, fe brofais i Alwen nad oedd unrhyw bosibilrwydd y byddwn yn ennill y sedd! Ond fel arall y bu, ac am resymau yr wyf eto i'w dirnad, fe dderbyniodd Bowen swydd Ail Ddirprwy Lefarydd, ac fe aeth etholwyr Sir Aberteifi i fwrw eu pleidlais ar y diwrnod olaf o Fawrth 1966.

Roedd trefniadaeth y Blaid Lafur yn Sir Aberteifi yn y chwedegau yn llai na phroffesiynol. Ond roedd yna frwdfrydedd a thraddodiad o ddelfrydiaeth gadarn a âi yn ôl, mi gredaf, i ddyddiau Llewelyn Williams. Cynrychiolai radicaliaeth gwlad ar ei gorau, a hefyd ddyheadau a gobeithion uchaf y rhai hynny yn Sir Aberteifi oedd o gymhellion Llafur. Yn ôl fy nhad, roedd 'bois y lein' (y rheilffyrdd) ymysg ei gefnogwyr mwyaf brwd, felly doedd dim amheuaeth gennyf nad oedd yn arwr i'r dosbarth gweithiol yn ogystal â haenau mwy breintiedig cymdeithas. Ac yn fy marn i, dyma'r traddodiad y dylai'r Blaid Lafur fod yn ei gynrychioli yn Sir Aberteifi: yr elfen gref a dilys honno o radicaliaeth roedd y Blaid Ryddfrydol ryw ffordd neu'i gilydd wedi llwyddo i'w diosg a'i diarddel ers dyddiau lawer.

Y prawf mwyaf amlwg mai'r Blaid Lafur oedd wedi etifeddu'r wir radicaliaeth ryddfrydol yn y sir oedd y ffin agored honno rhwng y Blaid Ryddfrydol a'r Blaid Geidwadol, gan i'r Toriaid, o bryd i'w gilydd, beidio â sefyll yn erbyn y Rhyddfrydwyr. Wrth ddweud hynny, nid wyf am ddilorni holl Ryddfrydwyr Sir Aberteifi o bell ffordd – bodolai llawer haen o Ryddfrydiaeth. Âi rhai haenau mor bell yn ôl â'r gwrthryfel yn erbyn landlordiaeth, ac roedd haenau eraill wedyn a oedd yn perthyn i'r ddwy brifysgol yn Aberystwyth a Llanbed. Er hynny, teimlwn fod y Blaid Lafur yn cynrychioli radicaliaeth lawer iawn mwy byw, mwy real a mwy gonest yn Sir Aberteifi nag roedd y Blaid Ryddfrydol. Roedd y Blaid

Lafur wedi ymladd y sedd er 1931, a hynny mewn cyfnod o gyni, pan oedd yn anodd hel swm o arian digonol ynghyd i allu cynnal ymgeisydd. Does dim amheuaeth nad ceiniogau'r werin oedd wedi cadw'r Blaid Lafur mewn bod yn y cyfnodau hynny. Fe oroesodd y blaid yng Ngheredigion lawer hirnos oer, ddilewyrch, gan gadw'r ffydd, ac os bu yna erioed grŵp o bobl oedd wedi cadw'u hunaniaeth oherwydd yr hyn roedden nhw'n ei gredu, cefnogwyr Plaid Lafur Ceredigion oedd y rheini.

Er i Iwan Morgan lwyddo i gynyddu'r bleidlais i'r blaid yn etholiadau 1945 a 1950, cofiaf ef yn sôn mewn llawer araith am y rhagfarn a fodolai yn y sir yn erbyn Llafur, a'i bod fel rhyw fath o drwch o iâ parhaol (*permafrost*) a oedd bron yn amhosib torri trwyddo. Roedd Llafur yn cynrychioli rhywbeth chwyldroadol i lawer o bobl – yn arbennig y gymdeithas amaethyddol – ac ymddangosai'n fudiad syndicalaidd ei agwedd a fynnai genedlaetholi'r tir: popeth ar wyneb daear y byddai'r ffermwr bach yn ei ddilorni, yn ei gasáu, ac yn ei ddrwgdybio. Does dim amheuaeth, felly, na wnaeth gwaith diflino ac ysbrydoledig fy rhagflaenydd, D. J. Davies, lawer i symud y rhagfarn honno a throi barn a theimlad i gyfeiriad y Blaid Lafur ymysg trigolion y sir.

Ond parhau'n dalcen caled a wnâi Ceredigion wedi canrif, bron, o dan adain y Rhyddfrydwyr, ac roedd gwaith mawr o'n blaenau. Yn ychwanegol at hyn, roedd etholiad 1966 yn un o'r etholiadau olaf i gael ei ymladd o dan yr hen drefn, fel petai, lle roedd yr ymgyrch drwy gyfarfodydd yn parhau i gyfri tuag at y canlyniad terfynol. Erbyn hyn, dylanwad ymylol oedd i'r cyfarfodydd, ond eto roedd yn ddigon, efallai, i benderfynu'r ddedfryd mewn etholiad agos. Drwy gydol mis Mawrth 1966, felly, fe dyrrodd etholwyr Sir Aberteifi i'r neuaddau, yr ysgolion a'r festrïoedd i wrando ar y pedwar ymgeisydd, ac rwy'n cofio annerch rhyw bedwar ugain o gyfarfodydd.

Mwynheais y profiad hwnnw'n fawr, ond i mi roedd canfasio, ar y llaw arall, yn un o'r pethau mwyaf poenus a ddyfeisiwyd ar wyneb daear erioed; roedd yn ddyletswydd roeddwn yn ei ffieiddio, ac yn wir yn arswydo rhagddi! Peth rhwydd iawn yw porthi'r ego drwy sefyll ar lwyfan a herio tyrfa; mae hyn yn peri i'r adrenalin lifo – ond ymarfer gwaed oer yw canfasio. Eto, mae'n hollbwysig, ac yn fodd o ddysgu llawer ynglŷn â'r hyn mae etholwr neu etholwraig yn ei feddwl: nid o reidrwydd yr hyn maen nhw'n ei ddweud ar stepen y drws, ond yr hyn mae eu llygaid yn ei adrodd.

O bryd i'w gilydd, mi fyddai cyfarfyddiad ar y trothwy'n codi calon neu'n synnu dyn. Un profiad a gefais sawl gwaith yn ne Sir Aberteifi yn ystod ymgyrch etholiad 1966 oedd canfasio a chwrdd â hen löwr oedd wedi ymgartrefu yno. Dyna lle byddwn yn canu'r gloch, a rhywun yn dod i'r drws, a minnau'n fy nghyflwyno fy hun fel yr ymgeisydd Llafur.

''Machgen i, does dim rhaid ichi ofyn,' oedd ymateb mwy nag un, gan ddangos craith lasaidd 'marc y pwll' ar ei dalcen.

Byddai etholiad 1966 yn dibynnu i raddau helaeth ar y ffaith fod Harold Wilson ar frig y don, a does dim amheuaeth gen i na fu i'w ddelwedd ef gario'r dydd yn Sir Aberteifi, fel mewn ugeiniau o etholaethau eraill, ac mai yn sgil ei boblogrwydd ef, i raddau helaeth, y llwyddais i ennill. Dylwn sôn hefyd am y cymorth a gefais gan nifer o Aelodau Seneddol y Blaid Lafur, yn arbennig John Morris a Jim Griffiths. Fe ddaeth Jim i Aberystwyth yn gynnar yn yr ymgyrch ac fe gynhaliwyd anferth o gyfarfod yn Neuadd y Plwyf, Aberystwyth; roedd y lle dan ei sang, a dyna un o'r cyfarfodydd mwyaf ysbrydoledig i mi ei fynychu erioed. Does dim dau na wnaeth emosiwn fel yna a phersonoliaeth gawraidd Jim Griffiths, yn ogystal â'r ffaith ei fod yn Ysgrifennydd cyntaf Cymru, gyfrannu'n fawr at lwyddiant ein hymgyrch.

Er gwaethaf gwendidau ymarferol y blaid yn y sir, fe'm cefnogwyd gan gynllunio medrus un dyn yn arbennig sydd yn haeddu clod, sef Cliff Protheroe. Roedd Cliff yn gyn-ysgrifennydd y Blaid Lafur yng Nghymru, a chyda'i holl ddoethineb a'i ddealltwriaeth o strategaeth wleidyddol fe fu'n gwbl amhrisiadwy. Ef oedd fy asiant etholiadol a phensaer ein llwyddiant, a diolch iddo ef, ymladdwyd ymgyrch wirioneddol effeithiol gennym. Rwy'n dal i gofio un o'i hoff ymadroddion, ac mor ddoeth oedd ei eiriau,

'What you need, Elystan, is a campaign, not just a list of meetings.'

Gan gofio inni ennill o ychydig dros 500 o bleidleisiau, rwy'n hollol argyhoeddedig, oni bai amdano ef, fyddwn i byth wedi llwyddo i gyrraedd y nod. Er bod y llanw o'n plaid, roeddwn yn llawn amheuon hyd y diwedd, a chredwn mai boddi yn ymyl y lan fyddai'n tynged. Roedd fy agwedd yn nodweddiadol o'm bydolwg pesimistaidd; edrychwn ar bosibiliadau methiant yn y lle cyntaf a cheisio gweithio'n ôl o'r fan honno. Efallai mai rhyw fath o yswiriant yn erbyn aflwyddiant ydyw, ond o edrych ar y peth yn wrthrychol rwy'n credu bod fy nadansoddiad yn weddol agos at fod yn gywir. Y tebygolrwydd yn 1966 oedd na fyddwn yn ennill Sir Aberteifi ac y gallai Roderic Bowen fod wedi cadw'r sedd. Trwy'r cyfan roeddwn wedi bod yn ymwybodol iawn o'r siom a gawsai fy nghefnder, Iwan, a bod yna ryw deimlad gwrth-Lafur hanesyddol yn Sir Aberteifi y byddai'n amhosib i unrhyw un o'm cenhedlaeth i ei oresgyn.

Dim ond ar ddiwrnod yr etholiad, neu'n fanwl gywir, ar noson yr etholiad, y credwn y gallwn ennill buddugoliaeth. Wedi teithio o amgylch y sir o bentref i bentref, a darlun digon gobeithiol o'r sefyllfa'n ymddangos, cyraeddasom yn ôl i gyrion Aberystwyth a thop Penparcau, rywle tua saith o'r gloch y nos. Roedd hi'n noson braf a hyfryd, ac yn y pentref roedd yna ugeiniau, os nad cannoedd, yn aros i bleidleisio, a'r mwyafrif mawr ohonynt â'u bawd yn yr awyr. Galla i weld hyd heddiw yr haul yn tywynnu ar y ciw brwd yna o bobl.

Fe droais at Alwen a dweud,

'Dyw e ddim yn amhosib. Dwi ddim yn credu y gwnewn ni hi – ond dyw e ddim yn amhosib.'

Pan aed ati i gyfri'r pleidleisiau, roeddem wedi ennill – gyda 511 o fwyafrif.

Ar un ystyr, roedd y fuddugoliaeth yn un ddealladwy oherwydd y symudiad cyffredinol tuag at Lafur drwy'r deyrnas gyfan. Ar y llaw arall, er bod hynny'n berthnasol, wrth ystyried faint o ddiwydiant, yn arbennig ddiwydiant cynhyrchiol, oedd yn yr etholaeth (sef 3%), roedd ennill y sedd yn orchest go fawr. Roedd yn fuddugoliaeth hanesyddol hefyd oherwydd bod y Rhyddfrydwyr wedi dal y sedd am 99 o flynyddoedd.

Cofiaf yn glir y diwrnod ar ôl yr etholiad: wrth i mi gerdded i lawr Great Darkgate Street, Aberystwyth, a phobl yn fy llongyfarch, daeth rhywun ataf a dweud, 'Hanner awr yn ôl fe welais yr Athro Llewelfryn Davies (fy hen Athro yn Adran y Gyfraith) wedi torri'i galon yn lân ac yn dweud yn ei siom, "A hundred years of liberalism has been lost",' ond yn ychwanegu, gyda'i garedigrwydd nodweddiadol a'i agwedd batriarchaidd tuag at ei gyn-fyfyrwyr, '"but, but, but, if it had to be, I'm very glad it's one of my old students who won the seat".'

Roedd yna un esboniad arall, llai amlwg, am y fuddugoliaeth nodedig hon. Cofiaf fy nhad yn dweud iddo eistedd gyda phapur a phensil, pan oedd yn un ar hugain oed, ac amcangyfrif faint o gefndryd a chyfnitherod cyntaf oedd ganddo. Mae'n anhygoel meddwl am y peth, ond roedd yna dros saith deg ohonynt! Dyn cywir ei ffeithiau oedd fy nhad, ac rwy'n siŵr fod honno'n ffaith ddilys, gan gofio bod yna deuluoedd mawrion yn ei genhedlaeth ef. Sylweddolais mor wir oedd hyn wrth ymgyrchu yn yr etholiad. Deuai llawer un ataf gan ddweud wrthyf, 'Dwi erioed wedi fotio i *Labour* yn fy mywyd, Morgans' – fel petaen nhw'n adrodd nad oeddent erioed wedi bod yn y carchar – 'ond dwi ddim eisiau mynd yn erbyn 'y ngwa'd 'yn hunan; dwi'n drydydd cefnder i chi', neu rywbeth tebyg! Ar ddydd y cyfrif, rydw i'n cofio gweld llawer o'r papurau pleidleisio a marc bach yn unig arnyn nhw, dim ond chwarter modfedd o groes – ac rwy'n siŵr fod yna lawer aelod o'r teulu wedi rhoi'r arwydd yna gyferbyn â'm henw, gan ymladd yn erbyn ei gydwybod. Roedd nifer fawr o bobl yn 1966 oedd yn ail, trydydd, pedwerydd neu bumed cefnder neu gyfnither i mi ac yn ymwybodol o'r berthynas, a fedra i ddim gwadu efallai mai dyna oedd y gwahaniaeth rhwng ennill a cholli!

Hoffwn ychwanegu un sylw arall ynglŷn ag etholiad Ceredigion, a hynny'n naturiol ddigon yw'r gefnogaeth fawr a gefais gan Alwen. Doedd Alwen ddim yn greadur gwleidyddol o gwbl. Carai ei chenedl, gan gredu'n angerddol mewn cyfiawnder a rhyddid unigolyn a chymdeithas, a meddai ar gydymdeimlad dwys dros bawb oedd yn ddifreintiedig. Roedd ei phersonoliaeth ddiffuant, hawddgar, caredig a siriol yn ysbrydoliaeth i'n cefnogwyr drwy gydol yr ymgyrch, ac yn dŵr o nerth i minnau. Ni fedraf ddisgrifio cymaint o ddyled sydd arnom iddi.

Aelod Sir Aberteifi

Felly, trwy ryfedd ffawd deuthum yn Aelod Seneddol Llafur Sir Aberteifi. Gwn ei fod yn ddigwyddiad hanesyddol o bwys, o'i ystyried yng nghyd-destun hanes gwleidyddol y sir dros y can mlynedd blaenorol. Gwyddwn hefyd nad oedd dinas barhaol i Lafur yng Ngheredigion, ac na fyddwn yn dal y sedd am gyfnod hir. Ond teimlwn inni ennill troedle sylweddol, ac y gwnawn fy ngorau i'w gadw hyd y gallwn.

Roedd William Edwards, bachgen iau na minnau, wedi cadw Sir Feirionnydd i Lafur a chofiaf yn fyw iawn ein taith gyntaf ar y trên i Lundain, a hynny yng nghwmni Cledwyn Hughes, a oedd erbyn hyn wedi'i benodi'n Ysgrifennydd Cymru, gan olynu Jim Griffiths. Roeddwn yn ymwybodol iawn fod yna deimladau cymysg ymysg fy nghyd-Aelodau Llafur ynglŷn â mi. Wedi'r cyfan, roedd llai na blwyddyn ers imi ddod yn aelod o'r Blaid Lafur cyn i mi ennill fy sedd, a theimlwn mai ymateb naturiol ddigon fyddai i lawer o'r hen Aelodau ofyn, 'Pwy yn y byd yw'r creadur yma?'

Er nad oeddwn erioed wedi amau seiliau delfrydiaeth y

Blaid Lafur, roeddwn ychydig yn betrusgar ynglŷn ag ymateb rhai, ond mi gefais fy siomi ar yr ochr orau gan y derbyniad a gefais gan fy nghyd-Aelodau. Yn ddieithriad, bron, fe'm croesawyd â breichiau agored ac ni chredaf imi deimlo erioed, yn ystod y cyfnod y bûm yn y Senedd, fod pobl yn drwgdybio fy nilysrwydd fel aelod diffuant o'r Blaid Lafur. Roedd rhai'n feirniadol o'm tueddiadau cenedlaetholgar – Iori Thomas, Alan Williams, George Thomas ac eraill – ond doeddwn i ddim am esgus bod yn ddim byd heblaw yr hyn a oeddwn. Wnes i erioed esgus nad oeddwn yn credu mewn senedd i Gymru, a 'mod i'n argyhoeddedig y dylid sicrhau'r hawliau cyfansoddiadol uchaf posib i Gymru, a hynny cyn gynted ag y gellid.

Roedd rhai o'm cyd-Aelodau Llafur yn draddodiadol gefnogol i'r syniad o senedd i Gymru, pobl fel Cledwyn Hughes, Goronwy Roberts, John Morris, Tudor Watkins ac S. O. Davies, a oedd wedi cyflwyno cynnig i'r Tŷ yn dilyn yr ymgyrch Senedd i Gymru ar ddechrau'r pumdegau. Un arall cefnogol oedd Michael Foot, oedd yn fath ar genedlaetholwr Cernywaidd ac wedi mabwysiadu elfen gref o genedlaetholdeb Cymreig. Er nad oedd y rhan fwyaf o'm cyd-Aelodau Llafur o Gymru yn elyniaethus, roedd un neu ddau o bennau'n cael eu hysgwyd gan ddweud, 'Trueni fod cymaint o'i fryd ar bethau fel yna.' Cofiaf ddweud wrthyf fy hunan lawer gwaith, 'O na fyddai'r rhain yn gallu deall a derbyn bod cenedlaetholdeb yn bŵer creadigol, nid yn unig yn rhywbeth roedd sosialaeth yn ei dderbyn mewn llawer gwlad ond yn rhywbeth a oedd yn anadl einioes i ddeinameg y sosialaeth honno – a'i bod hi'n amhosib meddwl yng nghyswllt llawer gwlad am fudiad sosialaidd nad oedd wedi ei uniaethu â gwladgarwch.' Anodd fyddai torri'r gŵys yma, ond roeddwn yn benderfynol o roi fy egni gorau i'r ymdrech.

Gwnes fy araith forwynol yn Nhŷ'r Cyffredin ar 6 Mai 1966. Roeddwn wedi clywed areithiau morwynol nifer o'r Aelodau newydd erbyn hyn, cyn imi gymryd fy nhro, a hefyd wedi darllen am nifer dros y canrifoedd blaenorol. Gwyddwn fod disgwyl i rywun osgoi unrhyw faterion dadleuol a sôn yn hytrach am yr etholaeth a'm rhagflaenydd. Gwyddwn am bryder Edward Gibbon, yr hanesydd clasurol, a ohiriodd ei gyfraniad cyntaf am saith mlynedd! Cofiwn hefyd fel y bu i Disraeli ymosod ar bron bawb o fri yn ei araith ef, a'r sylw a gafodd A. P. Herbert gan Winston Churchill am ei araith forwynol ef: 'His *maiden* speech – *maiden speech*! It is a very brazen hussy of a *maiden speech*.'

Fe ddaeth i gof hefyd yr hanes am yr Aelod anffodus hwnnw a gododd i annerch am y tro cyntaf, dim ond i weld wig y Llefarydd yn tyfu ac ymestyn nes llenwi'r holl Dŷ, ac yntau'n disgyn mewn llewyg.

Bu i mi a William Edwards, fy nghymydog o Feirionnydd, gyflwyno ein hareithiau ar ail ddarlleniad y Mesur Amaeth, deddfwriaeth a oedd yn gwbl briodol i'n sefyllfa fel Aelodau Seneddol mewn etholaethau gwledig. Petai'r mesur hwnnw wedi cael ei weinyddu'n llawn, fe allai wedi bod yn hynod fanteisiol, os nad yn chwyldroadol lesol, i'r Gymru wledig. Roedd y ddau ohonom yn cydletya yn yr un gwesty, a'r noson cyn y diwrnod mawr, fe gyflwynodd y naill ei araith i'r llall. Trannoeth, Wil a gafodd ei alw gyntaf, a hynny oherwydd ei fod yn iau na mi. Un o'r prif themâu roedd y ddau ohonom am ei thanlinellu oedd y diboblogi yn ein hetholaethau, yn enwedig ymysg pobl ifanc. Tua hanner ffordd drwy ei araith, fe glywais ddarn o'm haraith i. Roedd Wil druan wedi colli ei ffordd yn ei nodiadau ac wedi crwydro i'm libart i, ac fe adroddodd linell y bwriadwn ei defnyddio fel pennawd, sef geiriau Dr Johnson: 'The noblest prospect which a Scotchman ever sees, is the high road that leads him to England!', a dadlau mai llwybr cyffelyb a gariai obeithion y Cymry ifanc a oedd wedi gadael Sir Aberteifi. Er yr ysgytwad a achosodd hyn i mi dros dro, nid effeithiodd ddim ar ein cyfeillgarwch. Roedd yn ŵr galluog, eofn ei natur a feddai ar weledigaeth glir ynglŷn ag amryw bethau, yn arbennig ddyfodol Prydain yn Ewrop. Bu farw yn 69 oed.

Cafodd fy araith dderbyniad digon caredig, ac roedd

yn rhyddhad na fyddai'n rhaid byw gyda'r pryder hwnnw mwyach. Yn fuan wedyn roeddwn yn gofyn cwestiynau ar lawr y Tŷ ac yn cymryd rhan mewn dadleuon. O fewn rhai misoedd teimlwn fy mod yn cyfarwyddo rhywfaint â rhediad trefn ryfedd y lle. Un gweithgaredd pwysig, wrth gwrs, a lanwai ran helaeth o bob dydd, oedd ymateb i'r ohebiaeth o'r sir. Nid yn unig roedd Sir Aberteifi yn etholaeth lythrennog iawn, roedd hefyd yn sir lle roedd yna ryw ysfa ar ran pobl o bob math i ysgrifennu at eu Haelod Seneddol.

Ar yr un llaw, ceid cyfle da drwy hyn i gysylltu â nifer o'r etholwyr, ond ar y llaw arall gallai fod yn fwrn hefyd – yn arbennig i ddyn na ddysgodd erioed i deipio, a'i ysgrifen yn annarllenadwy. Roedd yr anaf rygbi, pan dorrais gymal yn un o'm bysedd, yn achosi i'm llaw dde chwyddo pan fyddai gennyf lawer o waith ysgrifennu i'w wneud. Eto, nid yw hyn yn amddiffyniad nac yn esgus dros fy llawysgrifen alaethus! Yn aml, byddai rhywun yn dweud wrthyf, 'Wel, rwy'n ddiolchgar iawn ichi am y llythyr, Mr Morgan, ond ddealles i ddim y cyfan o beth oeddech chi'n ddweud.' Ac eto, byddai'r ffaith fod dyn yn ddigon ystyrlon ac yn meddwl digon o'r etholwyr i ateb eu llythyron yn cyfrif am rywbeth!

Bûm yn cynnal *surgeries* trwy gydol fy nghyfnod fel Aelod Seneddol, ugeiniau lawer mewn blwyddyn. Ni fyddai'n anghyffredin imi ddelio â deg ar hugain i ddeugain o bobl yr un diwrnod, yn dechrau am ddeg o'r gloch y bore ac yn parhau tan hwyr y prynhawn. Awn i'r prif drefi gan amlaf – Aberystwyth, Aberaeron, Llanbed ac Aberteifi – a byddai ysgrifenyddes yn cymryd nodiadau llaw-fer wrth imi ymdrin â'r amryw faterion. Ni fedrech fyth rag-weld beth ar wyneb daear fyddai testun yr ymholiad nesaf. Fe ddeuai rhai â phroblemau nad oedd a wnelo gwleidyddiaeth ddim â hwy, gan obeithio am ryw air o gydymdeimlad neu ddoethineb – a gwnawn y gorau y gallwn. Digon hawdd oedd camddeall ambell broblem hefyd. Mae gen i gof am ddyn o Lanbed yn dweud wrtha i, 'Mr Morgan, mae trwbwl y dŵr arna i,' ond roedd e i'w weld yn ddigon iach. Fy ymateb innau oedd, 'Wel, doctor sydd eisiau arnoch chi, nid Aelod Seneddol.' Ond ei drwbl oedd fod ganddo anferth o fil treth dŵr, a hynny am dros fil o bunnau! Roedd peipen yn un o'i gaeau wedi bod yn gollwng am fisoedd a ffrwd lydan o ddŵr wedi dianc!

Byddai pobl eraill yn holi ynglŷn â thai cyngor, neu'n cael problem yn ymwneud â phensiwn, neu wedi talu gormod am drydan neu nwy, ac yn y blaen. Yn reit aml, trafferthion o natur gyfreithiol fyddai gerbron, a minnau'n benderfynol nad oeddwn am roi cyngor uniongyrchol; fe fyddai hynny'n anghywir – ac yn beryglus. Arferwn, felly, ysgrifennu llythyr at yr unigolyn yn ei gymell i fynd at ei gyfreithiwr, gan awgrymu ei fod yn codi nifer o bwyntiau oedd i ryw raddau'n ddadansoddiad o'r broblem, ond heb awgrymu unrhyw fath o ateb penodol. Mae'n siŵr imi ysgrifennu cannoedd lawer o lythyrau felly.

Yn fy wyth mlynedd fel Aelod Seneddol, ar y cyfan cefais fy nhrin yn hynod garedig a bonheddig gan bobl Sir Aberteifi. Wrth gwrs, cariwn faner Llafur, ac edrychid arnaf fel llefarydd y blaid honno. Ond y tu hwnt i hynny, yn ystod y cyfnod rhwng un etholiad a'r llall o leiaf, roedd statws eithaf uchel i swydd Aelod Seneddol. Yn wir, ar wahân i ryw ychydig o brofiadau fymryn yn sur yn ystod yr wythnosau olaf cyn yr etholiadau, ni phrofodd Alwen na minnau ddim ond cwrteisi a lledneisrwydd Sir Aberteifi ar eu gorau.

Roedd yn newid byd i Alwen a minnau, gan fod trefniadau i'w gwneud ynglŷn â chartref yn ogystal. A ninnau wedi prynu tŷ newydd yn Wrecsam – ar sail fy nghasgliadau mai colli fyddai fy ffawd – roedd hi'n rheidrwydd arnom i werthu hwnnw a sefydlu cartref yn ôl yn Sir Aberteifi. Mi lwyddais i brynu darn o dir oddi wrth fy niweddar gefnder Geraint Morgan, Pwllglas, tir mae'r teulu wedi'i ffermio ers cenedlaethau, a hynny yn y Dole, rhyw filltir o Ben-y-garn, a chodi'r tŷ rwyf yn byw ynddo hyd heddiw. Pan oeddwn yn hogyn, coedlan o goed derw oedd yn y Dole, a'r coed hynny wedi'u plannu o fewn rhyw ddeugain llath i'w gilydd, y naill ochr i'r ffordd. Dyrnaid o dai oedd yno ond roedd yno fusnes adeiladu a gwaith saer sylweddol. Y busnes hwnnw oedd cyflogwr mwyaf yr ardal, gyda rhyw hanner cant neu drigain o bobl ar y llyfrau. Y cwmni hwnnw oedd 'Jones y Dole', a fu'n gyfrifol am godi'r rhan helaeth o'r tai yn yr ardal yn ystod y ganrif ddiwethaf. Mae gen i gof plentyn o fynd ar gefn beic yno i weithdy'r saer lawer bore Sadwrn, a John Edmund Jones, y perchennog, yn rhoi darnau o bren imi fynd adre i wneud modelau a hyn ac arall. Byddai'n pasio ei law dros ddarn o bren, ac yna'i ogleuo, a medrai ddweud wrthych yn union pa fath o bren ydoedd – ac yntau'n hollol ddall!

Yn ddiweddar cafwyd cryn sôn am Aelodau Seneddol yn elwa'n enfawr o'u swyddi. Eto, teimlaf mai lleiafrif hyd yn oed heddiw sydd yn y categori hwnnw. Mae tâl Aelod Seneddol Prydeinig yn tueddu i fod ar lefel sy'n llawer is na'r hyn a geir bron yn unrhyw senedd arall yn Ewrop. Ac yn chwedegau'r ganrif ddiwethaf roedd pethau'n llawer gwaeth. Fel cyfreithiwr gostyngodd fy enillion yn sylweddol. Roedd Baldwyn, fy mhartner yn y cwmni, mewn oedran teg ac roedd angen chwilio am bartner newydd i gymryd fy lle. Llwyddasom i wneud hynny a chael dyn ifanc, galluog i'r bartneriaeth. Ond er mwyn ei ddenu, rhaid oedd trosglwyddo iddo'r opsiwn a feddwn innau o brynu hanner siâr yn yr adeilad. Er mai swm cymharol fychan oedd yr opsiwn, roedd yr adeilad yn ail neu drydedd stryd fwyaf Wrecsam, ac roedd iddo werth nid bychan, a gynyddai'n flynyddol.

Yn fy nghyfnod i roedd cyflog Aelod Seneddol yn fach, a chostau'r treuliau'n llai na'r hyn roedd ei angen i dalu am lety yn Llundain a theithio o amgylch yr etholaeth. Er y byddai'n rhaid i mi gyflogi pobl i weithio'n rhan-amser i mi, nid oedd yna gyllid wedi'i glustnodi ar gyfer y trefniant hwnnw chwaith. Nid wyf yn awgrymu am eiliad fod dyn mewn cyflwr truenus, ac roedd fy sefyllfa economaidd yn llawer gwell na'r rhan fwyaf o'm hetholwyr, ond nid llwybr i gyfoeth mo'r Senedd yn y dyddiau hynny.

Ar y Meinciau Cefn

Does dim amheuaeth nad oeddwn yn cael amser pur brysur rhwng y gwaith yn y Senedd a gwaith etholaeth yn Sir Aberteifi. Bûm yn aelod o'r meinciau cefn am union ddwy flynedd cyn imi ddod yn weinidog yn y Swyddfa Gartref. Yn y cyfnod hwnnw ymddiddorwn mewn nifer o faterion, ond yn bennaf yn y rhai hynny oedd yn ymwneud â'r etholaeth ac â Chymru, yn ogystal â rhai materion a oedd yn gysylltiedig â'r gyfraith droseddol. Gofynnais nifer o gwestiynau, yn llafar ac yn ysgrifenedig – cynifer ohonynt nes bod y *Western Mail* (nad oedd yn un o gyfeillion mwyaf Llafur) wedi ceisio amcangyfrif beth fyddai cyfanswm y gost. Yn eu barn hwy, roedd nifer y cwestiynau a ofynnwyd yn ormodol ac yn dreth ar y pwrs cyhoeddus! Ysgrifennais innau lythyr at olygydd y papur, gan gytuno i gyfrannu swm o arian at unrhyw elusen y carai ei henwi am bob cwestiwn y gellid yn deg ddangos nad oedd yna gyfiawnhad rhesymol dros ei ofyn. Ni chefais ateb i'm llythyr!

Yn fy areithiau, ceisiwn anelu at ryw lwybr canol rhwng bod yn orflodeuog – sydd yn dangos diffyg diffuantrwydd – a bod yn or-sych ac ystadegol. Byddwn yn ymchwilio'n ofalus, gan geisio sicrhau bod pob ffaith a ddefnyddid yn gywir a dilys. Un o'r prif faterion dan sylw yn fy nyddiau cynnar yn y Tŷ oedd y Bwrdd Datblygu Gwledig. Y bwriad allweddol oedd sicrhau cyllid sylweddol i ateb problem ganolog amaethyddiaeth mewn ardaloedd tebyg i Sir Aberteifi lle roedd nifer fawr o ffermydd bychain, a chyfartaledd uchel ohonynt yn anghynaladwy yn ôl safonau amaethu cyfredol. Pwrpas y Bwrdd oedd ceisio sicrhau'r cyfle i ffermydd ffiniol, neu gyfagos, asio â'i gilydd er mwyn creu unedau cryfach cyn i'r eiddo fynd ar y farchnad. Cynigiai'r Bwrdd felly'r cyfle cyntaf i brynu tir am bris teg a'i ddefnyddio i gryfhau uned neu unedau cyffiniol. Roedd yna ddarpariaeth sylweddol o arian o du'r Llywodraeth, a doedd yna'r un Cardi da a fyddai'n gwrthwynebu hynny – na chwaith na fyddai'n ei ystyried fel ateb gwirioneddol berthnasol i gwrdd â phroblem ganolog. Ond, yn groes i'r graen ac yn erbyn fy neisebau i, fe benderfynodd y Weinyddiaeth Amaeth gynnwys pwerau gorfodol yn y ddeddf ar y mater. Cyfaddefwyd na fyddai eu hangen, ac eithrio mewn amgylchiadau hollol anghyffredin, ond roedd y rhesymeg yn ddiffygiol. Fedrwch chi ddim mynd yn erbyn barn gwlad ac ar yr un pryd greu sefydliad credadwy. Rwy'n cofio cyfieithu iddynt ystyr y wireb 'Trech gwlad nag arglwydd'. Rhoddodd Cledwyn Hughes, a oedd yn Weinidog Amaeth ar y pryd, y cyfle i mi gynnal trafodaethau â Phrif Gyfreithiwr y Weinyddiaeth. Gwrandawodd hwnnw arnaf yn foesgar ond ni fynnai newid y darpariaethau ar gyfer pwerau gorfodol; y canlyniad anochel yn y pen draw fyddai tranc y Bwrdd yng Nghymru.

O ganlyniad, bu gwrthryfel milain yn Sir Aberteifi yn erbyn y Bwrdd, a'r pleidiau eraill, yn enwedig y Blaid Ryddfrydol, yn elwa'n fawr o ganlyniad i wrthwynebiad y ffermwyr. Fe gofiaf lawer cyfarfod stormus, ac un yn arbennig yn ne'r sir, mewn ysgol wledig, a honno'n orlawn. Roedd cannoedd yn bresennol yn y cyfarfod, ac ychydig iawn oedd o blaid y Bwrdd arfaethedig. Bodolai teimlad o wir bryder ymysg y ffermwyr, a phwy all eu beio pan oedd honiadau o'r math hwn yn ymddangos yn y wasg: 'If the Rural Development Board is established, the jackboot of Nazi tyranny will crash through the door of every little farm in mid Wales.'

Cefais amser digon caled ohoni yn y cyfarfod, ond rwy'n cofio'n arbennig ddwy weithred o gefnogaeth. Un o sifalri anrhydeddus a gwroldeb mawr oedd anerchiad Cynog Dafis (Aelod Seneddol Aberteifi yn ddiweddarach) yn cefnogi'r hyn roedd y Llywodraeth am geisio'i gyflawni, a beirniadu'r propaganda a fyddai i bob pwrpas yn lladd y Bwrdd. Mor rhwydd fyddai iddo fod wedi aros yn fud.

Mae'r digwyddiad arall yn ymwneud â dyn o'r enw Hicks. Sais oedd, ac yn nodweddiadol o'r nifer a ddechreuai ffermio yn yr ardal, heb ormod o brofiad o amaethyddiaeth. Cofiaf rywun yn dweud am y dosbarth hwnnw: 'Pob lwc iddyn nhw, ond fydd eu cerrig beddi nhw ddim yn Sir Aberteifi!' Codai hwnnw fel Jac yn y bocs, ond yn sydyn reit, aeth ei ben yn glec am yn ôl! Meddyliwn am eiliad mai wedi llewygu oedd, ond yr hyn oedd wedi digwydd oedd fod Jac y Masiwn, hen ŵr o Dal-y-bont a chyfaill i'r teulu, wedi dal yng ngwddf Hicks â'i ffon, a'i dynnu yn ôl i'w gadair gan ddweud, 'Bihafia dy hunan a dangosa dipyn bach o barch i Mr Morgan.' Fe chwarddodd pawb ar hynny – hyd yn oed Hicks.

Yn hytrach na chreu'r Bwrdd ar unwaith cafwyd ymchwiliad, ac fe aeth hwnnw ymlaen yn falwodaidd tan etholiad 1970 pan ddilewyd y Bwrdd gan y Llywodraeth Dorïaidd. Rhedeg i'r tywod a wnaeth y ffynnon addawol yma, felly – ffrwd a allai wedi bod mor addawol i fywyd cefn gwlad Sir Aberteifi a chymdogaethau cyfagos. Welwn ni byth mo'r arian yna eto. Rywsut fe sefydlwyd Bwrdd cyffelyb yn yr Alban, er gwaethaf y cymal gorfodaeth, ac fe arllwyswyd cyfoeth sylweddol i mewn i'w hamaethyddiaeth. Fe gollon ni'r cyfle, ac yn fy nhyb i roedd yna fai ar y Weinyddiaeth Amaeth am ei phenderfyniad mulsaidd ynglŷn â gorfodaeth, a hefyd ar y pleidiau gwleidyddol eraill am ecsbloetio'r anghydfod – ond dyna ydyw natur gweinyddiaeth a gwleidyddiaeth.

Ymgyrch arall y bûm yn flaenllaw mewn cyswllt â hi yn y cyfnod hwn oedd brwydro yn erbyn cau ysgolion bychain. Bu nifer o ymgyrchoedd o'r natur honno yn y sir yn ystod fy nghyfnod fel Aelod Seneddol, ac mi wnes fy ngorau ym mhob un ohonynt. Fe lwyddon gyda rhai a methu gydag eraill. Roedd gen i gydymdeimlad personol â'r mater gan fod fy mam wedi bod yn brifathrawes ar ysgol fach Bont-goch (Elerch) ac ynddi ryw 50 i 60 o blant. Gallaf gydymdeimlo ag unrhyw ardal sydd yn colli ei hysgol, gan fod hynny i raddau helaeth yn rhwym o beryglu holl ddyfodol y gymuned honno; mi wn hefyd fod yna reidrwydd i geisio dyfeisio'r patrwm gorau posib i gyfarfod â realiti'r sefyllfa – er enghraifft, lle mae un athro neu athrawes i un grŵp o blant ac ystod oed o bump i un ar ddeg, dyweder. Mae nifer y plant mewn amryw o'r ysgolion yn disgyn i ddyrnaid bach, a hynny, yn aml, mewn adeilad a godwyd tua 130 o flynyddoedd yn ôl, efallai. Deil yn broblem o hyd yn y sir. Mewn ffaith, fe'm gwahoddwyd yn ddiweddar i weithredu fel cadeirydd diduedd ar gyfarfodydd cyhoeddus i drafod cynlluniau'r Cyngor Sir i gyfarfod â'r argyfwng.

Nid oeddwn am funud eisiau bod yn ymosodol tuag at y Blaid Lafur, a fu mor groesawus tuag ataf. Eto, roeddwn yn benderfynol o ddatgan yn glir yr hyn y safwn drosto, ac yn gyffredinol bu fy nghyd-Aelodau Llafur yn hynod o lariaidd ac eangfrydig tuag ataf yn y cyswllt hwn. Un peth yn arbennig a ddarganfûm am y Blaid Lafur oedd, petai gennych unrhyw gŵyn gredadwy ar unrhyw fater o gyfiawnder cymdeithasol, y caech wrandawiad amyneddgar. Ymgyrch o'r fath yn erbyn y Llywodraeth oedd honno'n ymwneud â'r rheilffordd o Gaerfyrddin i Aberystwyth, er mai fy ffrind John Morris oedd yr is-weinidog ac yn gorfod ymateb i'r ddadl! Ond ni ellid osgoi'r ddyletswydd. Roedd achos egwyddorol cryf dros ailagor y lein. Fel gwrthblaid, roedd y Blaid Lafur wedi datgan i'r perwyl yma: 'We will look at every one of the Beeching's closures in the light of the general economic and social conditions of the area, and not simply crude accountancy.'

Ond, yn achos y lein o Aberystwyth i Gaerfyrddin, nid dyna fu ei hagwedd. Roedd ffactor arbennig yn berthnasol i'r achos hwn, sef y gwaith atgyweirio enfawr oedd angen ei gyflawni. Ychydig wythnosau cyn cau'r cledrau, fe ddaeth storom fawr, ac yn ardal Trawsgoed fe gariwyd rhan o'r arglawdd i ffwrdd gan y llif. Fe fyddai'r gost o'i atgyweirio'r pryd hwnnw'n gannoedd o filoedd o bunnoedd. Felly, nid gofyn am gadw lein yn agored roeddwn i, ond gofyn am ailagor ac atgyweirio rheilffordd a gawsai ei dinistrio. Boed hynny fel y bo, fy mhwynt i oedd na ddylai plaid, ar ôl ennill awdurdod, fyth gefnu ar egwyddor roedd eisoes wedi'i datgan, ac y dylid edrych ar arwyddocâd cymdeithasol ac economaidd y lein yn gyffredinol. Yn ogystal, swm cymharol fychan fyddai'r gost o gadw rheilffyrdd Cymru ar y pryd, o'i chymharu â'r gost anferthol o gyfarfod â sgil effeithiau eu cau. Rwy'n siŵr y byddem wedi elwa'n aruthrol wrth eu cadw ar agor, ond nid felly y bu.

Diffyg cyflogaeth ac amrywiaeth o gyflogaeth oedd un o amryw drafferthion Ceredigion fel sir. Fel yr honnais ar lawer achlysur, 'The problem is not unemployment but the fundamental lack of employment.'

Dyma oedd fy nhiwn gron, byth a beunydd. Ac eithrio'r ddau goleg, sef Aberystwyth a Llanbed, y Royal Aircraft Establishment yn Aber-porth a chyrff llywodraeth leol, ychydig iawn o gyfleoedd am swyddi oedd ar gyfer pobl ifanc. Rhyw fath o economi'n seiliedig ar yr egwyddor o gymryd golch ein gilydd i mewn ydoedd, ag ychydig iawn yn cael ei gynhyrchu yno a'i werthu'r tu allan. Yn y cyswllt hwnnw, nid oeddwn yn arddel polisïau anghyfarwydd o safbwynt y Blaid Lafur. Roeddwn o'r farn (ac rwyf o'r union farn heddiw) ei bod yn gwbl angenrheidiol cynllunio'n egnïol ar raddfa genedlaethol Gymreig, a hynny ar sail cyllid digonol. Nid yw *laissez-faire* yn debyg o ateb unrhyw rai o broblemau Sir Aberteifi, na Chymru yn hynny o beth.

Ac eto, nid wyf yn un i gefnogi cynllunio pellgyrhaeddol o natur Stalinaidd a gormesol. Yn y tridegau diweddar roedd digon o economegwyr yn dweud, 'It must be planning on a massive scale', a'r hyn oedd ganddynt mewn golwg oedd syniadau megis symud hanner poblogaeth y Rhondda i lawr i Fro Gŵyr – gweithredoedd hollol annynol y byddai hyd yn oed y Comintern wedi meddwl ddwywaith amdanynt. Ceir disgrifiad yn darlunio mor hesb oedd y cynllunio ar yr un llaw ac mor Stalinaidd ar y llaw arall yn llyfr gwych yr Arglwydd Ted Rowlands, *Something Must be Done*. Yn fy marn i, mae'n bosib cael cynllunio llawer iawn mwy gwâr, lle medrwch wneud pob math o bethau llesol i helpu cymdeithas heb gymryd camau eithafol. Cafwyd esiamplau o hyn yn dilyn yr Ail Ryfel Byd, yn y cysyniad o greu trefi newydd, y cynlluniau datblygu rhanbarthol, stadau marchnata'n magu cymuned o sgiliau amrywiol, ac arian cyhoeddus yn cael ei sianelu i'r mannau mwyaf anghenus. I'm meddwl i, mae yna ddau wyneb i gynllunio: un sydd yn gydnaws ag anian bro a'r llall sy'n hyll ac yn ormesol.

Nid pigo beiau a chreu trafferth oedd fy mhwrpas fel Aelod Seneddol. Dichon mai gobaith pob Aelod yw tywys rhyw ddeddf neu'i gilydd drwy'r Senedd fel mesur preifat, hynny yw, mesur Aelod unigol yn hytrach na mesur y Llywodraeth. Ceisiais wneud hynny ond dim ond yn rhannol y cafwyd unrhyw lwyddiant. Cynigiais fesur i greu Bwrdd Dŵr i Gymru ar 6 Rhagfyr 1966 (cyfeiriaf ato yn ddiweddarach). Mater arall, y methais ei ddwyn i lyfr statud, ar y cyfle cyntaf o leiaf, oedd mesur i ddiogelu sefyllfa teulu amaethyddol pan fyddai'r tenant gwreiddiol yn marw. Roedd hwn yn fater y gwyddwn yn dda amdano o'm profiad fel cyfreithiwr dros y blynyddoedd, ac roeddwn wedi sôn amdano eisoes yn fy araith forwynol. Er bod Deddf Daliadau Amaethyddol 1948 wedi sicrhau mesur helaeth o ddiogelwch i denant amaethyddol, nid oedd hynny'n bodoli pe byddai'r tenant gwreiddiol yn marw, ac os dymunai'r meistr tir feddiannu'r fferm byddai'n rhaid i'r teulu adael y lle er, efallai, i'w hynafiaid ei ffermio am genedlaethau lawer. Effaith y mesur a gynigiwyd oedd rhoi'r hawl i'r Tribiwnlys Amaethyddol roi tenantiaeth newydd i fab, neu ferch, neu weddw, neu ŵyr, neu wyres a oedd wedi cymryd rhan resymol yn cydweithio ar y fferm gyda'r tenant a fu farw.

Cyn y ddadl yn y Tŷ, rwy'n cofio imi ddigwydd rhannu cerbyd trên gyda Syr David Hughes Parry, un o'r cyfreithwyr mwyaf galluog ym Mhrydain yng nghyswllt tir a daear – bu'n olygydd *Benjamin and Cherry's Conveyancing Statues* am flynyddoedd. Bu wastad yn garedig iawn tuag ata i, gan holi pa bethau roeddwn yn gweithio arnynt. Y diwrnod hwnnw fe soniais am y mesur a chynnig copi iddo, gan ofyn iddo awgrymu gwelliannau. Dywedodd fod popeth yn ei le, hyd y gwelai, ond ei wrthod gafodd y mesur. Eto, mae ambell bysgodyn yn dod yn ôl at ei bluen yn ddisymwth, a dyma a ddigwyddodd yn yr achos hwn. Flynyddoedd ar ôl hynny, a minnau erbyn hyn wedi gadael y Tŷ, fe ymgorfforwyd y mater hwn fel rhan o fesur seneddol gan Lywodraeth Lafur yn 1976. Roedd John Morris erbyn hynny'n aelod o'r Cabinet, ac fe dalodd deyrnged hael i mi yn y Tŷ a diolch am gael 'benthyg' y cymal o'r mesur gwreiddiol. Ond ymhen amser fe ddaeth y Toriaid i rym, ac ar ôl i'r cymal fod yn gyfraith gwlad am ddegawd fe'i diddymwyd.

Ymddiddorwn hefyd mewn ambell gwestiwn yn ymwneud â gwleidyddiaeth ryngwladol. Roeddwn yn amheus ynglŷn â'r Farchnad Gyffredin pan ffurfiwyd hi, ac rwy'n parhau i fod yn weddol amheugar ynglŷn â'r Undeb Ewropeaidd hyd heddiw. Nid fel 'Little Englander' y'i gwrthwynebwn. Byddwn cyn falched â neb arall o weld y meddylfryd cul yna'n diflannu. Teimlo roeddwn yn gyntaf mai 'Clwb y Goludogion' oedd y Farchnad Gyffredin. Yn ogystal credwn fod yna anfanteision daearyddol i ni yng Nghymru yng nghyswllt y Farchnad gan ein bod ar ei ffin allanol, a pho agosaf y saif gwlad at galon a chnewyllyn Ewrop, y mwyaf llwyddiannus a fydd. Petai Cymru'n wladwriaeth, yna mae'n debyg y gallai fod wedi taro bargen lawer gwell na'r hyn a gawsai fel rhanbarth o wladwriaeth arall. Teimlwn hefyd atgasedd tuag at y Polisi Amaethyddol Cyffredin (CAP), oedd, i'm meddwl i, yn un o'r gweithredoedd cynulliadol mwyaf gwastraffus a hunanol yn hanes gwleidyddiaeth Ewrop – ac yn ddim byd llai nag ildio i flacmel ffermwyr dylanwadol Ffrainc a'r Eidal.

I raddau, mae'r polisi hwn wedi gwireddu rhai o'm pryderon am yr Undeb Ewropeaidd, sef ein bod yn ildio i gyfundrefn fiwrocrataidd a fyddai ryw ddydd yn ein llethu, ac y byddem ar ein colled yn ei sgil. Teimlwn ei fod yn fygythiad i ryddid gwlad oedd am gynllunio'n rhesymol dros fudd ei phobl â'r ystwythder oedd ei angen. Nid gormes gwleidyddol yw Ewrop yn gymaint â gormes biwrocrataidd, ac mae cymaint o dunelli o bapur yn dod allan o Frwsel bob blwyddyn fel ei bod hi'n amhosib i unrhyw un fynd i'r afael ag ef yn llwyr. Mae gen i gof am Peter Shore (a fu'n Ysgrifennydd Gwladol ar Faterion Economaidd ac yna'n Ysgrifennydd Gwladol dros Fasnach) yn dod i Dŷ'r Cyffredin â sach yn pwyso dau bwys ar bymtheg, ac ynddi bob mesur a basiwyd y flwyddyn honno gan gyfundrefnau Ewrop!

Mae beirniaid llawer mwy deallus na mi wedi dadlau petai'r Deyrnas Unedig wedi aros o fewn Ardal Masnach Rydd Ewrop (European Free Trade Association neu ETFA), sef y gwledydd hynny oedd yn masnachu'n rhydd â'i gilydd y tu allan i'r Farchnad Gyffredin, yn hytrach nag ymuno â hi, y byddai gennym heddiw warged ar ein masnach, yn hytrach na'r diffyg anferthol yn y fantol daliadau sydd rhyngom a'n partneriaid yn yr Undeb Ewropeaidd.

Codais gwestiynau hefyd ynglŷn â chefnogi ymyrryd yn Fietnam. Sylweddolwn mai brwydr fawr am reolaeth y Dwyrain Pell oedd y rhyfel, ond gwyddwn hefyd mai dim ond un ochr a allai ennill. Roedd buddugoliaeth y Comiwnyddion dros Ymerodraeth Ffrainc yn Indo-China yn arwydd o'r hyn oedd yn anochel o ddigwydd pan ymyrrai pŵer gorllewinol â mudiad cenedlaethol Asiaidd. Nid oedd gan Dde Fietnam lygredig y gobaith lleiaf o wrthsefyll nerthoedd y gogledd, a oedd am uno'r wlad, ac ni allai holl waed na thrysor yr Americanwyr eu hatal yn y tymor hir. Roedd Harold Wilson o dan bwysau mawr i roi cymorth i'r Americanwyr, hyd yn oed pe na bai'n ddim mwy na chymorth symbolaidd. Gofynnodd Lyndon B. Johnson iddo, 'Give us just one battalion of the Black Watch, that would be enough.'

Ond, yn fy marn i, byddai cynnig cefnogaeth i'r Americanwyr – serch y byddai'n dangos Prydain fel actor o bwys mewn cyd-destun rhyngwladol – yn weithred drychinebus o annoeth ac, er clod iddo, fe wrthododd Harold Wilson wneud hyn.

Achos rhyngwladol arall imi ymddiddori ynddo'n fawr oedd tynged Rhodesia (Zimbabwe bellach), lle roedd llywodraeth y wlad wedi datgan ei hannibyniaeth. Yn fy marn i roedd yn enghraifft o wrthdrawiad clasurol, 'dramatig', oedd hefyd yn sefyllfa nodweddiadol drefedigaethol, a allai greu patrwm o'r hyn a ddigwyddai dros y degawdau nesaf yn yr Affrig. Fel cenedlaetholwr, roeddwn yn reddfol o blaid unrhyw wlad fach a godai yn erbyn ei meistr ymerodrol. Er hynny, nid oedd trwch poblogaeth y wlad wedi codi yn erbyn yr awdurdod sofran Prydeinig, ond yn hytrach dim ond y lleiafrif bychan gwyn a fynnai ormesu'r mwyafrif du o 95% o drigolion y wlad. Rhyfel yn erbyn pobl dduon y wlad oedd cythrwfl Rhodesia yn hytrach na rhyfel yn erbyn awdurdod ymerodrol Prydain. Yn fwy na hynny, nid Ian Smith oedd yn arwain y gwrthryfel mewn gwirionedd, ond Ffasgiaid fel Du Pont a deithiai o gwmpas yn limosin y Frenhines, gan hawlio mai fe oedd pennaeth y wladwriaeth. I raddau helaeth roedd Smith yn garcharor i'r cabál oedd yn benderfynol o gipio Rhodesia i'w dwylo gwynion, barus, eu hunain.

Roedd y sefyllfa'n un anodd a chymhleth. Fe roddwyd Rhodesia dan warchae, ond roedd trafnidiaeth sylweddol i mewn ac allan o'r wlad yn digwydd dros ffin Rhodesia a De'r Affrig, sef ar draws afon Limpopo. Cofiaf drafodaethau helaeth yng nghyfarfodydd wythnosol y Blaid Lafur Seneddol, ac awgrymiadau lu ynglŷn â'r camau priodol i'w cymryd – rhai'n fwy ymarferol nag eraill. Gofynnodd un o asgell chwith y blaid, 'Why don't we send the fleet there?' 'There', wrth gwrs, oedd Nairobi, a dyma Wilson yn ymateb mewn chwinciad,

'Because we have a fundamental shortage of four-wheeled frigates!'

Ymhlith yr awgrymiadau eraill llai cyfrifol roedd y cynnig i anfon y fyddin i mewn â Dug Caeredin ar flaen y gad! Y tu allan i'r Blaid Lafur roedd arweinydd y Rhyddfrydwyr, Jeremy Thorpe ('Bomber Thorpe'), yn argymell dinistrio'r llinellau pŵer, ynfydrwydd a fyddai wedi creu mwy o ddioddefaint i'r bobl frodorol na dim arall.

Yn bersonol, teimlwn yn siomedig ag ymddygiad Wilson, a nodweddai i mi rai o'i ffaeleddau mwyaf fel gwleidydd. Treuliai ormod o amser yn ystyried pa argraff fyddai'n ei chreu ar y *News at Six*, ac roedd y trefniant i gyfarfod â Smith i gynnal trafodaethau ar ddwy long ryfel yn eu tro oedd yn hwylio Môr y Canoldir, y *Tiger* a'r *Flawless*, yn enghraifft o'r meddylfryd yma ar ei waethaf. Chwarae i'r galeri oedd y cyfan, a doedd dim siawns yn y byd y byddai'r ymarferion hyn yn dod i unrhyw gasgliadau llesol. Codais gwestiwn yn uniongyrchol gyda Wilson yn un o gyfarfodydd y Blaid Lafur, ychydig cyn iddo ymadael ar un o'r mordeithiau hyn:

'Do you not think it would be a good idea, before you depart, to have a consultation with Dr Joshua Nkomo and Chief Sithole?'

Nkomo a Sithole oedd arweinyddion y bobl frodorol, ac roeddent yn cynrychioli 95% o ddinasyddion Rhodesia. Derbyniad digon llugoer a gafodd y cwestiwn! Ond roedd y pwynt yn un dilys: roedd yr hyn a feddyliai ac y dywedai'r ddeuddyn yna'n cyfrif ganwaith mwy yn y tymor hir nag ystumiau'r dynion gwynion. Fe geisiais fynd i'r afael â Wilson unwaith eto yn y Tŷ, wedi iddo ddychwelyd â rhyw fath o sicrwydd y byddai rheolaeth fwyafrifol yn Rhodesia o fewn hyn a hyn o flynyddoedd. Gofynnais iddo yn ystod ei awr holi,

'Does the Prime Minister not agree that this House deluded itself in 1909 on the British South Africa Act into believing that the colour bar would be removed?'

'No, I wasn't about then,' meddai, gan geisio osgoi'r cwestiwn trwy ddefnyddio'i ffraethineb.

'Neither was I,' dywedais innau, 'but please answer the question.' Ac er nad oedd gwir hawl gennyf fynnu ateb arall, fe'm cefnogwyd yn gryf gan ran helaeth o'r Tŷ, ac fe smaliodd Wilson ryw ateb neu'i gilydd pan ofynnwyd iddo ymhelaethu eto.

* * *

Lawer gwaith yn ystod fy mlwyddyn neu ddwy gyntaf fel Aelod Seneddol eisteddwn i feddwl mor enfawr oedd y newidiadau a ddaethai i'm rhan, a hynny o fewn cyfnod mor fyr. Ond eto, wrth edrych yn ôl, ni cheisiais fod yn wahanol i'r hyn a fûm erioed, ac a ymlynwn wrtho er pan oeddwn yn fachgen.

Eraill a gaiff farnu, ond gobeithiaf i mi ym mhob dim a wneuthum fel Aelod Seneddol – ac ar ôl hynny – fod yn gyson yn fy nheyrngarwch i'm bro, i'm sir, i'm gwlad a'm cenedl, yn ogystal â'r delfrydau eraill y magwyd fi ynddynt. Nid profiad o fagu cyfres newydd o ddelfrydau, felly, oedd mynediad i Dŷ'r Cyffredin ond her i geisio cyfieithu i amgylchedd seneddol wirioneddau'r graig y naddwyd fi ohoni.

Arddel yr Achos

Lai na phedwar mis ar ôl i mi ddod yn Aelod Seneddol fe enillodd Gwynfor fuddugoliaeth ddramatig yn isetholiad Caerfyrddin, lle y gwyrdrowyd mwyafrif Llafur y Fonesig Megan Lloyd George o dros naw mil o bleidleisiau i fuddugoliaeth o dros ddwy fil i Blaid Cymru. Dyna Blaid Cymru, felly, ar ôl 41 o flynyddoedd yn dod yn blaid seneddol. Er bod gobeithion wedi cronni cyn hynny ynglŷn â'r posibilrwydd, ni wireddwyd y dyhead hwnnw naill ai yn isetholiad y brifysgol yn 1943 na chwaith yn yr etholiad cyffredinol ym Meirion yn 1955.

Yn amlwg, fe dreiddiodd y sioc seismig hon nid yn unig drwy fywyd Cymru ond hefyd drwy amgylchedd gwleidyddol Prydain yn gyffredinol. O edrych yn ôl ar yr achlysur, roedd yn wyrthiol, bron, sut y bu i bethau gyd-ddigwydd yn y ffordd y gwnaethant. Nid sôn am ragordeiniad Methodistaidd yr wyf, ond am ddau ddigwyddiad blaenorol a wnaeth hyn yn bosib. Pe bai'r naill neu'r llall wedi troi allan yn wahanol, ni fyddai isetholiad yn Sir Gâr yn 1966.

Y cyntaf oedd i Megan Lloyd George gael ei tharo'n ddifrifol wael, a hynny beth amser cyn Etholiad Cyffredinol 1966. Mewn gwirionedd, roedd ar ei gwely angau adeg yr etholiad, ond gyda'r gwroldeb di-ildio oedd yn nodweddiadol ohoni, mynnodd barhau'n ymgeisydd. Ni wyddai swyddogion lleol y Blaid Lafur ddim am hyn, na chwaith Gwilym Prys Dafis, a ymladdodd yr etholiad ar ei rhan fel cynrychiolydd personol. Pe na bai Megan wedi sefyll, byddai Gwilym Prys wedi dod yn ymgeisydd ac wedi ennill â rhan helaeth o'r mwyafrif a gafodd Megan.

Roedd yr ail ddigwyddiad yn rhywbeth oedd wedi digwydd ddeng mlynedd ynghynt gyda marwolaeth Aelod Seneddol

Caerfyrddin ar y pryd, Syr Rhys Hopkin Morris. Roedd y stori hon hefyd yn troi o amgylch Megan Lloyd George. Pan aed ati i ddewis ymgeisydd Llafur enillodd Megan drwy un bleidlais o fwyafrif o blith y 91 oedd yn pleidleisio. Pe bai'r un bleidlais honno wedi'i bwrw dros yr ymgeisydd arall, yna hwnnw, ac nid Megan, fyddai'r Aelod Seneddol. Yr ymgeisydd ifanc hwnnw oedd John Morris. Mae pob lle i gredu, mewn awyrgylch ôl-Suez ac yntau hefyd ar y pryd yn is-ysgrifennydd poblogaidd Undeb Amaethwyr Cymru, y byddai John wedi ennill, er efallai â mwyafrif ychydig yn llai na mwyafrif Megan, ac wedi bod yn Aelod Seneddol am flynyddoedd lawer. Felly, fe fu ffawd ddwywaith o fewn trwch adain gwybedyn o rwystro buddugoliaeth Gwynfor yng Nghaerfyrddin. Nid yw hyn, wrth gwrs, yn tynnu gronyn oddi wrth ei orchest hanesyddol, ond mae'n dangos sut mae digwyddiadau ffiniol weithiau'n medru newid cwrs hanes yn gyfan gwbl.

Wrth gwrs, roedd yr hyn a ddigwyddodd yn gwbl groes i bopeth roeddwn wedi'i dybio yn y misoedd a'r blynyddoedd cyn hynny. Fy nghred ar y pryd oedd y byddai Plaid Cymru yn cyrraedd rhyw fath o 'uchafswm parchus' o bleidleisiau, ac yn ei chael hi'n anodd tu hwnt i dorri drwy hwnnw: pedair mil, efallai, ym Meirion; ychydig mwy yn rhai o gymoedd y de, ond heb fod yn agos mewn gwirionedd at dorri i lawr y nenfwd yna oedd wedi bod mor gaeedig i genedlaetholdeb seneddol Cymru o 1925 ymlaen. Ond, nid am y tro cyntaf, fe aeth hanes rhagddi i'm profi'n anghywir – a hynny ag oblygiadau pellgyrhaeddol.

Yr Aelod dros Gymru

Fe'm llanwyd â theimladau cymysg y diwrnod hwnnw ar 21 Gorffennaf 1966 pan ddaeth Gwynfor i'r Tŷ. O'r cychwyn cyntaf heriodd y gyfundrefn gyfan, ac yng ngwaelod fy nghalon cydymdeimlwn ag ef. Gofynnodd ar unwaith am gael cymryd y llw yn y Gymraeg, ond gwrthwynebwyd hynny gan y Llefarydd, Dr Horacc King. Bu trafodaeth ar bwyntiau o drefn, a nifer helaeth o Aelodau yn cymryd rhan ynddi, gan ddadlau nad oedd rheidrwydd i gyfyngu cymryd y llw i'r iaith Saesneg. Mi wneuthum innau'r pwynt amlwg fod Gwynfor wedi cymryd y llw yn Saesneg yn y lle cyntaf, felly roedd yn Aelod Seneddol cyflawn, ac mai'r unig beth roeddem yn gofyn amdano oedd am gwrteisi'r Tŷ i ganiatáu cyfieithiad o'r llw i'r iaith oedd yn iaith gyntaf iddo, fel ag i eraill ohonom – gan awgrymu na fyddai ychydig bach o'r sifalri hwnnw'n amhriodol i 'fam y seneddau'. Ond ofer fu'r ymdrechion; roedd Horace King yn graig o styfnigrwydd.

Er gwaethaf fy edmygedd ohono, gwelwn hefyd yr hen wendid yn agwedd Gwynfor tuag at y Llywodraeth Lafur. Ymlynai wrth yr arwyddair: 'The Labour Party is morally bankrupt.' Cofiaf feddwl am Cato, yr hen greadur clasurol hwnnw yn Senedd Rhufain oedd am ddiddymu Carthage ac a orffennai bob araith â'r geiriau *'Carthago delenda est'*. Yn achos Gwynfor, *'Labor delenda est'* oedd hi! Wrth gwrs, roedd hon wedi bod yn gri boblogaidd yn Sir Gâr ym merw isetholiad Mehefin 1966, ond roedd fel petai dinistrio Llafur yn nod ynddi ei hunan iddo. Ond a fyddai'r dacteg, yn y tymor hir, o werth i Gymru – roedd hynny'n fater arall.

Does yna ddim amheuaeth am ddiffuantrwydd Gwynfor. Teimlai fod popeth, bron, roedd Llafur yn ei wneud yn anghywir. Credai fod Llafur yn wirioneddol ddrwg; dyna oedd ei thema, ac yn aml iawn fe'i disgrifiai fel plaid oedd yn *'morally corrupt'*. Rwy'n cofio tynnu'i goes ynglŷn â'i agwedd 'Catonaidd' tuag at Lafur. Chwerthin a wnaeth am hynny, ond credaf nad oedd y gymhariaeth yna'n bell o'r gwirionedd. Gofynnais iddo lawer gwaith, cyn ei ethol yn Aelod Seneddol Sir Gâr, ac wedi hynny:

'Dy'ch chi ddim yn credu bod y Blaid Lafur wedi cyfrannu llawer i fywyd gwleidyddol Prydain o 1900 ymlaen?' Nac oedd – *'dim o gwbl'*. Doedd dim roedd Llafur wedi'i wneud yn gymeradwy.

Heb geisio'i ddilorni, perthynai i Gwynfor ryw elfen o

snobyddiaeth gymdeithasol a chrefyddol yn erbyn Llafur. Ystyriai fod Llafur yn blaid ddi-Dduw ac yn fudiad o bobl na fyddai am eu cymeradwyo. Ni chredaf fod Gwynfor erioed wedi deall teithi meddwl y llafurwr Cymreig nac wedi uniaethu ei hun ag ef – dim mwy nag y gwnaeth Saunders Lewis. Ond beth am draddodiad cyfoethog y capeli yn y Cymoedd – ai anffyddiaeth oedd sosialaeth y rhain? Cofiaf iddo ddweud wrthyf yn ei apêl derfynol cyn i mi adael y Blaid: 'Os ymunwch â Llafur, byddwch yn perthyn i'r un parti â *Bessie Braddock*.' Ac nid meddwl roedd Gwynfor am Bessie Braddock fel y fenyw oedd wedi chwarae rhan ym moddi Tryweryn, ond fel hen fenyw ddiurddas oedd iddo ef yn cynrychioli popeth na ddylai gwleidyddiaeth fod. Cysyniad rhyddfrydwr breintiedig oedd cysyniad Gwynfor o wleidyddiaeth, ac un oedd wedi cael ei ynysu rhag amgylchiadau hagr y werin.

Er gwaethaf yr hyn a ystyriwn fel ei ffaeleddau, ni phylodd fy mharch aruthrol tuag ato fel un o'r cymeriadau mwyaf hyfryd a hynaws a fagodd bywyd cyhoeddus yng Nghymru erioed. Pan ddaeth i'r Tŷ, felly, doeddwn i ddim am esgus bod yn unrhyw beth ond cyfaill iddo. Ni fu erioed air croes rhwng y ddau ohonom; yn wir, buom yn gyfeillion agos, ar lefel bersonol, trwy gydol yr adeg. Petaem yn digwydd taro ar ein gilydd yn y Tŷ, byddem yn mynd am baned o de a sgwrs pan fyddai hynny'n bosib. Er ein gwahaniaethau pleidiol a'r loes, rwy'n siŵr, imi beri iddo oherwydd imi adael y Blaid mewn cyfnod anodd, ac er inni fod yn wrthwynebwyr, ni fuom erioed yn elynion.

Ni dderbyniwyd Gwynfor yn rhadlon gan bawb yn Nhŷ'r Cyffredin ac roedd un neu ddau o Aelodau Seneddol y Blaid Lafur yn ystyried ein cyfeillgarwch yn berthynas beryglus. Fwy nag unwaith, yn ei ysgrifau ac mewn cyfweliadau, cyfeiriodd at yr anfoesgarwch a ddioddefodd ar law llawer o Aelodau'r Tŷ, ac yn arbennig Aelodau Llafur. Er enghraifft, roedd ganddo hanes am Goronwy Roberts yn ei basio yn un o goridorau'r Tŷ a throi ei ben i ffwrdd oddi wrtho. Eto, bu eraill yn ddigon cyfeillgar tuag ato – rhai ohonynt yn arbennig felly. Rwy'n cofio iddo ddweud wrtha i fwy nag unwaith, 'Rwy'n ffeindio bod y Torïaid yn hynod o ffeind.' Dywedais hyn wrth Jim Griffiths un diwrnod, a'i ymateb oedd: 'Elystan bach, maen nhw'n trio cael Gwynfor i wneud y gwaith budr maen nhw wedi methu ei wneud o gwbl yng Nghymru, sef dinistrio'r Blaid Lafur.' Teimlaf fod Jim yn agos i'w le, ac y gwelai'r Torïaid ethol Gwynfor fel cyfle euraid. Iddynt hwy, roedd goruchafiaeth fonolithig Llafur yng Nghymru, a oedd wedi bodoli ers degawdau lawer, yn sydyn wedi ymddangos yn llai sicr, ac ystyrid Gwynfor fel y catalydd a allai ddymchwel cadarn gaerau Llafur yn ne Cymru. Gan fod Gwynfor nid yn unig yn llais mawr, cadarn a chryf dros Gymru ond hefyd yn llais croch a gelyniaethus i Lafur, nid dyma'r adeg hawsaf ar wyneb daear i sefyll yn y Blaid Lafur dros y syniad o senedd i Gymru, a daliadau cenedlaetholgar eraill a berthynai i'r ddau ohonom. Serch hynny, credaf imi fod yn driw i'm credoau, ac ni cheisiais dwyllo neb, naill ai yn San Steffan nag yn unrhyw le arall, beth oedd fy safbwynt.

Er nad oedd ei ddyfodiad yn helpu dim ar fy sefyllfa bersonol i yn y misoedd cyntaf, nid oedd ei bresenoldeb yn anghyfleus o safbwynt rhai o'm prif amcanion innau – yn y tymor hir. Cafodd Gwynfor – ac ethol Winnie Ewing yn yr Alban rai misoedd ar ôl hynny – yr effaith anochel o ddwyn sylw arbennig at y ddwy wlad ym mywyd Tŷ'r Cyffredin. Codwyd y tymheredd yn uwch fyth gyda pherfformiad llwyddiannus Plaid Cymru yn isetholiadau Gorllewin y Rhondda yn 1967 a Chaerffili yn 1968. Teimlwn yn gryf fod yn rhaid ymdrechu i greu ymateb positif yn y Blaid Lafur i fanteisio ar y ffenomen hon, a cheisio ennill tir i Gymru yn y maes cyfansoddiadol.

Mewn un ystyr, roedd y dasg o bregethu hyn yn y Blaid Lafur yn anos nag ydoedd cyn isetholiad Caerfyrddin. Agwedd rhai o'm cyd-Aelodau Seneddol Llafur oedd na ddylid ar unrhyw gyfrif ganiatáu'r un consesiwn i genedlaetholdeb

Cymreig. Ar y llaw arall, ymateb eraill o'n plith oedd ei bod yn gwbl gyson â phopeth y safai'r Blaid Lafur drosto i geisio beunydd sicrhau mwy a mwy o awdurdod i Gymru dros ei bywyd ei hun. Wedi'r cyfan, fe sylweddolodd nifer o'm cyd-Aelodau Llafur mai proses o ddatganoli oedd dyfodol anochel y Swyddfa Gymreig a grëwyd gan Lafur yn 1964, a byddai sefydlu'r Comisiwn Brenhinol yn y pen draw yn adlewyrchu goruchafiaeth yr asgell flaengar honno o'r Blaid Lafur Gymreig.

Ymgyrchu 'o'r Tu Mewn'

Gwyddwn ym mêr fy esgyrn mai byr fyddai fy hoedl fel Aelod Seneddol Llafur Sir Aberteifi ac y byddwn yn lwcus pe'm hetholid am ail dymor. Roeddwn yn benderfynol, felly, o wneud y gorau y gallwn dros achos Cymru yn fy amser cyfyngedig yn San Steffan. Fe ofynnais gannoedd o gwestiynau llafar ac ysgrifenedig yn Nhŷ'r Cyffredin, y mwyafrif i'r pwrpas hwnnw. Nid creu embaras i'r Llywodraeth oedd fy mwriad, ond ceisio dadlennu'r gwirionedd a dangos bod gan Gymru yn aml iawn, ac yn arbennig ganolbarth Cymru, hawl i fwy o gymorth nag a dderbyniai. Droeon eraill, pan oedd tystiolaeth o blaid hynny, dadleuwn fod yr hyn roedd y Llywodraeth yn ei wneud yn gredadwy ac yn werthfawr.

Er mai arddel safbwynt cenedlaetholgar Cymreig a wnawn yn aml, ystyriwn fy hunan yn gyntaf oll yn llais dros Sir Aberteifi, ac yn ail dros Gymru. Ni welwn unrhyw beth o'i le yn hynny. Edrychaf ar deyrngarwch – gwleidyddol neu arall – fel patrwm o gylchoedd consentrig yn symud allan o'r canol. Credaf mai dyletswydd uchaf dyn yn y byd materol yw'r ddyletswydd tuag at ei deulu, yna at ei fro, wedyn at ei sir, ac yna at ei genedl. Mae yna le wedyn i deyrngarwch at Brydain, at Ewrop ac, wrth gwrs, at ddynol ryw. Mae'n anochel y ceir gwrthdaro rhwng dau gylch o dro i dro, ond credaf y dylai'r teyrngarwch sylfaenol fod at y cylch mwyaf mewnol o'r ddau, a phetai'n achos o sir yn erbyn bro, y fro fyddwn i'n ei chefnogi, a phetai fy mro yn erbyn fy nheulu, dros y teulu y byddwn i. Ond nid yw'r ffaith fod rhywun o blaid un cylch yn golygu o reidrwydd fod rhaid cymryd yn erbyn un o'r lleill. Ysgrifennir llawer yn Gymraeg gan gymryd yn ganiataol os yw person o blaid un cylch ei fod o reidrwydd yn casáu'r llall. Er nad wyf yn athronydd, amheuaf ddilysrwydd y fath osodiad o'i ddehongli'n orhaearnaidd.

Credaf i'r ffaith i mi fod yn ddiffuant ynglŷn â'm daliadau a'm dyheadau ennill parch fy nghyd-Aelodau Llafur yn raddol. Eto, yn fynych fe olygai fy mod yn cytuno â Gwynfor yn y Tŷ, ac fel y dywedais eisoes, roedd unrhyw gytuno ag ef yn rhywbeth pur gableddus i'w wneud yng ngŵydd ambell un o'm cyfeillion yn y Blaid Lafur ar y pryd. Ond eto, mi ges fy nhrin yn hynod dda ar y cyfan.

Yn ystod fy nghyfnod yn y Tŷ, corff braidd yn ddifywyd oedd y Blaid Lafur Gymreig ar adegau. Teimlwn nad oedd rhai o'm cyd-Aelodau Llafur o dde Cymru am weld y dyfroedd gwleidyddol yn cael eu cyffroi. Er i nifer ohonynt frwydro'n wych, ac yn wir yn ddewr ac yn egnïol dros iawnderau eu cyd-ddyn, erbyn canol y chwedegau roedd eu gwaed wedi oeri. Eto, nid oedd hyn yn wir am bob un o'r to hŷn, ac roedd digon o frwdfrydedd ymysg y to iau.

Ambell dro byddwn wedi traddodi araith ar derfyn wythnos, a rhyw bwt yn ymddangos yn y *Western Mail* yn ei sgil. Cawn gŵyn wedyn gan un ohonynt,

'You're making life difficult for us, Elystan,' a minnau'n ateb,

'That's my whole purpose!'

Byddai'r ateb yna'n aml yn ennyn chwerthiniad – ond roedd yn wirionedd pur.

Trwy ymuno â'r Blaid Lafur ac ymwneud â rhai o'r cymeriadau hyn o'r de, fe'm hatgoffwyd pa mor rhwydd rydym ni'r Cymry'n ymrannu ar faterion o bob math, er i mi fod yn ymwybodol o hyn erioed. Fe'm synnwyd, er enghraifft, gyn lleied o gydymdeimlad oedd gan rai Aelodau Llafur y de â phroblemau siroedd gwledig fel Aberteifi a Meirionnydd. Roedd hyd yn oed defaid dof yn ysgymunbethau iddynt – gan eu bod yn crwydro i mewn i erddi a lawntiau cymoedd y de ac yn creu niwsans i bawb!

Bu bron i'm cyfaill agos Alec Jones, Aelod Seneddol y Rhondda o 1970 ymlaen, golli ei fywyd ar gyfrif dafad. Yng nghanol oriau mân y bore un mis bach, a hithau'n rhewi ac yn bwrw eira, clywodd sŵn y creadur yn crensian yn ei ardd ffrynt. Dyma fe'n gwisgo'i ŵn nos a rhedeg i lawr i'r ardd. Ni chlywodd ei wraig smic ohono am ugain munud ac felly aeth allan ar ei ôl. Dyna lle roedd Alec, yn anymwybodol ar waelod yr ardd. Roedd wedi syrthio i lawr y llethr ac wedi cwympo ar bigau miniog reilins ffin y tŷ, ac un o'r rheini wedi mynd drwy ei arddwrn. Fe gollodd beintiau o waed ac roedd yn dioddef o'r oerfel; yn ffodus, cyrhaeddodd yr ambiwlans mewn pryd. Roedd yna reswm, felly, dros deimladau Alec, ond roedd y lleill fel petaent yn ystyried defaid fel creaduriaid estron o'r gogledd, nad oedd dim busnes ganddynt i fod yn y de!

Nid oedd mwyafrif fy nghyd-Aelodau Llafur o Gymru o blaid unrhyw ffurf ar gorff etholedig cenedlaethol i Gymru ac iddo unrhyw wir awdurdod. Mae gennyf gof o weld arwydd o'r hyn oedd i ddod, a hynny yn un o'r cyfarfodydd a gawsom i drafod pa dystiolaeth roedd y Blaid Lafur Gymreig am ei rhoi gerbron Comisiwn Kilbrandon (Crowther cyn hynny), a sefydlwyd er mwyn archwilio'r syniad o ddatganoli yng Nghymru. Dyma Leo Abse yn dweud,

'As Members of Parliament, we're now below the salt, and if we set up this puppet structure in Cardiff we'll be lower still.'

Rwy'n cofio anfon nodyn bach dros y bwrdd at Cledwyn yn dyfynnu Morris Kyffin: 'A alle Ddiawl ei hun ddoedyd yn amgenach?'

Fe wyddai Cledwyn yn iawn darddiad y dyfyniad, a phlygodd ei ben mewn cytundeb â mi.

Gwyddwn nad oedd unrhyw ddyfodol i gynlluniau cenedlaethol Cymreig yr un ohonom heb i'r Blaid Lafur Gymreig ddod yn fudiad mwy effro a blaengar. Bywiogodd dipyn pan ddechreuodd Michael Foot fynychu'r pwyllgorau. Rwy'n cofio dadl frwd lle roedd nifer o Aelodau'r de yn gwrthwynebu cynigion Cledwyn, Goronwy a'r to iau ohonom, a Michael yn mynd allan o'i ffordd i fod yn gefnogol. Amrywio, felly, y byddai'r gefnogaeth ymysg fy nghyd-Aelodau – rhai'n wrthwynebus i'm deisebau, eraill yn gefnogol, ac eraill eto'n ddi-hid. Un mesur penodol a gyflwynais dan y 'Rheol Deng Munud' yn y Tŷ a adlewyrchai fy safbwynt oedd mesur o blaid Bwrdd Dŵr i Gymru. Fe'i cyflwynais ar sail genedlaetholgar: bod dŵr yn hanfodol i ddatblygiad economaidd bro; bod gan Gymru adnoddau dŵr aruthrol, diolch i'r lefel o law roedd y Bod Mawr wedi gweld yn dda i'w rhoddi inni, ac eto ein bod yn colli rhan helaeth o'r dŵr hwnnw i Loegr. Aeth drwy ei gyflwyniad cyntaf yn ddiwrthwynebiad ond, fel y disgwyliwn, ni chafodd amser gan y Llywodraeth i symud ymhellach. Roedd yn fesur a fyddai wedi diogelu hawl Cymru fel gwlad a chenedl dros ei hadnoddau dŵr ac yn sicrhau tâl teg am ddŵr y byddai Cymru'n cytuno i'w werthu, â nawdd arbennig yn cael ei sianelu i'r ardaloedd hynny lle cronnid y dŵr.

Nid oedd yr ymdrech yn hollol ddiwerth, serch hynny, gan imi gael cyfle i atgoffa'r Tŷ o raib Tryweryn, a'r elw enfawr a wnâi dinasoedd yn Lloegr o ddŵr o Gymru na thalent amdano. Tynnais sylw hefyd at eironi'r sefyllfa fod Cymru'n allforio dŵr ar raddfa afrad tra oedd rhannau helaeth o'n gwlad yn dioddef yn ddifrifol ar adegau o sychder. Fe'm cefnogwyd gan ddeg Aelod Llafur o Gymru a dau arall oedd â chysylltiad â Chymru. Roedd yr achos yn un anatebadwy. Cofiaf George Thomas yn dod ataf a'm llongyfarch yn ei ddull gwenieithus:

'Elystan, my dear boy, that was a lovely speech ...'

Ond nid oedd yr araith yn gyfan gwbl at ei ddant personol ef.

'... but there was one thing that rather hurt me, if you don't mind me saying so, if you don't mind, Elystan, my dear boy. When you talked about the drowning of a valley, that was an *emotive* thing to say, don't you think.'

Fe'i hatebais drwy ddweud, 'George, would you not describe flooding the Rhondda Valley as drowning, if that were to happen?'

Ymhen amser fe ystyriwyd y math yma o fwrdd dŵr yn beth digon ymarferol. Ond yr hyn roeddwn i'n dadlau o'i blaid oedd y dylai Cymru dderbyn incwm sylweddol o'r adnodd gwerthfawr rydym yn ei gyflwyno i bobl Lloegr.

Fy mhrif uchelgais, wrth gwrs, oedd ceisio sicrhau ymreolaeth bellach i Gymru ym mhob cyswllt ag a oedd yn ymwneud â'n cenedligrwydd. Yn sgil dyfodiad y Swyddfa Gymreig, nid syniad amherthnasol oedd hwn. Yn y cyfnod hwn bu cryn dipyn o drafod o blaid y syniad o Gyngor Etholedig i Gymru, i'w sefydlu yn sgil newidiadau i lywodraeth leol. I Gwilym Prys Dafis yn bennaf mae'r diolch am hynny, ac ni ellir talu teyrnged ry uchel i Gwilym am ei waith cyson, diwyd a manwl dros hawliau Cymru. Mae ei gyfraniad i wleidyddiaeth Cymru yn un hanesyddol. Ond er i'r syniad ennill tipyn o dir, ac i raddau osod egwyddor, fe'i rhoddwyd o'r neilltu yn 1967.

Amlygai'r penderfyniad agwedd y Blaid Lafur at genedlaetholdeb yng Nghymru yn y cyfnod hwnnw, pan ymddangosai ei dyfodol yng Nghymru i rai yn ddigon dilewyrch, â lleng o gysurwyr Job yn honni mai dim ond dyrnaid o seddau fyddai ar ôl i Lafur wedi'r etholiad nesaf. Nonsens llwyr, fel y gwyddom, ond dyna'r math o sïon oedd ar led. Yn sgil y rhain, agwedd y rhan fwyaf o Aelodau Seneddol Llafur yng Nghymru am gyfnod oedd peidio ag ildio modfedd i'r apêl am hawliau cyfansoddiadol ehangach i Gymru. Un canlyniad uniongyrchol oedd gwrthod y cynllun Cyngor Etholedig fel adwaith nerfus i'r sefyllfa oedd ohoni. Ac eto, er i ymddangosiad Gwynfor ei gwneud hi'n anodd dadlau achos ymreolaeth o fewn Llafur yn y flwyddyn neu ddwy ar ôl isetholiad Caerfyrddin, yn y tymor hir rwy'n sicr fod ei ddyfodiad i Dŷ'r Cyffredin wedi cryfhau'n sylweddol sefyllfa cenedlaetholwyr o fewn y Blaid Lafur.

Mewn Llywodraeth

Bûm yn aelod ar y meinciau cefn am union ddwy flynedd cyn i Harold Wilson benderfynu newid ei lywodraeth. Dydd Gwener oedd hi, ac Alwen a minnau wedi bod mewn cyfarfod gwobrwyo yn Ysgol Uwchradd Aberteifi. Wrth ddychwelyd, clywsom ar radio'r car fod tîm y Llywodraeth yn cael ei ad-drefnu. Buom yn siarad ynglŷn â'r sibrydion oedd yn cylchredeg cyn hynny ynglŷn â phwy oedd yn debyg o ddod i mewn i'r Llywodraeth a phwy oedd yn debyg o adael. Ni chroesodd fy meddwl y byddwn i'n rhan o'r broses ar unrhyw lefel.

Arhosem yn y Dole gyda Deulwyn, fy mrawd, a Gwerfyl, fy chwaer-yng-nghyfraith. Tua saith o'r gloch fe ganodd y ffôn ac aeth Gwerfyl i'w ateb. Daeth yn ôl ymhen ychydig gan edrych braidd yn syn a dweud bod 'Rhif 10 eisiau gair'. Aeth fy meddwl yn syth i ddrwgdybio Jeremy Thorpe, oedd yn ddynwaredwr o radd broffesiynol. O bryd i'w gilydd, dôi'r tu cefn i chi yng nghoridorau'r Tŷ a dynwared eich llais eich hunan yn berffaith. Dywedai'r llais ar y ffôn wrthyf mai'r Prif Weinidog ydoedd a'i fod am i mi ddod yn Is-ysgrifennydd Cartref. Fy ymateb cyntaf oedd pwysleisio problemau'r etholaeth gan ddweud,

'I am very grateful for the offer, but this constituency has some serious problems and I'm not sure it would be the correct thing for me to become a member of the government.'

Gofynnais a gawn tan y bore i feddwl am y mater. Fe fyddai hyn yn rhoi amser i mi wneud yn sicr o ddilysrwydd y cynnig. Yn fwy na hynny, wrth gwrs, rhoddai gyfle i mi feddwl am y dadleuon o blaid ac yn erbyn derbyn y swydd. Yn anffodus, nid oedd y fath drwydded yn bosib gan y byddai Harold Wilson o fewn yr awr yn mynd i Windsor i ddangos rhestr y gweinidogion newydd i'r Frenhines. Ar ôl gwewyr byr, fe gytunais i dderbyn ei gynnig. Gerald Kaufman oedd ysgrifennydd personol Wilson ar y pryd, a sonia hwnnw yn ei hunangofiant mai'r unig un oedd mewn cyfyng-gyngor ynglŷn â derbyn swydd ai peidio oedd y fi! Ar ôl torri'r newydd i Alwen, Deulwyn a Gwerfyl, es i weld fy nhad a oedd yn ddwfn yn ei lyfr mewn ystafell arall, a dweud wrtho am y cynnig.

'Diddorol iawn,' meddai yntau, gan f'atgoffa bod Syr Ellis Jones-Griffith wedi dal yr union swydd adeg y Rhyfel Byd Cyntaf. Aeth ymlaen i sôn am yrfa dymhestlog y gŵr disglair hwnnw, ac wrth ddychwelyd i'w lyfr, fe ddywedodd ymhen ychydig funudau, 'Wnest ti ddim derbyn, do fe?' I Nhad, roedd cael cynnig yn beth digon calonnog, ond roedd derbyn yn beth mwy difrifol o lawer!

Ni chredaf imi fod yn Aelod poblogaidd yng ngolwg Harold Wilson cyn hynny (am resymau y cyfeiriwyd atynt eisoes), ond roedd gen i berthynas bur dda gyda Jim Callaghan. O dro i dro cawn wahoddiad ganddo i drafod materion a chael sgwrs am bob math o bethau: gwleidyddiaeth dramor, yr economi a Chymru, ac rwy'n tybied mai ef a ofynnodd fy mod yn cael dod i'w adran. Wilson, wrth gwrs, oedd â'r gair olaf, ond gwn y byddai'n aml yn gofyn barn rhai o'i gyd-aelodau yn y Cabinet ynglŷn ag aelodau newydd i'r Llywodraeth. Awgryma K. O. Morgan yn ei gyfrol ar Jim Callaghan mai Cledwyn a roddodd fy enw gerbron, a gall hynny fod yn wir. Eto, ni chredaf mai dewis ddyn Wilson oeddwn. Pwy a ŵyr, efallai mai ei fwriad oedd fy moddi mewn gwaith i 'nghadw'n dawel! Yn sicr, nid oeddwn wedi ceisio bod yn ymgreiniol tuag ato.

Roedd y Swyddfa Gartref yn sicr yn waith caled, yn ymerodraeth eang o gyfrifoldebau di-ri. Roedd y dyletswyddau y byddai raid i mi ymgymryd â hwy'n ymestyn o arolygu gweithgaredd yr heddlu o ddydd i ddydd, i gyfrifoldeb dros blant a phobl ifainc, ac i ddiwygio'r gyfraith droseddol. Dros y canrifoedd roedd ugeiniau ac ugeiniau o ddyletswyddau nad oedd unrhyw adran arall o'r Llywodraeth mewn sefyllfa i'w meddiannu, neu o bosib yn awyddus i'w gweinyddu, wedi dod i fwrdd y Swyddfa Gartref. Er bod y gwaith yn drwm, roedd yn hynod amrywiol a diddorol.

Roedd yn y Swyddfa Gartref swyddogion o alluoedd uchel.

Un o'r pleserau mwyaf a gefais crioed oedd dod i adnabod yr Ysgrifennydd Parhaol, Syr Philip Allen (yr Arglwydd Allen o Abbeydale ar ôl hynny, a fu farw yn 2007). Os bu yna ddyn o gadernid ac o ddoethineb erioed, Philip Allen oedd hwnnw, ac arferem sgwrsio â'n gilydd yn aml. Jim Callaghan oedd pennaeth deinamig y Swyddfa Gartref, a chydweithiwn â Shirley Williams ac yn ddiweddarach â Merlyn Rees. Roeddem yn dîm hapus, a gwaith o wir bwysigrwydd o dan ein gofal yn ddyddiol. Rhaid imi gyfaddef nad peth rhwydd oedd uno dyletswyddau dyn yn ei etholaeth â'i ddyletswydd fel gweinidog, yn enwedig pan oedd yr etholaeth yn un ffiniol ac ymhell o Lundain. Ond roedd yn brofiad hyfryd, ac fe barodd tan etholiad 1970. Yn y swydd honno bûm yn gyfrifol am nifer o fesurau deddfwriaethol ac roedd hynny'n brofiad gwych ac eang.

Un profiad felly oedd mynd â Mesur Dwyn 1968 drwy Dŷ'r Cyffredin. Pwrpas y ddeddfwriaeth hon oedd ail-lunio'r gyfraith ynglŷn â dwyn mewn mowld mwy modern gan ei bod wedi sefyll yn ei hunfan er 1916. Un marc bychan gwreiddiol y llwyddais i'w adael ar y ddeddf, a hynny yn Adran 4 yn ymwneud â photsio. Roedd un garfan o gyfreithwyr yn y Swyddfa Gartref yn dymuno i hyn fod yn radd o ddwyn ond fe lwyddais i rwystro'u bwriad. Roeddwn fel cyfreithiwr wedi amddiffyn gormod o botsiars yng ngogledd a chanolbarth Cymru i gymryd unrhyw agwedd arall! Er bod dros ddeugain mlynedd bellach ers hynny, mae'r ddeddf yn para i weithio'n effeithiol. Cafwyd un diwygiad bach ddeng mlynedd yn ddiweddarach ym mesur 1978 ond, ar wahân i hynny, dyma'r gyfraith ddwyn o ddydd i ddydd, ac mae'n debyg y bydd yn para am amser sylweddol eto.

Mesur arall y bûm yn ymwneud ag ef oedd y Mesur Plant a Phobl Ifainc a aeth drwy'r Senedd yn 1969. Diben y mesur oedd llareiddio tipyn ar y gyfundrefn ynglŷn â phlant mewn gofal neu o dan ddisgyblaeth, a gwneud y gyfraith yn fwy blaengar a chynhwysfawr. Un ffaith syfrdanol a ddaeth i'm sylw wrth dywys y mesur drwy'r Tŷ oedd y ffaith fod tua hanner y plant a'r bobl ifainc oedd mewn *approved schools* (ysgolion a fodolai cyn 1969) heb gyflawni unrhyw drosedd o gwbl. Doedd yna ddim bai arnyn nhw am ddim byd heblaw'r ffaith naill ai fod eu rhieni wedi marw neu wedi'u gadael heb neb i ofalu amdanynt. Caent eu cynnwys o dan yr un gyfundrefn â'r criw bach hwnnw o blant milain a pheryglus a oedd yn wir droseddwyr.

Un o'r digwyddiadau y bûm yn delio ag ef yn y Swyddfa Gartref oedd achos y *Torrey Canyon*, tancer olew anferth a ddrylliwyd ar greigiau danheddog ger Ynysoedd Scilly ym Mawrth 1967 â miloedd o dunelli o olew amrwd ar ei bwrdd. Rhoddwyd i mi'r dasg o ysgrifennu Papur Gwyn ar ran y Llywodraeth i gefnogi'r cais yn y Llys Rhyngwladol am filiynau lawer o bunnoedd o iawndal. Gwnes hynny gan osod yn fanwl y camau a gymerodd y Llywodraeth i gyfyngu difrod yr olew a hefyd gan bwysleisio pa mor anghyffredin yr oedd digwyddiad o'r natur hwnnw yn 1967. Roedd yn amlwg fod perchnogion y llong yn gyfrifol am yr esgeulustod: nid oedd neb ar y 'bridge' ychydig cyn i'r llong daro'r creigiau. 'Steering by the alarm clock' oedd y disgrifiad a ddefnyddiwyd, ac roedd y llong yn teithio ar gyflymder o dros 17 not yr awr ar y pryd. Ni thalodd y cwmni ar unwaith, ond rai misoedd wedyn daeth chwaer long y *Torrey Canyon*, y *Lake Palourde*, i mewn i Singapore; rhoddwyd gwrit ar ei hwylbren ac fe dalwyd yr holl arian yn unol â dedfryd y llys.

Serch hynny, fe gyflwynodd yr Wrthblaid gynnig o ddiffyg hyder yn y Llywodraeth oherwydd y modd yr oedd wedi ymateb i'r argyfwng. Yn un o'r dadleuon ynglŷn â'r *Torrey Canyon* gwnaeth Syr Keith Joseph araith ddirmygus yn condemnio'r Llywodraeth. Damwain hollol, meddai, oedd y ffaith fod y difrod mwyaf wedi'i osgoi gan i'r cerrynt droi a gyrru'r olew heibio Ushart. Atgoffodd y Tŷ o wyleidd-dra Senedd Elisabeth I yn cynnal gwasanaeth yn Abaty San Steffan yn 1588 i ddiolch i'r Arglwydd am newid y gwynt a gyrru llynges Sbaen i fyny Môr y Gogledd ac i'r gorllewin heibio'r Alban, a'r gynulleidfa'n canu 'Nunc demittis' ('Yr awr hon y gollyngi dy was'). James Callaghan oedd i gloi'r ddadl ond, oherwydd niwl, methodd hedfan yn ôl yn dilyn ymweliad â charchardai yng ngogledd Lloegr, a bu raid i mi gloi'r ddadl ar rybudd o ryw hanner awr. Roedd yn brofiad hunllefus, a Thŷ'r Cyffredin dan ei sang, ond rywsut neu'i gilydd deuthum drwyddi'n groeniach; roeddwn yn ffodus fod nifer o fanylion y sefyllfa ar fy nghof ar ôl paratoi'r Papur Gwyn. Y diwrnod canlynol roedd darn hynod garedig yn y *Guardian* yn canmol fy araith am ddangos sylwedd a gwreiddioldeb yng nghyswllt y pwnc!

Gan amlaf, bydd gweinidog yn croesawu pob mymryn o gyhoeddusrwydd a gaiff ynglŷn ag unrhyw weithred swyddogol ar ei ran, cyn belled nad yw'r cyhoeddusrwydd hwnnw'n gwbl gondemniol. Doeddwn i ddim gwahanol i unrhyw weinidog arall yn y Llywodraeth yn hynny, ond roedd dau beth y bu raid i mi ymgymryd â hwy a fu'n destun pryder i mi – ac arswydwn y gallai etholwyr parchus a henffasiwn Sir Aberteifi glywed amdanynt.

Y cyntaf oedd Bragdy Carlisle. Yr hyn a ddaeth â'r sefydliad hwn i fodolaeth oedd y ffaith i nifer o ffatrïoedd ffrwydron gael eu sefydlu yn ardal Caerliwelydd adeg y Rhyfel Byd Cyntaf a bod llawer o'r gweithwyr oedd yn ennill cyflogau uchel yn yfed ei hochr hi; byddent yn dod ar shifft yn feddw shwps, ac o ganlyniad yn eu chwythu eu hunain a nifer o'u cyd-weithwyr i ebargofiant. Fe weithredodd Lloyd George, a oedd yn Weinidog Arfau Rhyfel (Munitions) ar y pryd, â'i egni a'i wreiddioldeb arferol, a mynd ati i greu cynllun oedd yn dwyn yr holl dafarndai yma i berchenogaeth gyhoeddus, ac o dan reolau cyfyng. Gweinyddid y cynllun gan y Swyddfa Gartref, gydag un o'i gweinidogion bob amser yn gweithredu fel rheolwr y bragdy. Roedd i'r gweinidog hwn awdurdod eang yng nghyswllt cyflogaeth, trwyddedau, prisiau diodydd, ac yn y blaen. Arna i y syrthiodd y coelbren rhyfedd hwnnw. Arswydais lawer gwaith o feddwl beth fyddai Cardis llwyrymwrthodol yn ei feddwl o'u Haelod Seneddol yn rheolwr bragdy!

Yr ail beth oedd Deddf Hapchwarae (Gaming Act) 1968. Dwi erioed wedi bod drwy ddrysau casino – efallai mai greddfau gofalus y Cardi yn hytrach nag unrhyw rinwedd arall sydd wedi sicrhau hynny, ond cefais y dasg anhyfryd o dywys y mesur hwnnw drwy Dŷ'r Cyffredin. Dyna lle roeddwn i, wythnos ar ôl wythnos, yn trafod â phob arlliw o awdurdod faterion ynglŷn â thechnoleg gamblo. Ceid y briff mwyaf cynhwysfawr gan weision sifil y Swyddfa Gartref bob amser, ac roeddwn innau wedi llyncu llyfrau lawer ar y pwnc cymhleth hwn. Pan gwblhawyd y mesur, cefais fy llongyfarch yn wresog yn y Tŷ gan nifer o Aelodau, gan gynnwys aelodau'r Wrthblaid, am fy meistrolaeth drwyadl o'r maes! Dychmygwn benawdau'r *Cambrian News* yn y cyswllt hwn, ond yn ffodus ni fu na siw na miw am y bragdy na'r Ddeddf Hapchwarae. *Mirabile dictu*!

Ni chyfyngid fy ngwaith i gyfraith wladol ychwaith. O dro i dro fe fyddai oblygiadau rhyngwladol yn codi i fabwysiadu penderfyniadau'r Cenhedloedd Unedig a'u cyfieithu i gyfraith Prydain. Mesur felly oedd Deddf Hil-laddiad (Genocide Act) 1969. Os cofiaf yn iawn, un gwendid ynddi oedd mai ymdrin â'r dyfodol yn unig a wnâi, ac o ganlyniad na ellid defnyddio'r union ddeddf i arestio arweinwyr y Natsïaid oedd yn dal yn fyw. Mae yna deimlad creiddiol yn y Senedd yn erbyn deddfwriaeth sydd yn edrych tuag yn ôl (*retrospective legislation*) gan fod rheol euraid na ddylid gwneud yn drosedd weithred nad oedd yn drosedd pan y'i cyflawnwyd. Ond i mi, mae rhai gweithredoedd mor ddieflig fel mai'r lleiaf o bob drwg fyddai gwneud y gosb yn berthnasol i'r gorffennol hefyd. Yn y dyddiau hynny ystyrid y ddeddf yn un weddol academaidd gan na fyddai neb fyth eto'n debyg o ddioddef erchyllterau tebyg i'r rhai a gyflawnwyd gan y Natsïaid. Ond, gwaetha'r modd, gwelsom yn Rwanda, y Balcanau, a mannau eraill, hil-laddiad ym mholisïau dieflig gwladwriaeth neu garfan arbennig.

Nid oeddwn yn ymwneud ryw lawer â Harold Wilson yn uniongyrchol, ond wedi imi dderbyn yr alwad i'r Swyddfa

Gartref, byddai'n fy holi o bryd i'w gilydd ynglŷn â materion perthnasol i Gymru. Un tro, a Phlaid Cymru yn codi stêm yn y Cymoedd, fe'm gwahoddodd i'w ystafell yn y Tŷ a chefais gyfle i ymhelaethu rhywfaint ar fy marn. Er fy mod yn ymwybodol y gwyddai'n dda ymhle y safwn yng nghyswllt cenedlaetholdeb Cymreig, fe ddechreuais trwy gadarnhau na fyddwn am eiliad am esgus nad oeddwn yn genedlaetholwr a gredai mewn 'Home Rule' a statws dominiwn i Gymru. Es ymlaen i ddweud,

'Even though there is clearly a very considerable feeling of disaffection towards the Government, I don't pretend to you that there is a pulsating power in Wales at the moment that represents a deep desire for a parliament – I only wish there was. Plaid are being opportunistic and like the Liberals in England are exploiting a political vacuum.'

'That I realise,' meddai, 'but what do you say we should do in such a situation?'

Cefais gyfle wedyn i bwysleisio, er nad oedd cymaint â hynny o bwyslais ar senedd fel y cyfryw, nad disylwedd oedd teimladau pobl Cymru yn y cyswllt yma, a bod yna haen o wladgarwch diffuant, ar sawl lefel, y gallai fod yn beryglus i'r Blaid Lafur ei hanwybyddu.

'If you give them the impression that you are totally intransigent, then that power may well rise against you. How exactly you do it is a matter for you – I can suggest two or three things but I believe that a credible elected body for Wales is an absolute must.'

Ni roddodd Wilson ateb penodol, ac ni ellir ond dyfalu a gafodd y sgwrs unrhyw ddylanwad arno, ond fe deimlwn imi wneud cyfiawnder â'm safiad ar y pwnc.

Erbyn blynyddoedd olaf y degawd roedd dylanwad Plaid Cymru yn y Cymoedd wedi pylu, ac fe newidiodd yr awyrgylch gwleidyddol nes i Lafur edrych yn llawer mwy aeddfed a chytbwys ar sefyllfa Cymru fel gwlad a chenedl. Yn raddol roeddwn wedi dod i'r casgliad mai'r dewis mwyaf ymarferol i anelu tuag ato – er yr holl beryglon oedd ynglŷn ag ef – oedd Comisiwn Brenhinol i archwilio dyfodol cyfansoddiadol Cymru a'r Alban. Roeddwn yn ymwybodol iawn o'r ddeinameg roedd y fath sefydliad wedi'i magu yn yr Alban yn y pumdegau cynnar.

Erbyn mis Awst 1968 roeddwn wedi bod yn weinidog yn y Swyddfa Gartref ers rhai misoedd ac roedd John Morris a minnau a'n teuluoedd yn mwynhau gwyliau gyda'n gilydd yn y Ceinewydd (Newquay), Cernyw. Cerddem y traethau euraid am oriau lawer yn trafod cwestiwn dyfodol cyfansoddiadol Cymru. Fel y digwyddodd, fe gymerodd y Sofietiaid feddiant gormesol o Tsiecoslofacia ar y pryd; galwyd y Senedd yn ôl ar frys, ac fe gefais innau'r cyfle i drafod mater Cymru yn bur gynhwysfawr gyda James Callaghan yn y Swyddfa Gartref.

Mae'n ymddangos yn awr, yn ôl dogfennau'r Cabinet am y cyfnod, fod y syniad o Gomisiwn Brenhinol wedi'i wyntyllu yn un o is-bwyllgorau'r Cabinet ganol mis Gorffennaf 1968, ond wyddwn i ddim am hynny ac ni chyfeiriodd Jim Callaghan at hynny chwaith. Fe euthum drwy'r dadleuon i gyd, a Jim yn symud o un gwrthwynebiad i'r llall ond eto heb fod yn angharedig ei agwedd. Roedd yn amlwg i mi fod ganddo gryn wybodaeth am y mater a diddordeb yn y pwyntiau a godid. Fe ofynnodd imi'n ddigon plaen,

'Well, what would *you* wish to see?'

Euthum ymlaen i ddatgan yr hyn a welwn fel yr opsiynau. Yn fy meddwl i roedd sawl polisi posib, ond dim ond un ffordd synhwyrol ymlaen:

'Policy A would be to block everything for ever and pretend that Welsh nationhood does not exist – not my favoured option and one I believe that would be disastrous for the Labour Party and unworthy of it, in light of its history.'

'Yes,' meddai fe, 'and your next point?'

'The other extreme, of course, would be to plan immediately for a Welsh Home Rule Parliament, if not for Welsh independence. A middle course would be to show imagination, progressiveness and understanding of Welsh nationhood that would carry with you the majority of opinion in Wales and Scotland, and possibly in England as well. That would be the course that I would counsel.'

'Oh, and how do you achieve that?'

'By setting up a Royal Commission to study that question.'

Sylweddolwn y gallai Comisiwn Brenhinol fod naill ai'n anadl einioes neu'n ergyd farwol i unrhyw bwnc, ond gwyddwn hefyd mai llesol ar y cyfan oedd hanes y mwyafrif llethol ohonynt – a bod rhan helaeth o ddatblygiadau mwyaf blaengar gwleidyddiaeth Prydain wedi tarddu o Gomisiynau Brenhinol. Roeddwn wedi codi'r mater mewn cwestiwn i'r Prif Weinidog yng Ngorffennaf 1967 ac wedi gofyn am sefydlu'r fath gorff, ond ateb negyddol a gefais. Yr un oedd yr ymateb i gwestiwn pellach yn gofyn am roi ystyriaeth ddwys i sefydlu corff i ystyried dyfodol cyfansoddiadol Cymru a'r Alban rai misoedd wedi hynny.

Cafwyd ymateb digon ystyrlon gan Jim i'r syniad, ond ni addawodd ddim. Ni chredwn fod ganddo ddiddordeb mawr yn hanes Cymru y tu allan i'w etholaeth yng Nghaerdydd – ond eto, fe welodd yn dda i symud y Bathdy Brenhinol o Lundain i Lantrisant. Wedi'r cyfan, un o Portsmouth ydoedd, yn chwarter Iddew, chwarter Gwyddel a hanner Sais. Ar ôl trafodaeth hir ynglŷn â manylion technegol penodi Comisiwn, dywedais wrtho,

'Jim, you're a man of enlightened statesmanship. You don't want to be remembered as the Willie Ross of Britain, do you?'

Pigodd hyn rywfaint arno gan fod Willie Ross yn gwbl wrthwynebus, a negyddol-Folotofaidd, i bob agwedd ar genedlaetholdeb, ac yn bell o fod yn un o gyfeillion Jim. Yn wir, gwyddwn fod Jim yn casáu'r Albanwr bach, a oedd mor gul ag iâr yn ei thalcen. Fe addawodd Jim ystyried y peth ymhellach.

Cawsom sgwrs arall ar yr un mater pan ddeuthum yn ôl o'm gwyliau ryw wythnos neu ddwy ar ôl hynny. Yn y drafodaeth honno gofynnodd Jim i mi: pe bai'r fath gorff â chomisiwn yn cael ei sefydlu, pwy fyddwn yn ei argymell fel cadeirydd iddo? (Roedd Jim eisoes wedi gwneud y pwynt y byddai'n anodd cael cadeirydd o Brydain i'r fath gomisiwn a fyddai'n cael ei ystyried yn ddiduedd.) Yr enw a roddais gerbron oedd Lester Pearson, oedd wedi bod rai blynyddoedd cyn hynny'n Brif Weinidog Canada. Roedd diddordeb Jim yn amlwg wedi'i gyffroi a deallais, ar ôl hynny, i'r Swyddfa Gartref holi Lester Pearson i weld a fyddai'n barod i ymgymryd â'r swydd. Fel y digwyddodd, roedd ei iechyd wedi dirywio'n fawr ac ni fedrai ystyried y fath beth, er ei fod yn dra diolchgar am yr ymholiad.

Y peth nesaf a ddigwyddodd oedd i James Callaghan, ar lwyfan cynhadledd flynyddol y Blaid Lafur rai wythnosau'n ddiweddarach, heb unrhyw ragrybudd, osod cynllun Comisiwn Brenhinol gerbron. Wn i ddim hyd heddiw ai ceisio chwarae am amser yng nghyswllt cenedlaetholdeb Cymru a'r Alban oedd ei brif gymhelliad. Os felly, doeddwn i ddim yn orbryderus, gan y gwyddwn y byddai bodolaeth y Comisiwn yn sicrhau bod y cwestiwn o gorff etholedig i Gymru, ac o bosib senedd i Gymru, yn y pen draw yn grochan a fyddai'n ffrwtian, ac yn fater a fyddai'n para'n uchel ar yr agenda wleidyddol yng Nghymru, ac ym Mhrydain, yn y dyfodol. Fedra i ddim honni i sicrwydd mai'r trafodaethau a gefais i gyda James Callaghan yn 1968, na'r ddau gwestiwn ar y mater a ofynnais yn 1967, a gafodd yr effaith derfynol yn ei newid o fod yn wrthddatganolwr i fod yn ddatganolwr. Ond rydw i'n o sicr na wnaeth y sesiynau a gawsom ronyn o ddrwg i'r sefyllfa oedd yn ymwneud ag ymreolaeth i Gymru – a arweiniodd at Gomisiwn Brenhinol Kilbrandon (Crowther) ac yn ddiweddarach at Refferenda 1979 ac 1997, ac yna at Gynulliad Cenedlaethol Cymru a Refferendwm 2011, a sefydlodd Senedd ddeddfwriaethol.

Myfyrio ar y Mudiad Cenedlaethol

Y cwestiwn mae llawer un wedi'i ofyn i mi, ac un rydw i wedi'i ofyn i mi fy hun droeon yw: 'Petawn i'n gwybod y byddai Gwynfor yn ennill Caerfyrddin yn 1966, a fyddwn i wedi gadael Plaid Cymru yn 1965?'

Yr unig ffordd y gallaf ymateb i'r cwestiwn arbennig yma yw drwy ddweud, 'Mae fy *nghalon* yn dweud na fyddwn i ddim am eiliad wedi meddwl am adael y Blaid, ac y byddwn i ochr yn ochr â Gwynfor yn ymladd y frwydr ar dir Plaid Cymru.' Ac eto, mae fy *mhen*, a hynny gyda mantais 'synnwyr trannoeth', yn awgrymu'n wahanol. Os bu yna gyfnod erioed pan oedd angen llais, neu'n wir leisiau dilys, i genedlaetholdeb Cymru o fewn y Blaid Lafur, y cyfnod yn dilyn isetholiad Caerfyrddin oedd hwnnw. Yn fy meddwl i, roedd angen nifer o bobl debyg yn y Blaid Lafur i gadw'r syniad o senedd i Gymru yn fyw fel delfryd flaengar oedd yn haeddu ei hystyried. Wn i ddim p'un ai sentiment ai rhesymeg fyddai wedi cario'r dydd.

Roedd fy mhenderfyniad ar y pryd yn seiliedig ar y syniad mai drwy'r Blaid Lafur y gallwn wneud argraff o safbwynt hyrwyddo Cymru fel gwlad a chenedl, ac er i mi ddarogan dyfodol agos tipyn llai llewyrchus i Blaid Cymru, rydw i'n dal i gredu i mi gyflawni mwy drwy newid a dylanwadu ar y Blaid Lafur na phetawn wedi aros ym Mhlaid Cymru. Wedi buddugoliaeth Gwynfor, roedd rhai'n rhag-weld y byddai'r Blaid yn ysgubo Llafur o'r neilltu, a phe byddai hynny wedi digwydd byddai'r effaith wedi bod yn syfrdanol. Ond nid dyna'r stori, ac fe agerodd llwyddiant y Blaid, wrth i Gwynfor golli ei sedd yn 1970, ac eto yn 1979 ar ôl ei hailennill yn 1974. Ceir amryw resymau am hynny ond, yn fy meddwl i, edrydd y digwyddiadau hyn gyfrolau am y gwirionedd ynghylch rôl gyfyngedig Plaid Cymru o fewn gwleidyddiaeth Cymru.

Bu'r sioc a'r syndod o weld Gwynoro Jones yn curo Gwynfor yn 1970 gyda dros dair mil o bleidleisiau yn sylweddol. Beiai Gwynfor ymgyrchoedd anghyfreithlon Cymdeithas yr Iaith, yr ymgyrch fomio oedd wedi arswydo rhai yn erbyn cenedlaetholdeb yn gyfan gwbl, y pegynu barn o blaid y frenhiniaeth ac yn erbyn Plaid Cymru yn sgil yr arwisgo, a nifer o bethau eraill. Bu yna ymosodiadau milain ar y Blaid gan George Thomas, a awgrymai mai hi oedd y tu ôl i'r ymgyrch fomio, ac i bob pwrpas mai hi oedd yr IRA Cymreig. Roedd hwn yn honiad annheilwng iawn, ond dyna'r math o ddyn oedd George Thomas, a does dim dau na chafodd y Blaid ei hunan mewn sefyllfa anodd. Mi allai hi fod wedi condemnio'r ymgyrch, gan fod y bomio'n beryg bywyd ac y gallai nifer fod wedi'u lladd. I'r graddau hynny roedd y petruso'n fethiant ar ran Plaid Cymru. Ni chredaf y byddai wedi colli fawr o'i chefnogaeth fewnol, ac yn sicr ddim o'i chefnogaeth allanol, petai wedi gwneud hynny. Ond roedd yna amwyster ymysg aelodau'r Blaid, gan gynnwys Gwynfor, oedd â chydymdeimlad tuag at bobl oedd yn fodlon torri'r gyfraith er mwyn Cymru – hyd yn oed mewn amgylchiadau difrifol.

Problem ddirfawr arall i'r Blaid oedd ei safiad ar yr arwisgo. Yn sicr, fe wnaeth niwed i'r Blaid trwy greu rhaniadau a chodi amheuon. Ceir hefyd dystiolaeth bendant yng nghyfrol Rhys Evans, *Gwynfor: Rhag Pob Brad* (2005), fod llawer o bobl Sir Gâr – etholwyr Gwynfor – yn teimlo nad oeddynt am i'w Haelod Seneddol fod yn 'Aelod dros Gymru', yn crwydro'r byd i wledydd fel Cambodia; yn hytrach, roeddent am iddo fod yn aelod dros eu hetholaeth arbennig hwy. A phob tegwch iddo, nid ef a greodd y teitl, ac er ei fod yn fanteisiol iddo ar y dechrau, roedd iddo'i anfanteision hefyd yn y tymor hirach.

Fodd bynnag, amheuaf yn fawr ai'r pethau hyn, yn unigol neu'n gyfansymiol, oedd yn gyfrifol am y ffaith iddo golli ei sedd. Roedd Gwynfor wedi ennill yn 1966 oherwydd ei fod yn ddyn cwbl anghyffredin, yn un a welid fel gwleidydd oedd â rhywfaint o fetel y merthyr a'r sant yn ei gymeriad, a hefyd fod y cyfnod o rai misoedd yn dilyn etholiad buddugoliaethus 1966, yng nghyswllt Llafur, yn gyfnod o ddadrithiad. Roedd yna wagle yng ngwleidyddiaeth Prydain gan nad oedd y Torïaid yn cael eu hystyried yn ail ddewis teilwng i Lywodraeth Lafur ac nad oedd y Rhyddfrydwyr yn berthnasol. Roedd yna wagle hefyd yng ngwleidyddiaeth Sir Gâr na fedrai'r pleidiau eraill ei lenwi. I'r gwagle hwnnw, felly, y camodd Gwynfor. Doedd yna ddim eicon credadwy arall i droi ato. A'r Rhyddfrydwyr yn cyfri dim, a'r Torïaid mor amhoblogaidd ag erioed, wele'r ffigwr urddasol, hynaws a merthyrol hwn (yn yr ystyr fod Gwynfor wedi ymladd yn erbyn pwerau Llafur yn Sir Gâr am flynyddoedd, yn aml fel lleiafrif o un) yn ymddangos. Ond gwagle ai peidio, roedd Gwynfor wedi ennill buddugoliaeth hanesyddol, aruthrol, ac fe gyrhaeddodd yr hanes am ei orchest bellafion byd.

Wedi'r canlyniad, roedd Gwynfor, y beirdd, y sylwebyddion gwleidyddol a hyd yn oed trwch barn gwlad yn meddwl bod rhyw ddiwygiad mawr yn yr ysbryd cenedlaetholgar wedi digwydd. Byddai astudiaeth o'r sefyllfa yn 1967 ac 1968 yn sicr o ganfod darlun o'r fath, a dangos tebygolrwydd cynnydd anorfod Plaid Cymru yn y dyfodol, â rhai o'r polau piniwn yn honni bod cefnogaeth o 45% iddi ymysg pobl Cymru. Roedd yn gyfnod afreal, a lledaenwyd propaganda clyfar gan Blaid Cymru. Roedd sïon fod hwn ac arall ymhlith arweinwyr Llafur yng Nghymru yn dweud bod goruchafiaeth Llafur wedi dod i ben. Ond, wrth edrych yn ôl, mae'n rhaid mai agosach at y gwir yw'r syniad fod pobl yn ei chael hi'n hawdd sicrhau mai Plaid Cymru yn hytrach na neb arall oedd yn llenwi'r gwagle. Roedd yna fferdod a thor calon dros dro yn y Blaid Lafur, a dim ond yn raddol daeth ei hawdurdod yn ôl.

Yn fy meddwl i, felly, roedd etholiad 1970, ac etholiadau 1974 o ran hynny, yn brawf diamheuol mor amhosib oedd hi i'r Blaid gipio'r castell ar ei phen ei hun. Nid yr arwisgiad nac unrhyw gyfuniad o ffactorau eraill a laddodd ymgyrch y Blaid, ond dwyster y frwydr rhwng Llafur a'r Torïaid a'i gwasgodd allan. Yn sylfaenol, cymharol ychydig mae Plaid

Cymru yn cyfri mewn etholiadau cyffredinol yng nghyswllt Cymru, ac eithrio lle mae'r mwyafrif seddau rhwng Llafur a'r Torïaid yn fach. Yn eironig, dyma hefyd yr union sefyllfa lle y mae'r gwagle gwleidyddol rhwng Llafur a'r Torïaid yn cael ei gywasgu i ofod bychan. Po fwyaf agos y daw Plaid Cymru, felly, i ddal y balans mewn senedd grog (fel a welwyd yn 1979), ym mhwys ffactor gwasgfa'r pleidiau mawrion, llai a llai yw nifer yr etholwyr sy'n agored i'w denu i'w rhengoedd.

Er bod nifer o gefnogwyr Plaid Cymru erbyn heddiw'n amau'n fawr a all Plaid Cymru fyth ddisodli Llafur yng Nghymru, mae rhai o hyd yn credu hynny o lwyrfryd calon. Ond fe ŵyr y rhan fwyaf ym mêr eu hesgyrn nad fel yna y bydd hi. Mi fydd yna wastad ryw gyfnod yn y diffeithwch i'r Blaid Lafur cyn y daw arweinydd arall a'u harwain i fuddugoliaeth bellach. Ni fydd Llafur yn diflannu o lywodraeth, oni bai am ryw ailstrwythuro na fedrwn yn rhwydd ei rag-weld ar hyn o bryd.

Petai'r sefyllfa wedi codi, neu'n codi yn y dyfodol, fod Plaid Cymru yn debyg o ddisodli'r Blaid Lafur a dod yn blaid i bobl Cymru, yna, mi fyddai unrhyw un fyddai'n gadael Plaid Cymru yn annoeth, a dweud y lleiaf. Ar y llaw arall, os nad yw hyn yn bosibilrwydd real, yna trueni, yn fy nhyb i, na fyddai mwy o bobl wlatgar yn troi at y Blaid Lafur, neu hyd yn oed at y Blaid Geidwadol (os dyna yw eu gwleidyddiaeth), i weithio o fewn y rheini i gael mwy a mwy o gydnabyddiaeth i Gymru. Nid er mwyn ceisio dadbrofi pwrpas Plaid Cymru o gwbl y dymunwn i hyn ddigwydd, ond er mwyn creu gwell posibilrwydd o lwyddiant cyfansoddiadol i Gymru fel gwlad a chenedl. Credaf yn gryf fod popeth mae Plaid Cymru yn ei arddel yng nghyswllt Cymru a'r hawl (a'r rheidrwydd) o ennill senedd yn gywir, ac mor berthnasol heddiw ag a fu erioed. Ond y cwestiwn yw: beth yw *realpolitik* y sefyllfa? Er bod y diwydiannau trymion a'r cymdeithasau a gâi eu cynnal ganddynt yn merwino, credaf y bydd Llafur yn dal yn rhywbeth byw, real a nerthol ym mywyd Cymru a Phrydain am amseroedd eto i ddod.

Rhesymeg o'r fath oedd fy nghymhelliad pennaf wrth i mi ymadael â'r Blaid. Yn y misoedd cyn hynny, er mor glir yr ymddangosai'r ddadl dros ymuno â'r Blaid Lafur yng nghyswllt fy achos i, roedd yn gwbl amlwg, er mwyn i'r dacteg honno lwyddo, y dylid ei mabwysiadu gan nifer o aelodau amlwg o'r Blaid. Wedi'r cyfan, ni allwn i, â'm galluoedd tila, fyth fod mor ynfyd o ffroenuchel â chredu y gallwn gyflawni'r gwaith 'cenedlaethol Cymreig' yn y Blaid Lafur ar fy mhen fy hun. Teg, felly, yw gofyn y cwestiwn pam na wnes i ymdrechu i berswadio rhywrai eraill i gerdded yr un llwybr â mi?

Meddyliais droeon am y peth, ond bob tro teimlwn na fedrwn wneud hynny. Os oedd eraill am gymryd yr un llwybr, pob bendith iddynt, ond mater iddynt *hwy* ydoedd; roedd wynebu'r ffaith anochel y byddwn yn siomi cyfeillion agos yn sgil fy ymadawiad yn ei gwneud hi'n amhosib i mi ychwanegu at y loes trwy geisio arwain carfan allan o'r Blaid. Credwn, serch hynny, y gallai'r hyn a wneuthum, efallai, ynddo'i hunan ddenu eraill i gymryd yr un cam. Wedi'r cyfan, nid fy mwriad na'm dyhead oedd niweidio Plaid Cymru o gwbl, ond yn hytrach ymuno â'r ychydig ladmeryddion eraill dros genedlaetholdeb Cymreig yn y Blaid Lafur.

Rai wythnosau ar ôl gadael y Blaid cefais wahoddiad gan gangen myfyrwyr Bangor i egluro fy nghymhellion. Euthum yno, ac fe gefais wrandawiad cwrtais a chywir mewn cyfarfod â nifer dda yn bresennol. Roedd yn amlwg fod rhai ohonynt yn gymeriadau allweddol ym Mhlaid Cymru, a'u bod yn derbyn fy nadansoddiad o'r sefyllfa ac yn perthyn i'r un gogwydd gwleidyddol â minnau. Dywedodd dau ohonynt wrthyf wedyn eu bod o fewn dim i ymuno â Llafur. Teimlwn yn ddwfn, serch hynny, mai mater iddynt fel unigolion oedd gwneud y penderfyniad. Eto, wrth edrych yn ôl ar ddigwyddiadau 1965/66, mae'n demtasiwn i ofyn y cwestiwn: pa faint agosach y byddem o fynd â'r maen i'r wal petai tri neu bedwar o Bleidwyr amlwg wedi dod yn Aelodau Seneddol Llafur yn y cyfnod hwn? Wrth gwrs, mae dyn yn sylweddoli ar unwaith wrth ofyn y cwestiwn mor anodd oedd dod yn Aelod Seneddol Llafur yn y cyfnod hwnnw, ac mai dim ond cyfres o gyd-ddigwyddiadau hynod ffodus a'm galluogodd innau i gyrraedd y fan honno, a hynny dros dro yn unig.

Ac eto, o roi trwydded i ddychymyg a dyfalu bod nifer fechan o gyn-aelodau Plaid Cymru yn dod yn Aelodau Seneddol Llafur, ni chredaf ei bod yn afresymol credu y gallai hanes diweddar datganoli wedi bod rhywfaint yn wahanol. Wedi'r cyfan, un o'r hen ddadleuon yn erbyn y Blaid Lafur yw fod y tueddiadau unoliaethol sy'n llechu ymysg nifer o'u Haelodau Cymreig wedi llesteirio'r ymdrechion dros ymreolaeth bellach i Gymru. Petai carfan fach o genedlaetholwyr wedi dod yn Aelodau Seneddol gweithgar yn eu hetholaethau ac yn cael cydnabyddiaeth eu bod yn gwneud diwrnod teilwng o waith dros Lafur, mae'n anodd credu na fyddai hynny wedi cael yr effaith o greu yn y Blaid Lafur, nid yn unig yng Nghymru ond, i raddau llai, y tu hwnt i'n ffiniau, amgylchedd llawer mwy cydymdeimladwy tuag at genedlaetholdeb Cymreig yn gyffredinol, a datblygiadau cyfansoddiadol yn arbennig. Un effaith debygol fyddai y byddem wedi cael amlinelliad cliriach o lawer yn Adroddiad Kilbrandon na'r cynllun aflêr a llipa a gynigiwyd ar gyfer datganoli.

Yn ychwanegol at hyn, pan aed ati i ystyried fframwaith cyfansoddiadol i Gymru yng nghyswllt Refferendwm 1979 mae'n anochel y byddai lleisiau cryfion carfan ehangach o Aelodau Seneddol cenedlaetholgar wedi cael effaith bendant. Cofier bod mwyafrif Llafur yn Nhŷ'r Cyffredin ar y pryd mewn niferoedd sengl a byddai realaeth rhifyddeg wedi llwyddo i gael dylanwad nid bychan. (Bryd hwnnw, llwyddodd tri Aelod Plaid Cymru i orfodi'r Llywodraeth i dderbyn cynllun iawndal i chwarelwyr oedd wedi'u niweidio trwy brosesau diwydiannol.) Yn gyntaf, byddai'r strwythur cyfansoddiadol a gynigiwyd i Gymru yn y refferendwm wedi bod yn un mwy teilwng o'r genedl na'r corff digon diffrwyth a gynlluniwyd. Yn ail, mae'n lled debyg na fyddai gelynion cenedlaetholdeb wedi cario'r dydd mewn gwelliant oedd yn datgan na ellid gweinyddu'r cynllun oni bai fod 40% o *holl* bobl Cymru yn cefnogi'r refferendwm. Ac yn drydydd, byddai gelynion cenedlaetholdeb Cymreig yn llawer tawelach yn eu condemniad o'r mudiad 'Ie' yn 1979, a thrwy hynny efallai y byddai canlyniad y refferendwm wedi bod rhywfaint yn llai trychinebus nag a fu.

Gellir meddwl hefyd sut y byddai carfan Gymreig fwy niferus wedi effeithio ar wleidyddiaeth yn niwedd y nawdegau. Er i Refferendwm 1997, trwy ffawd agos-wyrthiol, alluogi i seiliau Cynulliad gael eu creu, ac er bod Deddf Llywodraeth Cymru 2006 yn rhoi yn ein dwylo fel cenedl yr hawl i greu sefydliad mwy seneddol, fel ag a wnaed ym mis Mawrth 2011, teimlaf yn sicr pe bai grŵp bychan o eneidiau cytûn yn bodoli yn y nawdegau diweddar y byddai Cymru rywfaint agosach at sefyllfa gyfansoddiadol yr Alban nag yw heddiw.

* * *

O edrych yn ôl dros drum y blynyddoedd, ymddengys i mi fod fy nadansoddiad o'r sefyllfa yn weddol agos i'w lle. Er bod Plaid Cymru wedi llwyddo dros ddegawdau i ennill ac i ddal seddau seneddol, nid yw wedi dod o fewn deg lled cae i ddisodli'r Blaid Lafur, ac ni chredaf y gall hynny ddigwydd yn y dyfodol gweladwy. Yn Etholiad Cyffredinol 2010, roedd Llafur ar ei gwannaf er 1918 (ac eithrio etholiad 1983 yn unig) ac eto, mewn brwydr agos rhyngddynt a'r Torïaid, am y rhesymau a grybwyllwyd ni lwyddodd Plaid Cymru i wneud y niwed lleiaf iddi, a methodd gipio seddau allweddol Môn, Ceredigion a Llanelli.

Ymddengys hefyd mai gwir rôl Plaid Cymru yw dwyn perswâd, efallai dros dymor hir, ar lywodraethau Llundain ac yn arbennig lywodraethau Llafur, yn hytrach na gorfodi unrhyw un ohonynt i gyfeiriad na fyddai fel arall yn ei gymryd. Mae'n ffaith fod y trosglwyddo awdurdod mwyaf arwyddocaol a wnaed gan Lafur i Gymru wedi digwydd nid pan oedd Plaid Cymru'n gryf, ond pan oedd yn ei gwendid. Dyma oedd y sefyllfa yn Etholiad Cyffredinol 1964 cyn sefydlu ysgrifenyddiaeth i Gymru, a dyna oedd y sefyllfa eto yn etholiad 1997 pan oedd canran Plaid Cymru o'r bleidlais yng Nghymru o dan 10%. Eto, o fewn misoedd roedd Llafur yn cymryd camau pendant tuag at ddatganoli a arweiniodd yn y man at sefydlu senedd i Gymru.

Rai blynyddoedd yn ôl darllenais ddadansoddiad y diweddar Athro Phil Williams, yn ei gyfrol *The Psychology of Distance: Wales, One Nation* (2003), o rôl ymarferol Plaid Cymru. Ef yn ddiamau oedd un o'r meddylwyr praffaf a mwyaf blaengar a fagodd Plaid Cymru erioed. Dyma'i union eiriau:

> To what extent is the development of a full Welsh polity an inevitable historical trend and to what extent is it a direct response to the growth of Plaid Cymru? Within the Party of Wales there is a recurring debate as to whether an essential pre-requisite for self-government is that Plaid Cymru replaces the Labour Party as the mainstream, dominant party in Wales. Alternatively, is it possible for a single-minded and uncompromising Plaid Cymru to create the conditions whereby other parties deliver self-government, albeit step-by-step and with some reluctance. Progress over the past forty years, and especially the establishment of the National Assembly, point to the latter strategy.

Byrdwn ei neges oedd na all Plaid Cymru ddisodli'r Blaid Lafur, ac felly mai trwy ddylanwad a pherswâd mae plaid leiafrifol yn llwyddo. Er bod geiriau'r Athro Williams ychydig addfwynach na hyn, ymddengys mai'r awgrym cadarn yw y dylai'r Blaid dderbyn ei rôl fel plaid leiafrifol yn hytrach na cheisio bod yn blaid fwyafrifol – a dyma, mi gredaf, yw craidd a chnewyllyn y sefyllfa. Yr hyn sy'n hollbwysig i Gymru yw fod Plaid Cymru'n dylanwadu mor gyson ac mor nerthol ag y gall, yn yr amgylchiadau sy'n bodoli ar y pryd. Y cam mwyaf a ddaeth yn sgil y cynnydd ym mhoblogrwydd Plaid Cymru yn y chwedegau diweddar – o safbwynt statws Cymru fel gwlad a chenedl – oedd sefydlu'r Comisiwn Brenhinol. Yn ddiamau, roedd gweld cynnydd cyson y Blaid yng Nghymru yn symbyliad i Lafur ymateb mewn rhyw ffordd neu'i gilydd – a phenderfynu naill ai sefyll yn erbyn cenedlaetholdeb Cymreig neu addef consesiwn iddo. Diolchaf mai'r ail opsiwn a gymerodd.

I'R WRTHBLAID – A THU HWNT

ROEDD HI'N HAF toreithiog, llachar yn 1970. Cofiaf bosteri Plaid Cymru ar ymron pob coeden, pob gwrych a pholyn teleffon a fu erioed, ac rwy'n cofio meddwl, 'Petasai pleidlais gan y rhain, mi fyddwn i mas ohoni'n ddigon diseremoni!' Roedd hi'n ymgyrch egnïol gan Blaid Cymru, a'i hymgeisydd, Hywel ap Robert, bargyfreithiwr llwyddiannus o Gaerdydd, yn ffigwr sefydliadol urddasol ac atyniadol. Deuthum i'w nabod yn dda wedi hynny, a buom yn gyfeillion agos. Credwn ar y dechrau y byddai'r Blaid yn ennill y dydd, ond wedyn sylweddolais ei bod yn debygol y byddai'r Blaid, er yn methu ennill, yn tynnu cymaint oddi wrth Lafur fel y byddai'n amhosib inni guro'r Rhyddfrydwyr. Roedd ansicrwydd yn bodoli hyd at y funud olaf. Rwy'n cofio dyfynnu wrth Alwen eiriau'r emynydd: 'Os dof fi drwy'r anialwch / rhyfeddaf fyth dy ras.'

'Paid â chablu,' meddai Alwen, 'neu mi fyddi di'n *haeddu* colli'r lecsiwn!'

Ond ennill a wnaethom, gyda rhyw ddeuddeg cant o fwyafrif. Bu yna ostyngiad o ryw dri neu bedwar cant yn ein pleidlais, ond llwyddasom i ennill dros un mil ar ddeg o bleidleisiau unwaith eto, ac fe gynyddodd ein mwyafrif o ryw saith cant. Yn wir, yr adeg honno mi gredais, efallai, wedi'r cyfan, y gallwn ddal Sir Aberteifi am beth amser i ddod. Doedd hynny ddim i fod, ac mewn termau personol efallai mai dyna'r peth mwyaf ffodus a allai fod wedi digwydd imi, fel y soniaf maes o law.

Roedd etholiad 1970 yn etholiad rhyfedd mewn llawer ystyr. Cynhaliais nifer o gyfarfodydd, a chyfartaledd uchel ohonynt yn yr awyr agored. Rwy'n cofio mewn aml i bentref llc bydden ni wedi bod yn lwcus o gael ugain i ymweld â'r neuadd neu festri leol, petai'r etholiad wedi cael ei gynnal yn yr hydref neu'r gaeaf. Ond, a'r haul yn tywynnu, fe welwn weithiau gynifer â hanner cant neu drigain o bobl ar lan y môr, ar sgwâr y pentref, o dan ganghennau coeden fras, neu ryw fan cyffelyb. Mi aeth yn etholiad hwyliog: cofiaf am gyfarfod ym marchnad Tregaron a channoedd yn bresennol. Ceisiodd rhyw amaethwr lleol oedd o gorffolaeth sylweddol ac a dderbyniai ffortiwn o gymorthdaliadau bob blwyddyn fy sodli drwy ddweud,

'Yr hyn sydd gen i yn erbyn Llafur yw fod gormod o arian yn cael ei dalu i bobl sydd ddim yn gweithio.'

Atebais innau, 'Rwy i wedi gweithio'n galed erioed am bopeth rwy wedi'i ennill. Os ydych chi wedi derbyn arian heb weithio amdano, dwedwch wrthon ni.'

Fe aeth yr ergyd adref; chwarddodd y dorf.

'Ma hwnna *below the belt*, Morgans,' meddai'r ffarmwr.

'Wn i ddim am hynny,' meddwn i, 'ond mae'n felt trwchus iawn!'

Efallai mai dyna'r etholiad olaf o'r fath, lle roeddech chi'n cael y cyfle i annerch cyfanswm o rai miloedd o etholwyr. Erbyn heddiw, mae'r peth bron yn amhosib i'w ddirnad.

Mi gafodd Hywel ap Robert tua 6,500 o bleidleisiau, cynnydd o filoedd o'i gymharu â'r hyn roedd y Blaid wedi'i ennill cyn hynny. Bu'n etholiad digon milain mewn un ystyr, a'r Blaid yn ein cyhuddo ni o bopeth ar wyneb y ddaear, â'r cyhuddiad canolog ein bod am ddinistrio economi Cymru. Ceisiwn innau daro'n ôl gan honni mai Llafur oedd plaid genedlaethol Gymru, mai ni oedd yn cynrychioli pobl Cymru yn San Steffan, a phan ddeuai'r dydd ar ôl yr etholiad y byddai gan Gymru naill ai lywodraeth Dorïaidd neu lywodraeth Lafur, a rhaid oedd penderfynu pa un o'r ddwy roedd Sir Aberteifi am ei chael. Medrwn ddangos bod nifer o fendithion wedi dod i'r sir o ran buddsoddiadau mewn gwasanaethau cyhoeddus, a nifer o enghreifftiau eraill oedd yn ddigon gweladwy. Medrai Llafur ddweud yn onest ei bod wedi gwella cyflwr y sir yn ystod cyfnod ei llywodraeth er 1964, ac er gwaethaf y cyhuddiadau roedd tystiolaeth gadarn o wariant cyhoeddus eang ledled Cymru.

Teimlwn yn wythnosau cyntaf yr ymgyrch y byddai poblogrwydd llywodraeth Harold Wilson y cyfryw fel ag i sicrhau tymor arall mewn llywodraeth – ond fe drodd pethau'n rhyfedd yn ystod y diwrnodau olaf. Cofiaf ganfasio stryd o dai roeddwn wedi ymweld â hi bythefnos cyn hynny, a chanfod bod nifer o bobl wedi newid eu cefnogaeth, a theimlo bod rhyw symudiad hanfodol ar droed. Rywsut neu'i gilydd fe gollodd Harold Wilson yr etholiad yn ail neu drydedd wythnos yr ymgyrch. Er i'r canlyniad synnu nifer, ar y pryd roeddwn yn synhwyro bod Wilson a'r Blaid Lafur wedi cymryd sawl cam gwag a oedd yn andwyol i'n gobeithion i barhau mewn llywodraeth.

Fe ddechreuodd Wilson yr ymgyrch drwy wneud sbort ar ben y Toriaid – peth digon dealladwy a difyr – ond teimlwn fod y darlun ohonynt fel 'yesterday's men' a rhyw lun o ddelweddau bach clai o Edward Heath a'r arweinwyr eraill yn ymarfer pur wag ac arwynebol. Petai Wilson wedi mynd i'r wlad a chyfaddef nad oedd pethau wedi bod yn rhwydd, ein bod yng nghanol cyfnod anodd (gan gofio dibrisio'r bunt) ac nad oeddem wedi gwneud y penderfyniadau cywir bob tro, gallai fod wedi creu'r naws briodol i gynnig rhaglen gref ac adeiladol am flynyddoedd i ddod. Yn gyntaf, yn hytrach na derbyn nad oedd pob gwasanaeth a diwydiant a gawsai ei wladoli wedi'i drefnu ar y patrwm cywir am byth bythoedd, gallem fod wedi sefydlu gweithgorau pwerus yng nghyswllt pob diwydiant a gwasanaeth cenedlaethol i adolygu'r strwythur, i'w wneud yn fwy effeithiol, ei ddemocrateiddio a'i wneud yn fwy tryloyw ym mhob ffordd. Roedd sawl syniad arall i'w ystyried, megis: cynllun meddygaeth ataliol (*preventative medicine*) drwy sefydliadau arbenigol ym mhob diwydiant – cynllun a fyddai wedi achub miloedd o fywydau bob blwyddyn, banc cenedlaethol, diwydiant cyffuriau meddygol cenedlaethol, ac yn y blaen. Cynllun cyfiawn a phwysig arall fyddai rhoi hawliau cyflogaeth ac enillion a darpariaethau pensiwn cyfartal i fenywod o'u cymharu â dynion. Roedd hanner dwsin o bethau eraill amlwg o'r un anian radicalaidd y gellid, ac y dylsid, bod wedi'u mabwysiadu ac a fyddai'n sail sylweddol i lywodraeth Lafur newydd.

Ond nid felly y bu, ac ni roddwyd fawr newydd o unrhyw swmp gerbron y cyhoedd. Rwy'n dal i gredu, petai Harold Wilson wedi gwneud hynny y byddai wedi marchogaeth yn fuddugoliaethus yn ôl i Rif 10. Doedd gan y Torïaid nemor ddim i'w gynnig. Ond, trwy gynnal ymgyrch arwynebol a negyddol, mi lwyddodd Harold Wilson i gipio, ys dywed y Sais, 'fethiant o safn buddugoliaeth'.

Efallai fod Gordon Brown, mewn rhyw ffordd ryfedd, wedi disgyn i'r un fagl ar ôl iddo ddod i rym ddiwedd y degawd diwethaf. Gallai fod wedi dweud yn gadarn ac yn blaen fod camgymeriadau wedi'u gwneud, a sut y byddai'n eu cywiro. Er bod natur gwleidyddiaeth yn newid yn barhaus, credaf o hyd fod yna le i egwyddorion cryf a delfrydau cadarn, yn ogystal â'r gwyleidd-dra i dderbyn bod dyn wedi dod i benderfyniadau anghywir – a bod cymdeithas drwyddi draw yn reddfol yn deall hyn. Yn wyneb y math o feirniadaeth negyddol ar Lafur a geid gan y Torïaid a'r gêm a fu iddynt ei chwarae droeon (a bu David Cameron yn ei chwarae cyn yr etholiad diwethaf), hwn, am wn i, yw'r modd mwyaf effeithiol o ymateb.

Ymosodiad ar y 'permissive society' a gafwyd gan Edward Heath a'i griw yn 1970, tebyg i'r ymgyrch ddiweddaraf o dan y slogan 'Broken Britain': 'Pam mae cymdeithas yn rhy oddefol neu wedi'i chwalu? Oherwydd Llywodraeth Lafur, wrth gwrs.' Dyma'r *canard* mawr a'r un hen stori: bod Llafur wedi llygru'r cyfan unwaith yn rhagor. Nid yw tacteg y Torïaid yn newid dros y degawdau!

Yn 1970, taerent mai syniadau 'Stalinaidd', canoledig oedd wedi chwalu cymdeithas, ac mai eu tasg hwy oedd ei chyfannu a'i hiacháu. Yn fy meddwl i, mae'r agwedd yma'n datgelu'r gwirionedd sy'n llechu'r tu ôl i gredoau cynifer o

Doriaid (ac a oedd yn amlwg yng ngeiriau pardduol Mrs Thatcher), sef diffyg dealltwriaeth o'r hyn yw cymdeithas a'r hyn sy'n cynnal cymdeithas. Roedd yr hyn oedd gan y Torïaid mewn golwg yn strwythur ansefydlog ac anghyfiawn, ac ni allai'r fath strwythur fyth gynnal cymdeithas unedig, heb sôn am greu cymdeithas iach a ffyniannus. Apêl i'r unigolyn oedd apêl hanfodol Mrs Thatcher: 'Os yw fy mholisïau i'n fanteisiol i chi, anghofiwch pa effaith a gânt ar bobl eraill sy'n agos atoch. Cefnogwch fi.' Mewn geiriau eraill, llwyddodd i raddau i ddyrchafu hunanoldeb i fod yn ddelfryd wleidyddol.

Ar y llaw arall, os oes yna edefyn aur yn rhedeg drwy draddodiad a datblygiad y Chwith, y teimlad o gyfrifoldeb a chyfraniad, ac o gydymddibynnu, yw hwnnw. Ochr yn ochr â'r egwyddor hon, mae'r gred nad system sydd wedi creu'r syniad o gymdeithas wâr, gyfrifol a theg, ond yn hytrach y gwrthwyneb. Y gymdeithas ei hunan sydd wedi creu'r gyfundrefn. Does yna'r un person wedi meddwl a chreu system gymdeithasol deg drwy ddefnyddio geometreg resymegol. Y gwir yw mai'r pethau sy'n greiddiol ac yn sylfaenol ym meddylfryd cymdeithas ddaeth i'r brig i greu'r syniad o gymdeithas deg a blaengar – ac mae'r ddadl yma'n gyfan gwbl groes i'r hyn roedd y Torïaid yn ei honni'r pryd hwnnw, ac wedyn.

Medrwch ddadlau mai syniadau naïf iawn ydynt, dim mwy na syniadau'r ysgol Sul, ac nid yn unig yr ysgol Sul, ond ysgolion Sul sosialaidd Noah Abblett, yr undebwr blaengar o'r Rhondda, gan mai'r un math o safonau ac agweddau oedd gennych chi yn y ddau le. Tra bod ysgolion Sul y capeli'n dysgu am Iesu Grist a'r Bregeth ar y Mynydd, roedd Abblett yn anffyddiwr. Ond delfrydau tebyg i'w gilydd oeddent: y gydymddibyniaeth yna o ddyletswydd unigolyn tuag at ei gymdeithas, a dyletswydd cymdeithas at yr unigolyn. Yn yr ystyr yna, nid *counterpoint* i greulondeb cyfalafiaeth yn unig yw sosialaeth, ond – ar ei gorau – rhyw ddehongliad materol o'r Bregeth ar y Mynydd. Un sy'n enghraifft o'r cyswllt yma oedd hanesydd mawr y Blaid Lafur yn hanner cyntaf yr ugeinfed ganrif, R. H. Tawney. Cofiaf yn dda ei eiriau: 'We have been inoculated by a mild injection of Christianity', sef bod y pigiad yn eich diogelu rhag y cyflwr cyflawn.

Er gwirionedd tragwyddol y syniadau yma, credaf fod cymdeithas ar ddechrau'r saithdegau'n llawer iawn llai sinigaidd na'r gymdeithas bresennol, a'i bod yn gymdeithas lle roedd delfryd yn cyfrif mwy ac yn derbyn mwy o sylw. Anodd dychmygu arweinydd gwleidyddol heddiw'n dyfynnu geiriau Luther ac yn dweud, 'Dyma'r graig y safaf arni am na allaf sefyll yn unman arall.' Roedd gwleidyddiaeth cyfnodau cynharach yn seiliedig ar bleidiau'n crynhoi eu dadleuon ar ryw graig gadarn o ddelfryd – hyd yn oed y Torïaid ymerodrol.

I mi, roedd Tony Blair yn ymgnawdoliad o'r math newydd o wleidyddiaeth. Ni safai dros ddelfrydau cadarn; yn hytrach cynrychiolai ddelwedd o gefnogaeth i'r dosbarth gweithiol ond un a oedd hefyd yn ddeniadol i'r dosbarth canol, nad oedd yn poeni'n ormodol am ddelfrydau. Roedd aelodau'r dosbarth hwn eisiau rhywfaint o sicrwydd a rhywfaint o lwyddiant – ac am gyfnod gweddol ffyniannus yn hanes Prydain yn teimlo'n esmwyth gyda'r dyn ifanc a'r meddwl disglair a'i syniadau cymedrol a oedd yn gogwyddo tuag at dir canol gwleidyddiaeth – o leiaf hyd ryfel Irac.

Mae amgylchiadau wedi newid yn aruthrol er 1970, pan oedd egwyddor gyn bwysiced, os nad yn bwysicach na delwedd mewn gwleidyddiaeth. Efallai y byddai gwleidydd o gymeriad Wilson, a'r math o ymgyrch a welwyd yn 1970, wedi bod yn ddigonol yn yr oes sydd ohoni nawr. Yn y cyfnod hwnnw, fodd bynnag, fe dalodd y Blaid Lafur y pris am ei diffyg diffuantrwydd a syniadau creiddiol.

Ar Feinciau'r Wrthblaid

Dyma fi, felly, yn haf 1970 yn dychwelyd i Dŷ'r Cyffredin, nid i barhau â'r gwaith caled ond diddorol fel gweinidog yn y Llywodraeth, ond hytrach i fainc flaen yr Wrthblaid i geisio bod yn ddraenen yn ystlys y Toriaid. Mwynheais fy amser yn y Swyddfa Gartref; roedd yn brofiad ardderchog, a'r weinyddiaeth honno yn un o stablau enwocaf llywodraeth ac iddi draddodiad cyfoethog a disgyblaeth dda, yn wahanol i nifer o adrannau eraill. Roedd yr addysg a gefais yn y Swyddfa Gartref, yn arbennig o dan arweinyddiaeth James Callaghan, yn brofiad amhrisiadwy. Ar y llaw arall, roedd y teimlad o ddychwelyd i fod yn aelod o'r Wrthblaid â'r rhyddid – ac i ryw raddau, y ddyletswydd – i fedru ymosod ar lywodraeth a'r pethau y teimlwn fod angen ymosod arnynt, yn ddigon atyniadol. Am resymau gwahanol, felly, mwynheais y cyfnod hwn hefyd.

Wrth gwrs, roedd rhywfaint o'r hyn a wnes i yn yr Wrthblaid yn negyddol a disylwedd, yn yr ystyr bod y chwipiaid yn ein hannog i greu trafferth a rhwystredigaeth i'r Llywodraeth er mwyn dal yn ôl ddeddfwriaeth wrthwerinol a gwrthundebol. 'Keep it going,' medden nhw, 'keep it going for as long as you can, day after day, month after month, year after year, if you can.' Ac mi wnes i hynny bob cyfle a gawn.

Roedd yn gyfle hefyd i wawdio. Fe gofiaf un achlysur yn arbennig yn y Tŷ pan fûm yn llai na charedig wrth Edward Heath. Fel y digwyddai, roedd y mater dan drafodaeth yn un oedd yn agos i'm calon, sef Bragdy Carlisle. Ar y pryd roedd Heath yn arwain polisi o ddadwladoli nifer o'r gwasanaethau hynny fu'n rhan o raglen economaidd a chymdeithasol y Llywodraeth Lafur. Y bragdy, felly, oedd y sefydliad nesaf ar raglen breifateiddio Heath. Ystyriwn ei agwedd fel un braidd yn grintachlyd, er bod y cyfiawnhad dros gadw perchnogaeth y bragdy wedi diflannu wrth i'r ffatrïoedd ffrwydron gau. Mewn dadl ar y mater yn y Tŷ, ceisiais greu darlun o Edward Heath yn y bath, yn dwysystyried beth fyddai â'i fryd ar ei ddadwladoli nesaf. Yna yn sydyn, gan gofio'r hen Archimedes, dyma Heath yn cydio mewn rhyw 'small, indeterminate object', cyn gweiddi 'Eureka, I have found it!' A dyna dynged Bragdy Carlisle!

Un mesur y gallwn ymhyfrydu ynddo wrth eistedd ar

feinciau'r Wrthblaid oedd y mesur cyffuriau a arweiniwyd drwy'r Tŷ gan Richard Sharples, Gweinidog Gwladol yn y Swyddfa Gartref. (Rai blynyddoedd yn ddiweddarach, ac yntau wedi ymddeol o'r Tŷ ac yn Rhaglaw Bermuda, fe'i llofruddiwyd gan leidr oedd wedi torri i mewn i'w dŷ.) Fel gweinidog, roeddwn wedi bod yn gysylltiedig â lansio'r mesur yn Nhŷ'r Cyffredin yn 1969, ond nid oeddem wedi cyrraedd pen y daith ddeddfwriaethol cyn i'r etholiad cyffredinol ddod ar ein traws. Seiliwyd y ddeddfwriaeth i raddau ar gytundebau rhyngwladol ym myd cyffuriau a wnaed gan Brydain dros y blynyddoedd, ond a oedd eto i'w trosi'n gyfraith gwlad. Pan ddaethant i rym, fe fabwysiadodd y Torïaid y mesur yn yr union ffurf y bu i ni ei gynnig. Roedd y profiad yn un adeiladol a chwrtais, a neb yn ceisio chwarae gwleidyddiaeth â'r mesur. Roedd yno ddynion ardderchog ar ran y Torïaid, megis Sharples a Syr David Renton, a nifer o rai cyffelyb o'r pleidiau eraill oedd â'r ddawn i godi goruwch rhaniadau gwleidyddol. Mae yna bobl felly ym mhob plaid ac roedd y rhain yn enghreifftiau clasurol o'r ffenomen honno. Roedd yn fesur gwerth chweil, ac mae wedi para am ddeugain mlynedd heb newid nemor ddim arno.

I mi, roedd y mesur hwn yn dangos dau beth yn benodol. Yn gyntaf, roedd yn fesur amserol ac yn delio â phroblemau gwirioneddol gyfredol. Yn niwedd y chwedegau nid oedd problemau cyffuriau wedi cyrraedd y lefel echrydus a welir heddiw. Ond yn y dyddiau hynny roedd yna berygl difrifol y gwelid datblygiad enfawr yng nghyswllt methadon, oedd yn aml yn cael ei ddefnyddio yn lle heroin, a hynny trwy bresgripsiynau meddygol. Yn ail, roedd yn fesur hyblyg ac yn caniatáu i lywodraeth y dydd ymateb i sefyllfa a ddatblygai'n sydyn – trwy *order in council* y gallwch ei basio'n gyflym drwy'r ddau Dŷ, heb yr angen am ddeddfwriaeth gynradd. Rhaid wrth gefnogaeth Tŷ'r Cyffredin a Thŷ'r Arglwyddi i ychwanegu at unrhyw un o'r dosbarthiadau yna o A, B ac C sy'n rhestru cyffuriau yn ôl maint eu perygl. Fe gododd enghraifft o'r ddeddf ar waith yn 2010 pan ddatblygodd y defnydd o feffedron yn sydyn fel pla. O dan yr amgylchiadau, roedd hi'n bosib i'r Swyddfa Gartref gymryd camau'n syth a gwneud gorchymyn i'w ychwanegu at y rhestr o gyffuriau o fewn dosbarth B. Ni chymerodd yr holl broses fwy nag ychydig wythnosau.

Roedd canabis hefyd yn rhywbeth a drafodwyd yn sylweddol yn y chwedegau. Cafwyd cryn ddadlau cyn i'r mesur cyffuriau gael ei gynnig yn y lle cyntaf yn 1969, a hynny o ganlyniad i adroddiad y Farwnes Barbara Wooton – boneddiges o alluoedd meddyliol enfawr a chanddi syniadau rhyddfrydig a dyneiddiol, a menyw oedd yn wir o flaen ei hoes. Ei phryder mawr oedd fod nifer cynyddol o bobl ifanc yn cael eu hanfon i garchar am fis neu ddau, efallai, oherwydd bod pecyn bychan o ganabis yn eu meddiant. Ffieiddiai'r fath syniad, ac fe gadeiriodd weithgor a gyhoeddodd adroddiad yn 1968 yn argymell yn gryf y dylid cyfreithloni'r cyffur. Roedd y dadleuon yn rhai atyniadol ac yn rhesymegol eu strwythur. Uchafbwynt y ddadl oedd tystiolaeth Syr Aubrey Lewis, a oedd yn un o'r awdurdodau mwyaf yn y byd yn y maes hwn. Honnai hwnnw nad oedd canabis yn gaethiwus (*addictive*) i'w ddefnyddwyr mewn ystyr gemegol, ond ei fod yn rhannol gaethiwus mewn ystyr gymdeithasol. Yn yr ail le, honnai – fel mae llawer wedi gwneud cyn hynny, ac yn ddiweddarach – petaech chi'n dechrau heddiw â llechen lân, ac yn ymdrin â thri chyffur, sef alcohol, tybaco a chanabis, yn ei farn ef mai canabis fyddech chi'n ei ystyried fel y lleiaf niweidiol o'r rhain; y nesaf ato fyddai tybaco, a'r mwyaf niweidiol i gyd fyddai alcohol.

Yn wyneb y dadansoddiad hwn, roedd yn demtasiwn mawr ar y pryd i'r Llywodraeth Lafur ei gyfreithloni. Yn sicr, roedd Jim Callaghan yn chwarae â'r syniad, ond rwy'n credu yn y diwedd i ni wneud rhywbeth callach o lawer. Mae gen i gof o drafod Adroddiad Wooton gydag ef, ac erfyn arno i feddwl dwywaith am y syniad. Roeddwn i, fel nifer o rai eraill, yn teimlo petaech yn cyfreithloni canabis, yna fe agorid y drws mwy peryglus i'r isddiwylliant sy'n apelio'n bwerus at y genhedlaeth ifanc i anturio i diriogaeth tor cyfraith. Y drws ar y pryd oedd canabis, ac mae cannoedd o filoedd, os nad miliynau, o bobl ifanc wedi pasio drwy'r drws yna. Mae'r mwyafrif llethol ohonynt wedi cael profiad o ganabis ond wedi aeddfedu i fod yn ddinasyddion cyfrifol a da.

Mae'n wir hefyd fod rhai ohonynt wedi symud i ddelio mewn LSD a chyffuriau ar raddfa debyg. Fel arfer, mae LSD yn dueddol o fod yn brofiad byr o ran amser. Gall pethau difrifol ddigwydd yn y cyfnod hwnnw – megis pobl yn cael eu lladd drwy neidio oddi ar adeiladau uchel o dan y gamargraff eu bod yn medru hedfan. Ond yr hyn sy'n digwydd yn aml yw eu bod nhw'n symud ymlaen at heroin, a chyffuriau celyd eraill. Nawr, petaech chi'n dileu cymryd canabis fel trosedd, ac yn ei gyfreithloni, faint o'r defnyddwyr hynny fyddai'n cael eu temtio i fyd anghyfreithlondeb drwy ddrws LSD neu gyffur peryglus tebyg?

Yn bwysicach na hynny, roeddwn o'r farn nad oedd yn rhaid newid y gyfraith o gwbl, ond y byddai mymryn o synnwyr cyffredin ar ran ustusiaid yr un mor effeithiol; nhw, yn fwy na neb, oedd yn gyfrifol am y cosbi trwm, yn hytrach na Llys y Goron. Gellid dylanwadu arnynt i beidio ag anfon pobl i garchar am fod â chanabis yn eu meddiant i'w ysmygu eu hunain yn hytrach na'i werthu, oni bai iddynt fod mor haerllug ag aildroseddu. Ar y llaw arall, fe fyddai yna anogaeth i'r llysoedd weithredu'n llawdrwm yng nghyswllt y rheini oedd yn tyfu canabis neu'n ei werthu.

Dyna, a dweud y gwir, oedd y polisi a fabwysiadwyd yn y llysoedd, a gwn yn dda amdani trwy fy nghyfnod fel bargyfreithiwr a barnwr ar ôl hynny. Fyddech chi byth yn anfon neb i'r carchar am yr hyn a elwir yn 'feddiant syml' – yn sicr, nid yng nghyswllt y drosedd gyntaf. Eto, mi fyddech bron bob amser yn carcharu rhywun am ddelio mewn canabis. Felly, yn y pen draw fe ddaethpwyd i gymrodedd hynod o ymarferol a llwyddiannus: y gyfraith yn aros yr un, ond polisi'r llysoedd yn cael ei weinyddu yn ddoeth a chymedrol.

Bu pwysau mawr ar y Llywodraeth Lafur yn y degawd diwethaf i israddio canabis o gategori B i gategori C, ac o ganlyniad ni fyddai person bellach mewn perygl o gael ei anfon i garchar am fod â chanabis yn ei feddiant. Dyna oedd y drefn am flwyddyn neu ddwy, ond yna fe newidiodd y Llywodraeth ei meddwl a'i symud yn ôl o gategori C i B. Parhaf i gredu bod angen ystyried canabis fel rhywbeth difrifol, a all arwain at bethau llawer iawn gwaeth. Ond, ar y llaw arall, rhaid osgoi gweld cannoedd o filoedd o bobl, bron i gyd yn bobl ifanc, mewn perygl o gael eu carcharu am feddiant yn unig. Rhaid cofio, serch hynny, fod mathau ar ganabis wedi'u datblygu'n ddiweddarach sy'n llawer iawn mwy peryglus na'r cynnyrch gwreiddiol.

Er na lwyddais i lansio na diwygio deddfwriaeth rhwng 1970 ac 1974, un o'r mesurau yr ymleddais yn egnïol yn ei erbyn oedd deddfwriaeth i ad-drefnu llywodraeth leol yng Nghymru. Fy nymuniad oedd cadw Sir Aberteifi yn un uned sirol, ac rwy'n cofio gwneud nifer o areithiau'n darlunio hanes y sir yn y termau hyn: 'The land known as Cardiganshire lying between the estuaries of the Dyfi and the Teifi, bordered on the east by the Pumlumon range and on the west by the Irish Sea, has been shaped on the anvil of the ages and should not be interfered with by Government from Whitehall ...' ac yn y blaen. Mae'n wir fod Sir Aberteifi yn un o'r cymunedau hynaf a mwyaf hanesyddol ym Mhrydain gyfan. Mae'n bodoli er y bumed ganrif, ac mae'n wrthun meddwl bod rhyw was sifil bisibodiog yng Nghaerdydd neu yn Llundain â'r awdurdod i'w chwalu.

Er fy mod yn edrych yn ôl ar y geiriau uchod â gwên, roeddwn yn wirioneddol yn eu credu ac rwy'n dal i gredu bod y cysyniad o ad-drefnu llywodraeth leol yn gorwedd ar seiliau bregus. Yn y lle cyntaf, gallem fod wedi cadw'r tair sir ar ddeg hanesyddol a oedd i Gymru, gan gydnabod gwendidau nifer ohonynt. Eto, yn hytrach na chyfuno siroedd, yr ateb oedd cyfuno swyddogaethau, a hynny dros ffiniau'r siroedd, yn enwedig yng nghyswllt gwasanaethau arbenigol megis iechyd meddwl neu ofal am blant ag anghenion dwys. Petai rhywun wedi datblygu'r syniad ar y pryd, rwy'n sicr y byddai wedi bod yn gam adeiladol tuag at ateb nifer o'r trafferthion a darddai o unedau bychain a thlawd. Ond mewn llywodraeth leol mae yna genfigennau cynhenid a phlwyfoldeb ysbrydoledig. Fel barnwr cylchdaith fe welais lawer o gynghorau gweinion yn methu gweithredu rhai swyddogaethau statudol costus heb gydweithio, ond roedd hi'n anodd disodli trefn natur a phatrwm hanes. Yn anffodus, yn y pen draw rwy'n credu bod yn rhaid cael gweinidog cryf a phenderfynol yng Nghaerdydd i gamu i mewn ac arwain y ffordd.

Bu'r ymgyrch fach yna'n un ddigon lletchwith o safbwynt fy sefyllfa oddi fewn i'r Blaid Lafur. Ar y pryd roeddwn yn llefarydd ar faterion cyfreithiol a chyfansoddiadol ar fainc flaen yr Wrthblaid, ond traethwyd yr areithiau uchod o'r meinciau cefn, a minnau'n dadlau'n groes i bolisi cyfredol fy mhlaid. Yn fuan wedyn deuthum yn llefarydd ar faterion Cymreig, fel dirprwy i George Thomas. Nid oedd fawr o elfennau adeiladol ynglŷn â'n perthynas. Roedd George yn chwyrn yn erbyn y Llywodraeth Dorïaidd, ond ni chredaf iddo erioed feddu ar weledigaeth aeddfed o Gymru fel gwlad a chenedl. I raddau helaeth, roedd Cymru George yn gorffen yng ngogledd y Rhondda, ac roedd mwy o sentiment nag o feddwl yn ei agweddau fel 'cysgod' Ysgrifennydd Cymru. Er hynny, cefais ddigon o ryddid ganddo ac mi wnes bob dim roeddwn i ei eisiau. Petai'r awdurdodau wedi gorchymyn i mi beidio, roeddwn i'n ddigon parod i roi'r gorau i'r swydd!

Hanesion a Chyfeillion o'r Tŷ

Yn y blynyddoedd byrion y bûm yn gwleidydda yn Nhŷ'r Cyffredin fe welais lawer iawn o gyfeillgarwch, ac ambell ddigwyddiad diangof. Er i mi anghytuno ag ef weithiau, er enghraifft ynglŷn â'r cynllun i ddiwygio llywodraeth leol pan oedd yn Ysgrifennydd Gwladol Cymru, roedd Cledwyn a minnau'n gyfeillion agos. Nid yw'n ormodedd ei ddisgrifio fel 'fy nhad yn y ffydd', ac edmygwn ef flynyddoedd cyn i mi ei gyfarfod. Cofiaf amdano'n dweud, mewn ysgrif ar senedd i Gymru yn *Y Cymro* yn y pumdegau cynnar, 'Pe bai chwe chant o angylion yn San Steffan, angylion Seisnig fyddent ac ni ddeallent deithi meddwl Cymru.' Lawer nos Iau, cyn dychwelyd i Gymru, caem seiat gyda'n gilydd yn y Tŷ. Dechreuai'r drafodaeth gyda Cledwyn yn dweud wrthyf, 'Llythyr Paul at y Colosiaid, y bedwaredd bennod, a'r ail adnod', ac yna cawn grynodeb byw o'i bregeth y Sul canlynol. Teimlwn fod llunio a thraddodi pregeth yn rhywbeth pwysicach iddo'n aml na dal swyddi fel Ysgrifennydd Gwladol Cymru neu Weinidog Amaeth.

O bryd i'w gilydd, fe fyddai ymwneud â Cledwyn a'i waith yn gallu arwain at sefyllfaoedd difyr. Cofiaf ef yn estyn gwahoddiad i mi i'w fflat yn Kensington i fod yn dyst i drafodaeth rhyngddo ef a llywydd yr NFU, Syr Henry Plumb (yr Arglwydd Plumb ar ôl hynny). Y cwestiwn, wrth gwrs, oedd yr arolygiad prisiau blynyddol – yr 'annual price review'. Ni welais well bargeinio mewn marchnad erioed! Flynyddoedd lawer ar ôl hynny, a Cledwyn bellach wedi marw, atgoffais Henry Plumb, a oedd erbyn hynny'n aelod o Dŷ'r Arglwyddi, o'r achlysur. A'i ymateb oedd, 'I would trust Cledwyn with my life.'

Dro arall fe ofynnodd Cledwyn i mi, 'Fyddech chi'n meindio dod efo fi nos Iau, i ginio'r Landowners Association? Mae'n gas gen i fynd i'r lle yna.' Dyma finnau felly'n gwisgo'r lifrai priodol, a chael noswaith dda ohoni. Ond, a hithau'n nos Iau, y bwriad oedd dal y trên hanner nos i Aberystwyth gan fy mod i fod yn bresennol yng nghyfarfod gwobrwyo Ysgol Dinas y diwrnod canlynol. Ar ôl blasu gwinoedd hyfryd – ond dim byd yn ormodol – fe gyrhaeddais orsaf Paddington mewn da bryd i deithio i Crewe, i gyrraedd erbyn y trên tri i Aberystwyth. Ond fe gwympais i gysgu, a phan edrychais ar fy wats, roedd hi wedi pedwar y bore a'r trên ar fin cyrraedd Wigan! Disgynnais o'r trên ond doedd dim golwg o fywyd yn yr orsaf, a bûm yn cerdded lan a lawr y platfform am awr gyfan fel ysbryd ar ddisberod, a'r trenau'n rhuthro trwodd cyn i neb o weision y rheilffordd ymddangos. Fe gynigiwyd paned o de i mi, a chefais sicrwydd y byddai trên yn cyrraedd yn ddiweddarach a âi â fi i Crewe ac i Aberystwyth. Cyrhaeddodd yn y diwedd, ond yn anffodus roedd hwnnw'n hwyr ac roedd hi'n dipyn o ras i gyrraedd adre mewn pryd. Fe ddaliais dacsi yn y diwedd a chyrraedd Aberystwyth â rhyw hanner awr i'w sbario!

Cymro arall a wnaeth argraff ddofn arnaf oedd yr anghyffredin Emrys Hughes, Aelod Seneddol Llafur De Ayrshire. Ar wahân i fod yn un o'r cymeriadau mwyaf cellweirus yn Nhŷ'r Cyffredin, roedd yn uniad o ddwy ffrwd ddiddorol dros ben. Ar un llaw, roedd yn fab-yng-nghyfraith i Keir Hardie, ac ar y llaw arall yn orwyr i'r Parchedig John Hughes, Pontrobert. Roedd yn un o ladmeryddion mwyaf eofn radicaliaeth y Chwith ac yn weriniaethwr sosialaidd digymrodedd. Cofiaf un achlysur pan lwyddodd i beri embaras enfawr i'r sefydliad trwy wasgu cyfaddefiad gan un o weinidogion y Llywodraeth mai'r un oedd y llong frenhinol *Britannia* â'r llong a restrwyd yn y 'Defence Estimates', fel *fleet auxilliary* y gellid ei defnyddio fel llong ysbyty (ZXIII, dyweder), yr oedd miliynau o bunnoedd wedi'i gwario arni yn ystod y blynyddoedd blaenorol, a hynny'n guddiedig. Enghraifft arall o'i ddireidi anhygoel oedd mesur preifat a gyflwynodd gerbron y Tŷ i roi'r *Times* mewn perchnogaeth gyhoeddus. Ar gefn y mesur drafft roedd enwau'r aelodau a'i cefnogai – Mr Wilson AS, Mr Brown AS, Mr Jenkins AS, Mr Callaghan AS – i gyd yn gefnogwyr ffurfiol; ond nid Harold Wilson, George Brown, Roy Jenkins, na James Callaghan oeddent ond Aelodau Seneddol Llafur eraill oedd â'r un cyfenw â'r brodyr yn y Cabinet. Pwysleisiodd mor anghywir ei agwedd roedd y *Times* wedi bod ar achlysuron megis twf Natsïaidd yr Almaen, yn gwrthwynebu sefydlu'r Gwasanaeth Iechyd, cefnogi cyrch Suez, ac yn y blaen. Ei brif honiad oedd fod y *Times,* drwy gyfeiliorni'n gyson, yn peryglu'r deyrnas yn gyfan gwbl. Fel y gellid disgwyl, ni roddodd y Llywodraeth amser i'r mesur gael symud yn ei flaen! Unwaith yn unig y gwelais unrhyw un yn cael y trechaf ar Emrys Hughes – a hynny ar yr achlysur pan roddodd Cledwyn Hughes y neges iddo fod Pwyllgor Llywio'r Arwisgiad wedi dewis emyn ei hen daid i'r gwasanaeth seremonïol:

O anfon di yr Ysbryd Glân
yn enw Iesu mawr.

'I'll interdict, ye blaggards,' meddai wrth ei hen gyfaill – ond ni wnaeth!

Aelod arall o'r Blaid Lafur rwyf wedi sôn eisoes amdano oedd John Morris, fy nghyfaill er pan oeddem yn blant yn Ysgol Ardwyn, a'r gwleidydd disgleiriaf a fagodd Sir Aberteifi erioed; bu hefyd yn Arglwydd Raglaw Dyfed. Un arall a fu'n gyfaill cadarn i mi mewn gwleidyddiaeth oedd Elwyn Jones, mab i deulu diwylliedig o Lanelli. Pan ddaeth yn Arglwydd Ganghellor mabwysiadodd ar ei arfbais eiriau cyson ei fam, 'Gwna dy orau'. Brawd iddo oedd Dr Idris Jones, a oedd yn brif gynghorydd gwyddonol i'r Bwrdd Glo ac yn gapten ar dîm rygbi Cymru cyn yr Ail Ryfel Byd. Gwelais lawer ar Elwyn wrth ymwneud â diwygio'r gyfraith droseddol pan oeddwn yn Is-ysgrifennydd Cartref ac yntau'n Dwrnai Cyffredinol, a daethom yn gyfeillion agos. Yn ychwanegol at ei ddoniau fel bargyfreithiwr, roedd iddo bersonoliaeth swynol a allai oresgyn pob gwrthwynebiad. Cofiaf amdano yn 1966 ac 1967 pan oedd argyfwng Rhodesia yn ei anterth, a'r Llywodraeth yn gorfod cyflwyno un Gorchymyn Seneddol ar ôl y llall i geisio cael trefn ar y sefyllfa. Byddai'r Tŷ'n swnllyd a di-drefn, ond codai Elwyn, ac o fewn munudau – doedd dim gwahaniaeth pa mor ffyrnig y ddadl – byddai wedi arllwys 'tunelli o olew heddychlon' ar y dyfroedd geirwon. Elwyn a'm perswadiodd yn 1970 i newid o fod yn gyfreithiwr i fod yn fargyfreithiwr ac ymuno â'i siambrau ef. Enfawr yw fy nyled iddo.

Gofynnwyd i mi droeon gwestiwn a ofynnir i bob un a fu yn y Senedd, sef 'Pwy oedd yr areithiwr gorau a glywsoch yno?'

O'm rhan fy hun, byddwn yn rhannu'r llawryf rhwng dau, sef Enoch Powell a Michael Foot. Roedd dulliau rhethregol y ddau mor wahanol i'w gilydd ag roedd eu safbwyntiau gwleidyddol. Y fwyell ryfel neu'r cledd trwm oedd arf Enoch Powell; pinciad ysgafn gyda'r *epée* oedd *métier* Michael Foot, a'r gwrthrych gan amlaf yn corcio o chwerthin dan ei ymosodiad.

Cofiaf Enoch Powell yn annerch yn y ddadl fawr ar y Farchnad Gyffredin ac yn gorffen ei araith trwy ddweud, 'Mr Speaker, if this House espouses this policy tonight, then I verily believe that these ancient stones will cry out in their anguish.' Medrech glywed y distawrwydd ac roedd llawer un mewn gwahanol rannau o'r Tŷ dan emosiwn. Pe bai rhywun arall wedi defnyddio'r ymadrodd affidafidaidd 'I verily believe', byddai'r lle wedi ffrwydro mewn chwerthin. Rwy'n cofio Enoch Powell yn cael ei holi yn Gymraeg gan Gwyn Erfyl ar raglen deledu ar nos Sul. Roedd Powell wedi dysgu'r iaith yn drwyadl fel y gallai gydgyhoeddi gyda Stephen J. Williams gyfrol ar hen gyfreithiau Cymru, *Llyfr Blegywryd*, yn 1942. Un o'r cwestiynau a ofynnodd Gwyn Erfyl iddo oedd, 'Petaech chi'n cael y cynnig i fod yn Brif Weinidog, a fuasech yn ei dderbyn?' Ateb urddasol Enoch Powell oedd, 'Pe cynigid y cwpan hwn i mi, ni chredaf y buaswn yn ei wrthod.' Wrth i mi ei longyfarch y Llun canlynol, dywedodd wrthyf, 'But the word I was searching for was not "cup" but "chalice".'

Yng nghyswllt Michael Foot, cofiaf ef mewn ymryson â Syr Geoffrey Howe – y dyn disglair hwnnw oedd yn Gyfreithiwr Cyffredinol ar y pryd. Meddai Michael, 'So miraculously adroit is the honourable and learned gentleman as to make Houdini appear like a helpless arthritic.' Gyda llaw, cyfyrder enwog i Geoffrey Howe oedd Gwynfor, ac roedd y ddau'n ymhyfrydu yn y berthynas.

Yn ogystal â chymeriadau disglair a dadleuon difyr, fe welais hefyd ddigwyddiadau digon ysgytwol yn ystod fy nghyfnod yn Nhŷ'r Cyffredin. Un sydd wedi'i serio ar len y cof yw'r ymateb a fu i 'Sul y Gwaed' yn 1972. Fel y cofiwch, fe saethodd milwyr yng Nghatrawd y Parasiwtwyr bedwar ar ddeg o bobl yn farw yn Derry a chlwyfo amryw eraill. Er i lawer blwyddyn fynd heibio, dim ond yn araf y daeth ffeithiau gwaelodol yr achlysur erchyll hwnnw i'r golwg. Nid oedd arf gan neb a syrthiodd neu a glwyfwyd, ni thrawyd na pherson na cherbyd nac adeilad â'r un fwled o du'r Gwyddelod, ac erbyn hyn mae'n amlwg iddynt gael eu llofruddio mewn gwaed oer. (Credaf ei bod yn deyrnged i David Cameron iddo dderbyn dedfryd yr ymchwiliad yn ei chyfanrwydd.) Fel y dywedais, roedd teimladau'n rhemp yn y Tŷ y prynhawn hwnnw. Cododd Reginald Maudling, yr Ysgrifennydd Cartref, i wneud ei ddatganiad. Aeth ati i geisio darlunio sefyllfa lle roedd y milwyr wedi tanio i'w hamddiffyn eu hunain, a'i bod braidd yn 'anffodus' fod cynifer o fywydau wedi'u colli. Wrth iddo yngan y geiriau hyn, dyma Bernadette Devlin, oedd wedi'i hethol i'r Tŷ rai misoedd ynghynt – yn lasferch un ar hugain oed, yn sgrechian fel cyhyraeth ac yn hyrddio'i hunan ar draws llawr y Tŷ gan weiddi, 'You murdering, hypocrite bastard, Maudling' yn ogystal ag ansoddeiriau eraill nad oes angen eu dyfynnu. Cafodd afael arno gerfydd ei wallt, crafodd ei wyneb â'i hewinedd hyd at waed a chofiaf weld ei sbectol drom yn hedfan lathenni i ffwrdd. Rhuthrodd dau neu dri o chwipiaid y Llywodraeth i'w amddiffyn ond ymladdai Bernadette Devlin fel teigres. Yn y diwedd fe lwyddwyd i'w chario a'i phen i lawr a'i thraed i fyny o'r Siambr. Ni welodd 'mam (barchus) y seneddau' y fath olygfeydd na chynt na chwedyn.

Mae'r atgof yma'n dwyn i gof lawer achlysur arall yn ystod fy nyddiau yn y Tŷ pan ffrydiai emosiwn yn gryf. Darlun na ddileir fyth oddi ar y cof oedd y dydd Llun ar ôl trasiedi Aberfan. Roedd y Tŷ o dan ei sang. Medrech glywed pluen yn disgyn pan gododd Cledwyn Hughes, Ysgrifennydd Gwladol Cymru, i ddweud sut y bu i 116 o blant bychain a 28 o oedolion golli'u bywydau yn y gyflafan erchyll oedd wedi digwydd rai dyddiau ynghynt. Yr unig sŵn a glywech wedyn oedd pobl ym mhob rhan o'r Tŷ yn wylo – rhai ohonynt yn bobl y meddyliwn cyn hynny fod ganddynt galonnau o gallestr. Dyn teimladwy bob amser oedd Quintin Hogg (Arglwydd Hailsham cyn ac ar ôl hynny), a gododd i siarad ar ran yr Wrthblaid, ond ni fedrai yngan yr un gair, dim ond sefyll yn ysgwyd ei ben a'r dagrau'n llifo i lawr ei ruddiau. Brasgamodd allan o'r Siambr.

Achlysur arall hefyd â chysylltiad ag ardal Merthyr oedd y diwrnod hwnnw pan wnaeth Roy Jenkins, yr Ysgrifennydd Cartref ar y pryd, ddatganiad ynglŷn ag achos Timothy Evans, oedd wedi'i ddienyddio rai blynyddoedd ynghynt ar ôl ei ddyfarnu'n euog o lofruddio'i wraig a'i blentyn. Aeth Timothy Evans i'r grocbren ar dystiolaeth dyn o'r enw Christie a wnaeth argraff ddofn ar y rheithgor fel cyn-gwnstabl cynorthwyol o dybiedig gymeriad dilychwin. Yr hyn na wyddai'r rheithgor, wrth gwrs, oedd fod Christie eisoes wedi llofruddio nifer o fenywod ac wedi claddu eu cyrff o dan loriau ei dŷ, 10 Rillington Place.

Byrdwn datganiad Roy Jenkins oedd ei fod y diwrnod hwnnw wedi annog y Frenhines i estyn Pardwn Rhydd i'r un oedd wedi dioddef y fath gamwri a'i bod hithau'n raslon wedi cytuno i hynny. Cofiaf yn y foment ddirdynnol honno feddwl bod yna Gymro bach difreintiedig ac anllythrennog o Gwm Merthyr, o gyneddfau meddyliol cyfyngedig iawn, rywle yng Ngogoniant, a chanddo deimladau digon cymysg ynglŷn â'r byd a'r bywyd hwn. Cyfeiriodd y bardd Gwilym R. Jones at y sefyllfa hon yn ddeifiol; sonia am gyfiawnder:

> Disgynnodd ddoe oddi ar ei farch
> I stwffio'n pardwn dan gaead d'arch.

Gadael y Tŷ

Yn dilyn llwyddiant yn 1970, roedd hyd yn oed fy ysbryd pesimistaidd i'n ysbeidiol obeithiol y gallwn orchfygu tuedd hanes a thraddodiad unwaith eto yn Sir Aberteifi. Ond doedd hynny ddim i fod. Ac eto, ar ambell ystyr nid methiant fu'r ymgyrch yn yr etholiad hwnnw chwaith. Yn wir, enillasom fwy o bleidleisiau yn nau etholiad 1974 nag yn fy etholiad cyntaf yn 1966. Yn anffodus, gyda'r ddwy blaid gryfaf mor agos i'w gilydd, roedd y canlyniad yn dibynnu i raddau helaeth sut roedd pleidleisiau'r gwrthwynebwyr yn cael eu rhannu. Yn 1974 fe ddisgynnodd cefnogaeth y Ceidwadwyr i ryw dair mil o bleidleisiau. Ôl-nodyn diddorol yn y cyswllt hwn yw'r ffaith fod Gareth Raw-Rees, Llandre, a oedd yn gyfaill agos i mi, wedi derbyn gwahoddiad oddi wrth y Ceidwadwyr i fod yn ymgeisydd iddynt. Gwrthod a wnaeth ar sail ein cyfeillgarwch. Yn eironig, a Gareth yn amaethwr tra phoblogaidd yn y sir, petai wedi sefyll mae'n bosib y gallwn i fod wedi crafu i mewn, ond roedd Gareth yn rhy deyrngar i arbrawf felly. Mi aeth y pleidleisiau Ceidwadol a gollwyd bron yn gyfan gwbl i Geraint Howells, a oedd yn ymgeisydd poblogaidd ac uchel ei barch. Petai eu pleidlais hwy neu un Plaid Cymru wedi aros yn debyg i'r hyn ydoedd cynt, ni fyddwn o bosib wedi colli. Ond nid yw hynny'n unrhyw fath o gondemniad ar neb na dim. Nid yw Aberteifi'n sir Llafur; mesurir potensial Llafur yn aml yn ôl canran y diwydiant cynhyrchiol a geir mewn etholaeth, ac Aberteifi a Westmorland yw'r ddwy sir â'r ffigwr isaf yn y cyswllt hwn yn y Deyrnas Unedig.

Yn 1966 ac yn 1970 mi lwyddom i fanteisio ar yr elfennau pwerus hynny oedd yn cyd-ddigwydd. Pwy a ŵyr na ddigwyddith hyn eto? Pan edrychwch ar hanes y Blaid Lafur yn y sir o'i hetholiad cyntaf yn 1931, fe gynyddodd y bleidlais yn gyson nes i'm cefnder, Iwan, ennill dros ddeng mil o bleidleisiau. Roedd platfform wedi'i osod a byddai'n bosib i Lafur ennill mewn blwyddyn ffafriol. Erbyn hyn mae'r bleidlais Lafur wedi'i gwasgu allan o fodolaeth, bron, ond nid yw hynny'n adlewyrchiad terfynol o'r hyn mae pobl y sir yn ei feddwl o Lafur. Credaf fod miloedd o bleidleisiau Llafur yn cael eu bwrw'n dactegol i bleidiau eraill yn eu tro.

Yn Sir Aberteifi, yr hyn sydd gennych i bob pwrpas yw cystadleuaeth rhwng dwy blaid wladgarol. Mae un yn cynrychioli gwladgarwch plwyfol Sir Aberteifi, sef y Rhyddfrydwyr, a'r agwedd honno sy'n wrthwynebus i lywodraeth ganolog: 'Dy'n ni ddim yn hoffi Caerdydd, ac ry'n ni'n hoffi Llundain lai fyth!' Ar y llaw arall, mae gennych wladgarwch ehangach, Cymreig Plaid Cymru. Yn y bôn, felly, brwydr rhwng y ddau fath o wladgarwch consentrig sydd yna – gwladgarwch lleol a gwladgarwch cenedlaethol. Ond, y tu hwnt i'r ymryson yma, mae yna bosibiliadau i'r Blaid Lafur yn y dyfodol. Wedi'r cyfan, mae'n ddigon posib y daw'r dydd lle bydd pobl Sir Aberteifi yn dweud, 'Wel, beth bynnag mae'r pleidiau bach yma'n sôn amdano yng nghyswllt Sir Aberteifi, ac yng nghyswllt Caerdydd, mae dyfodol ein sir ni'n dal i ddibynnu'n helaeth ar ba lais sydd gennym yn San Steffan neu yn y Bae.' Gallai hon fod yn ble gref. Yn 1966 roedd yna gyd-ddigwyddiad o elfennau a oedd i gyd yn llesol i Lafur: roedd Wilson yn arweinydd atyniadol, roedd Plaid Cymru'n wan, roedd y Toriaid yn ddigon cryf i dynnu digon oddi ar y Rhyddfrydwyr, a dyna oedd allwedd ein llwyddiant dros dro.

Roedd colli sedd Aberteifi – er yn debygol – yn ysgytwad, ac yn ergyd i'm hysbryd. Yn ffodus, o fewn dim roeddwn yn brysur ar y Bar ac wedi dod i delerau â'r dolur, er bod fy awydd i gyfrannu'n wleidyddol yn parhau ynghynn. Fu ddim rhaid i mi aros yn rhy hir tan yr ymdrech nesaf i gyrraedd Tŷ'r Cyffredin, ond ofer fu'r cais y tro hwnnw hefyd. Sefais yn aflwyddiannus ym Môn yn Etholiad Cyffredinol 1979. Er awydd brwd Cledwyn i mi ei ddilyn fel aelod yr ynys, anifail un meistr oedd Môn yng nghyswllt Llafur, a Cledwyn oedd y meistr ysbrydoledig hwnnw. Cyfansoddodd fy mab, Owain, sy'n rhigymwr bro digon ffraeth, faled gysurlon i'r achlysur. Mae'n cynnwys y llinellau canlynol (sy'n cyfeirio, wrth gwrs, at Rio Tinto Zinc, Alwminiwm Môn yn ddiweddarach):

> Ac ar ôl dyddiau ysgol, nid af i fyw'n sir Cled,
> Caf waith yn Aberystwyth ac nid yn RTZ.

Dau beth yr hoffwn eu dweud am yr ymgyrch honno: yn gyntaf, fe'm curwyd gan Keith Best, bargyfreithiwr ifanc o

Brighton. Er i'r ornest fod yn un galed, ni ddywedodd Best yr un gair dilornus amdanaf fi na'r un ymgeisydd arall. Beth bynnag oedd y cymylau a ddaeth i'w lethu'n ddiweddarach – ystrywiau ynglŷn â phrynu cyfranddaliadau, fe'i cefais ef yn ŵr bonheddig anrhydeddus. Roedd yn bleser ategu hyn mewn llythyr at ei gyfreithiwr yn ei apêl yn erbyn dedfryd anhaeddiannol o garchar, flynyddoedd yn ddiweddarach.

Y peth arall yw'r atgof o'r hyn a ddigwyddodd ar brynhawn Sadwrn ar Stryd Fawr Llangefni rai dyddiau cyn y bleidlais. Yno safai Cledwyn a minnau, ac yntau'n cyfeirio pawb a allai i'm cyfarfod, ac ar yr un pryd yn fy nghanmol i'r cymylau. Clywais un wraig yn sibrwd wrtho,

'Mae o'n ddyn clên, ond dwi ddim yn 'i ddallt o'n siarad.'

Ar ôl i'r wraig fynd yn ei blaen, dywedais wrth Cledwyn, 'Cofiwch eiriau Pantycelyn (gan bwyntio tua'r de):

> Dyn dieithr ydwyf yma,
> Draw mae 'ngenedigol wlad.'

Ymateb Cledwyn oedd, 'Peidiwch â *deud* pethau fel yna Elystan, fe fydd pobl yn eich clywad chi.'

Er mawr siomedigaeth y canlyniad terfynol, nid oedd colli ym Môn yn pwyso cymaint ar ddyn â'r canlyniad yn Sir Aberteifi. Erbyn hynny, roeddwn yn ffodus ddigon wedi sefydlu gyrfa weddol lewyrchus yn y gyfraith. Yn ôl yn 1974, roeddwn yn 41 mlwydd oed ac yn wynebu dyfodol ansicr. Eto, roeddwn yn dal yn ddigon ifanc – o drwch blewyn – i gychwyn gyrfa ar y Bar. Roeddwn wedi fy nghymhwyso fel bargyfreithiwr yn ystod fy nghyfnod yn yr Wrthblaid, ac wedi cael lle mewn siambrau yn y Middle Temple yn Llundain dan arweinyddiaeth Elwyn Jones a Samuel Silken. Galluogodd hyn fi i ymuno â siambrau nodedig iawn yng Nghaerdydd.

A dweud y gwir, nid edrychais yn ôl wedi hynny. Petawn wedi ennill yr etholiad yn 1974, ac wedi cadw'r sedd am ryw bedair neu bump o flynyddoedd wedi hynny, rwy'n siŵr y byddwn yn rhy hen i allu cael unrhyw lwyddiant yn y Bar, nac wedyn fel barnwr. Felly,

> Trwy ddirgel ffyrdd mae'r Uchel Iôr
> yn dwyn ei waith i ben.

Neu fel roeddwn i'n arfer dyfynnu'r adeg honno, o emyn mawr Moelwyn:

> Fe all mai'r storom fawr ei grym
> a ddaw â'r pethau gorau im

– er nad oeddwn i'n hollol sicr sut i'w ddehongli ar y pryd.

Bywyd y Gyfraith

Yn 1970, ar anogaeth fy nghyfaill Elwyn Jones, penderfynais newid o fod yn gyfreithiwr i fod yn fargyfreithiwr. Erbyn y cyfnod hwnnw roedd y broses wedi'i symleiddio'n fawr, ac roedd yn bosib trosglwyddo i fod yn fargyfreithiwr heb fawr o drafferth. Serch hynny, roedd yna drefn arbennig i'w dilyn, yn cynnwys mynd i brif swyddfa Cymdeithas y Gyfraith yn Chancery Lane i ddiddymu fy enw o restr y cyfreithwyr. Yn anffodus, ni chefais y derbyniad na'r ffanfêr ddisgwyliedig. Yn y dyddiau hynny, defnyddid yr un swyddfa i ddisgyblu cyfreithiwr oedd wedi pechu trwy dwyllo cleientiaid ag i drosglwyddo i'r Bar. Cerddais i fyny at y cownter. Eisteddai rhyw ferch ifanc yno, nid i'm cyfarch na'm llongyfarch, ond yn hytrach i edrych arnaf yn ofalus mewn ymdrech i geisio damcaniaethu pa beth cywilyddus roeddwn i wedi'i wneud! Pleser mawr i mi, felly, oedd cyhoeddi mai gwneud cais roeddwn am gael fy nyfarnu'n 'fit and proper person', fel y gellid dileu fy enw oddi ar Rôl y Cyfreithwyr. Ar ôl y dechreuad llai nag addawol hwnnw, yn fuan fe lwyddais i ddod yn aelod o'r Bar.

Croesawodd Elwyn Jones fi i'w siambrau. Fel gweinidog yn y Swyddfa Gartref un o'm prif ddyletswyddau, fel y soniais yn barod, oedd ymdrin â diwygio'r gyfraith droseddol, ac yn sgil hynny roedd amrywiaeth o waith i'w wneud ar y cyd â'r Twrnai Cyffredinol, ac roeddem wedi treulio amser helaeth gyda'n gilydd yn ystod fy nghyfnod yn y Llywodraeth. Bu'n hynod garedig wrthyf ar bob achlysur, ac yn ei siambrau ef, felly, y cyflawnais fy nhymor prawf – yn y Lamb Building, yn adeiladau hanesyddol y Middle Temple, rhwng afon Tafwys a'r Uchel Lys. Bargyfreithiwr profiadol o'r enw Dennis Kelly oedd yn gyfrifol am fy arolygu. Dyn diddorol dros ben oedd

Dennis: roedd wedi ennill medalau am wroldeb adeg y rhyfel, ac roedd wedi bod yn un o ysgrifenyddion Winston Churchill o 1945 hyd 1950. Tori o'r Toriaid ydoedd, ond serch hynny'n ddyn dymunol a thra charedig.

Roedd gwaith bargyfreithiwr yn bur wahanol i waith cyfreithiwr, hyd yn oed y gwaith y byddai cyfreithiwr yn ei wneud yn llys yr ynadon neu'r llys sirol. Ond, yn ogystal â hynny, roedd gen i ddyletswyddau seneddol ac wrth gwrs yn yr etholaeth, felly dim ond rhyw gyswllt gweddol arwynebol â'r gyfraith oedd gen i yn y blynyddoedd hynny. Fe gefais y profiad o fynd i hen lysoedd y brawdlys, a hynny cyn Deddf y Llysoedd 1971, ond yn bwysicach na hynny fe gefais ychydig o brofiad cyffredinol a oedd yn werthfawr ar ôl imi golli fy sedd a gorfod ennill bywoliaeth o'r Bar. Roedd yna gystadleuaeth am lefydd, yn ddiamau, ond roeddwn yn hynod o ffodus fod Elwyn Jones wedi fy nghymryd o dan ei adain yn y lle cyntaf. Mae'r gystadleuaeth nawr yn llawer llymach, a channoedd, miloedd efallai, o bobl a fyddai'n gwneud bargyfreithwyr teilwng yn methu cael mynediad i siambrau i gyflawni eu tymor prawf, er bod yna fwy o fargyfreithwyr mewn practis nag erioed. Yn ymarferol, ymddengys bod nifer o resymau dros hyn, ond cofier bod llawer o brif waith bargyfreithwyr ifanc wedi lleihau yn sgil ysfa barhaus y Llywodraeth i dorri cymorth cyfreithiol i bobl gyffredin. Rydw i wedi ysgrifennu ar ran nifer fawr o ymgeiswyr galluog oedd yn dymuno mynd i'r Bar, ond methu fu hanes nifer ohonynt. Ceir weithiau gannoedd yn ceisio am un neu ddau o lefydd, a gall siambrau eu cyfyngu eu hunain yn gyfan gwbl i'r rhai sydd wedi cael y graddau gorau – a hyd yn oed wedyn maent ymhell o gael unrhyw sicrwydd o le ar ôl dyddiau prentisiaeth. Er nad oedd pethau'n hawdd ar ddechrau'r 1970au, fe aeth pob dim yn llawer gwell nag yr ofnwn.

Pan gollais sedd Ceredigion cefais gynnig i barhau yn siambrau Elwyn ond, fel y digwyddodd, roedd cyfle i ymuno â siambrau prysur a llwyddiannus yng Nghaerdydd. Does dim amheuaeth gen i nad oedd Elwyn wedi chwarae rhyw ran yn hynny hefyd! Mi es, felly, i siambrau 34 Park Place, Caerdydd, siambrau ac enw gwych iddynt a'r rhai mwyaf yn ne Cymru bryd hynny. Fe'u sefydlwyd yn hen adeilad y BBC gyferbyn â'r amgueddfa. Yn rhyfedd iawn, bûm yn cymryd rhan mewn ambell raglen yn yr adeilad hwnnw flynyddoedd lawer cyn hynny, pan oedd yn eiddo i'r BBC. Cefais groeso a chefnogaeth fawr yn 34 Park Place, lle roedd rhyw ddeg ar hugain ohonom yn fargyfreithwyr. Ni welais ddim ond ewyllys da a charedigrwydd cynnes drwy gydol yr amser bûm yno. Un person yn arbennig a fu'n gyfaill mawr imi yn y dyddiau hynny oedd Hywel Moseley, a oedd wedi bod yn Athro Cyfraith yn Aberystwyth. Buom yn cydletya am flynyddoedd, a daeth Hywel yn farnwr tua'r un pryd â minnau.

Clywswn gymaint oddi wrth fy mrawd hŷn, Gwyn, pa mor anodd oedd hi i ddyn sefydlu ei hunan ar y Bar cyn yr Ail Ryfel Byd, ac o'r herwydd roedd gen i amheuon ynglŷn â sicrwydd y Bar. Ond er bod y profiad yn un newydd, doedd yna ddim i'w ofni. Roedd yn digwydd bod yn gyfnod pan oedd enillion y Bar yn codi'n gyflym ac roedd cyfle i wneud amrywiaeth o waith. Yn wir, rhwng dechrau Ebrill 1974 a diwedd y flwyddyn llwyddais i ennill lawer gwaith mwy na'r hyn a fyddwn wedi'i ennill fel Aelod Seneddol!

Mae gan bob siambr glerc, a bydd yr holl waith sy'n cyrraedd yn dod i mewn trwyddo ef (neu hi). Y clerc sy'n penderfynu pwy gaiff y gwaith, lle rydych chi i fod ar y dydd a'r dydd, a'r mis a'r mis; yn wir, rydych chi'n gyfan gwbl yn ei ddwylo. Gall clerc da fod yn fendith aruthrol, tra caiff clerc gwael, wrth gwrs, effaith andwyol. Fyddech chi byth yn gofyn i'r clerc am unrhyw waith, a phetaech chi'n ddigon annoeth â gofyn, byddai ateb cwta yn siŵr o ddilyn. Mewn siambrau llwyddiannus mae gan y rhan fwyaf o fargyfreithwyr fwy o waith nag y medrant ei wneud, a does dim cenfigen yno. Lle mae siambrau'n aflwyddiannus a bod rhai'n brwydro i gael gwaith, yna gall tensiwn ymledu. Fe fyddai clerc yn cymryd rhan sylweddol o'r ffi, gan ddechrau weithiau â 10%; felly, gan fod deg ar hugain ohonom yno, gwnâi'r clerc fwy o arian na'r un ohonom. Ond roedd ein clerc ni'n werth pob ceiniog.

Yn 34 Park Place roedd gennym y diweddar Kenneth Gorman, yn gawr ymhlith clercod. Does dim amheuaeth gen i nad ef oedd un o'r clercod gorau a welsai'r Bar erioed. Roedd yn adnabod cyfreithwyr Caerdydd a de Cymru yn dda, ac roedd yn ddyn o egni a gonestrwydd mawr. Petai Kenneth yn rhoi ei air i rywun y byddai rhywbeth yn cael ei wneud erbyn y dydd a'r dydd, yna mi fyddai'n digwydd, costied a gostio. Gallai fod yn ddigon llym ei ddisgyblaeth ar fargyfreithwyr; er ei fod yn ein galw'n 'syr' pan fyddai pobl eraill o fewn clyw, eto caem dafod lem ganddo petai o'r farn ein bod wedi gwneud rhywbeth nad oedd yn deilwng o'r siambrau. Pennaeth y siambrau pan ddechreuais yno oedd dyn o'r enw Rhys-Roberts, a enillasai'r George Medal yn ystod y rhyfel am yrru trên oedd yn cario ffrwydron ac a oedd ar dân allan o orsaf yng ngogledd yr Eidal a honno'n cael ei bomio ar y pryd. Neidiodd o'r cab eiliadau yn unig cyn i'r cyfan fynd yn wenfflam. Dyn dewr yn sicr, ond pan fyddai Kenneth yn dweud y drefn wrtho byddai'n ymddangos fel bachgen ysgol! Roedd llawer iawn o bobl yn y siambrau o allu ac arbenigrwydd uchel, ond Kenneth yn ddiamau oedd y teyrn! Fe wyddai fy mod weithiau'n anghofus ynglŷn â threfniadau a dywedodd unwaith wrth Alwen, 'I go with him to court in the morning, I shut the door behind him in the right courtroom, and then I don't worry about him!'

Mae siambrau bargyfreithwyr yn sefydliad unigryw. Rydych yn gweithredu fel unigolyn, ond yn berchen ar yr adeilad fel grŵp o unigolion ac yn cyflogi'r clerc a'i staff. Gwneir y penderfyniadau gan y bargyfreithwyr, ac felly roedd cyfarfodydd y siambrau yn gallu bod yn achlysuron rhyfedd ar adegau! Roedd yna gytundeb ynglŷn â'r rhan fwyaf o bethau, ond eto weithiau byddai dadlau brwd ar ambell bwnc, ac yn yr achosion hynny cawn y teimlad mai'r rhai â'r mwyaf o stamina wedi dwy neu dair awr o siarad diddiwedd a gâi eu ffordd!

Un o'r dadleuon tragwyddol yn ystod fy nyddiau cynnar oedd a ddylai menywod ddod i'r siambrau neu beidio. Caem bob math o drafodaeth: rhai ar dir metaffisegol, bron, yn gwrthod derbyn y dylai menywod fod yn rhan o'r Bar o gwbwl; eraill yn pryderu y caent – am wahanol resymau – effaith andwyol ar y gweddill ohonom; eraill eto'n pledio'r *lavatory defence*, mai dim ond dau dŷ bach oedd gennym ac y byddai'n rhaid i ni godi un arall – dadleuon a gâi eu trafod drosodd a throsodd mewn siambrau ar hyd a lled y deyrnas, rwy'n siŵr.

Fe estynnwyd croeso i fenywod yn y pen draw, ac roeddent yn bersonau galluog a dymunol, ac yn gredyd i'r siambrau. Er y gwaith caled a'r teithio i lysoedd pell, roedd yna fywyd cymdeithasol difyr yn y siambrau. Hanner esgus oedd ei eisiau i gael parti: pan fyddai rhywun yn priodi neu'n dyweddïo, yn cael plentyn neu'n cael sidan, neu'n cael ei wneud yn farnwr. Fe welais lawer iawn o wir gyfeillgarwch gan bob un o'm cyd-aelodau.

Gwaith troseddol a wnawn ar y cyfan, er y byddwn yn gwneud gwaith cynllunio am ryw ddau neu dri mis bob blwyddyn. Tuedd bargyfreithiwr cynllunio yw gwneud nemor ddim ond cynllunio, ac ychydig iawn o bobl a wnâi waith troseddol yn ogystal â gwaith cynllunio. Ond, fel y digwyddodd, fe gefais yr amrywiaeth yn bartneriaeth hapus. Ar ôl rhai misoedd o wneud gwaith troseddol yn y llysoedd, ddydd ar ôl dydd o flaen rheithgor, teimlwn mai peth hyfryd oedd mynd i amgylchfyd cwbl wahanol, lle byddai'r tribiwnlys yn bentyrrau o fodelau, cynlluniau, mapiau a siartiau o bob math. Symudai pob dim yn araf a phwyllog, heb arlliw o ruthr amgylchedd Llys y Goron.

Fe ddarganfûm o'r cychwyn cyntaf fod yna rywbeth gwefreiddiol yn y profiad o ymladd achos o flaen rheithgor, a bûm yn hapus yn treulio'r rhan fwyaf o'r amser yn delio â materion o'r fath, o ddydd i ddydd, ac o wythnos i wythnos. Cefais ddechrau gweddol addawol: cymerais nifer o achosion yn Llys y Goron Casnewydd yn y misoedd cyntaf, a phrofi tipyn o lwyddiant. Amddiffyn fyddwn i bron bob tro, a doedd hi ddim yn hir cyn imi sylweddoli y byddai bron pawb oedd yn amddiffyn yng Nghasnewydd yn llwyddiannus! Cofiaf ddweud yn y cinio a roddodd y siambrau i mi ar ôl fy ngwneud yn farnwr, 'I had some brilliant acquittals at Newport – especially when prosecuting!' Roedd rheithgorau yn y fan honno'n hynod o wrth-sefydliad, ac ni dderbynient air yr heddlu oni bai fod y dystiolaeth o'u plaid wedi'i phrofi drosodd a thro. Hawdd oedd credu bod yr agwedd o amau'r sefydliad a sefyll yn gadarn gyda'r diffynnydd yn mynd yn ôl i ddyddiau'r Siartydd John Frost a'i gymrodyr.

Ceir straeon nid annhebyg am reithgorau Sir Aberteifi. Fe glywais Elwyn Jones yn dweud amdanynt: 'On the whole they were against crime, but thank goodness, they were not dogmatic about it!' Roedd y rheini, mae'n debyg, gyda'r rhai mwyaf trugarog i ddiffynnydd a fu erioed. Mae yna hen stori am farnwr yr Uchel Lys, Syr John Eldon Bankes, wedi dod i Frawdlys Llanbed amser maith yn ôl i wrando ar achosion troseddol. Dyma'r diffynnydd cyntaf yn cael ei ddyfarnu'n ddieuog. Fe ddaeth achos arall gerbron, a'r diffynnydd hwnnw hefyd yn ddieuog – ac yn y blaen nes cyrraedd diwedd y drydedd wythnos heb unrhyw ddedfryd o euog. Aros gyda chyfaill iddo mewn rhyw blasty yng ngwaelod y sir roedd y barnwr. Aeth y ddau ati i hela sgwarnogod, ac mi gwrsodd y cŵn sgwarnog fach i mewn i ffald o gerrig. Dyma'r hen farnwr yn cocio'i wn, ac wrth anelu at agoriad yr adwy, yn dweud, 'Well, my beauty, not even a Cardiganshire jury can save you now.'

Fe glywais stori o natur arall – ond eto'n ddigon wir – am reithgor Sir Aberteifi gan Syr Alun Talfan Davies (bûm yn rhannu ystafell yn y siambrau gydag ef a Gerald Elias am flynyddoedd). Roedd Alun yn amddiffyn menyw a gawsai fywyd ofnadwy o greulon o dan law ei gŵr, ac un diwrnod fe gododd gyllell, ei drywanu drwy ei galon, a'i ladd. Yn yr achos bu llawer o ddadlau ynglŷn â beth yn union a ddigwyddodd, a pham. Aeth y rheithgor allan, ac ymhen byr amser daethant yn ôl. Dyma'r fforman yn codi – ffarmwr mawr bochgoch – a chlerc y llys yn gofyn iddo beth oedd y ddedfryd. Ebe'r fforman, 'Not guilty of murder, but guilty of manslaughter.' Meddai'r barnwr, 'Mr Foreman, do you find the defendant guilty of manslaughter on the basis of provocation, or on the lack of intent to kill?' Nawr, roedd hi weddol amlwg nad oedd y rheithgor wedi trafod cwestiwn o'r fath, ond wedi canolbwyntio'n llawn cydymdeimlad â'r hyn a ddioddefasai'r fenyw dros y blynyddoedd. Dyma'r fforman yn edrych yn syth i lygaid y barnwr, a dweud heb amheuaeth, '*Both*.' Dyna ichi agwedd Sir Aberteifi tuag at gyfiawnder!

Wrth amddiffyn yn aml a magu mwy o brofiad, roedd dyn yn dod i deimlo bod pob rheithgor yn wahanol i'w gilydd. Medrech synhwyro weithiau, mewn achos oedd yn para am wythnos neu ddwy, pa fath o bobl oedd ar y rheithgor. Cwestiwn a godir gan lawer o bobl yw sut yn y byd mawr y gellir cael dedfryd gywir, neu gyfres o ddedfrydau cywir, a theg gan reithgor nad oes gan yr aelodau'r gallu, efallai, i ddeall mewn modd soffistigedig holl gymhlethdod yr achos. Fy ymateb yw hyn: mewn rhyw ffordd ryfedd fe gewch ddeuddeg o bobl ddigon cyffredin, o bosib heb lefel uchel o ddeallusrwydd, eto'n cyrraedd dedfryd neu ddedfrydau hynod o ddeallus a theg. Rywsut neu'i gilydd mae gwendid un person yn cael ei gydbwyso gan gryfder rhyw berson arall. Rhwng y deuddeg ohonynt rydych chi'n sicrach, rwy'n credu, o gael dedfryd gywir ar y ffeithiau nag a gaech hyd yn oed gan banel bychan o farnwyr. Mae hynny'n dibynnu, wrth gwrs, ar i'r barnwr grynhoi'r achos i'r rheithgor mewn modd dealladwy ac mor syml ag sy'n bosib, a'i fod wedi dangos iddynt beth ydi'r posibiliadau yn ôl y dystiolaeth, gan ddweud drosodd a throsodd mai *nhw*, ac nid *fe*, na'r *bargyfreithwyr*, nac unrhyw un arall, sydd i benderfynu'r achos.

Rwyf yn gryf o'r farn fod y rheithgor yn un o'r sefydliadau gwychaf mae Prydain erioed wedi'i ddatblygu. Fodd bynnag, mae clymblaid gref, o wahanol gyfeiriadau ac o wahanol gymhellion, a fyddai'n hapus i weld naill ai'r rheithgor yn diflannu'n gyfan gwbl, neu'n gweithredu mewn llawer llai o achosion. P'un a fydd y Llywodraeth bresennol yn ailddechrau'r broses, ni wn, ond ni synnwn petai'n gwneud hynny. Gobeithiaf na wnaiff.

Hanesion

Un o'r achosion mwyaf anghyffredin ac anhygoel y bûm yn rhan ohono oedd achos o lofruddiaeth pan oedd Gareth Williams, Cwnsler y Frenhines, yn fy arwain dros y Goron. Achos ar ddechrau'r wythdegau ydoedd, a'r diffynnydd yn ddyn o'r enw Dr Davies, pennaeth adran gyfrifiadurol Coleg Technegol Pen-y-bont ar Ogwr. Cyhuddid ef o lofruddio'i wraig, sef dirprwy brifathrawes yn un o ysgolion cynradd y Rhondda.

Yn hwyr ar nos Sadwrn roedd Dr Davies wedi mynd dros y ffordd at ei hen ffrind oedd yn sarjant yn yr heddlu, i chwarae cardiau a chymdeithasu. Edrychai ar y cloc o bryd i'w gilydd gan ddisgwyl ei wraig yn ôl gan ei bod wedi mynd i siopa i Ben-y-bont ar Ogwr. Ond, a hithau'n cyrraedd deg o'r gloch, yna hanner awr wedi deg, ac un ar ddeg o'r gloch, doedd dim sôn amdani. Yn bryderus dyma fe'n dychwelyd i'w dŷ i aros am ei wraig. Yna, ymhen hir a hwyr, fe alwodd swyddog o'r heddlu i roi newyddion arswydus iddo. Roedd trychineb ofnadwy wedi digwydd, a char ei wraig wedi cael ei ddarganfod, wedi disgyn dros y dibyn mewn man o'r enw Mynydd y Bwlch, ar y ffordd sy'n cysylltu gogledd y Rhondda a Phen-y-bont ar Ogwr. Yn ôl yr heddwas, roedd y car wedi mynd ar dân, a chorff ynddo wedi'i losgi bron yn gyfan gwbl, a bod pob lle i gredu mai corff ei wraig ydoedd. Dyma Dr Davies wedyn yn amlygu pob argoel o sioc a galar, ac yn wylo'n hidl.

Yr hyn a ddigwyddodd oedd fod Dr Davies yn cynnal perthynas â rhyw ferch ifanc i lawr y cwm, a rywbryd yn ystod y dydd Gwener roedd wedi ymosod ar ei wraig, ei llindagu, a'i lladd. Yna, dyma fe'n rhoi ei chorff yng nghist y car, a gyrru i lawr at ei gariad yn y cwm. Bu wedyn yn siarad â honno, ond heb ddweud gair wrthi, mae'n debyg, ynglŷn â'r llofruddiaeth. Rywbryd yn ystod y Sadwrn roedd wedi mynd yn y car, a'r corff ynddo, i'r Bwlch, wedi defnyddio petrol i roi'r car ar dân cyn ei wthio dros y clogwyn, ac yna wedi dychwelyd a mynd i dŷ'r sarjant.

Yna, o'r foment honno ymlaen, dyma bethau annisgwyl ac anhygoel yn digwydd. Ychydig ddyddiau wedi hynny, ymwelodd swyddog o'r heddlu unwaith eto â Davies, a dweud wrtho,

'Dr Davies, rydym wedi darganfod olion sylweddol o *cyanide* yng nghorff eich gwraig. Oes gyda chi eglurhad am hynny?'

Aeth Davies ati i adrodd stori faith: sut y bu iddo godi yn y nos a chlywed ei wraig yn mynd i lawr y grisiau, ond heb ei chlywed yn dychwelyd. Ar ôl peth amser roedd wedi codi a mynd i lawr y grisiau a'i chael yn farw yn un o'r stafelloedd – potel o *cyanide* wrth ei hochr a nodyn yn dweud ei bod hi wedi cymryd ei bywyd ei hunan.

'Be wnaethoch chi â'r nodyn?' gofynnodd yr heddwas.

Atebodd Davies drwy ddweud iddo rwygo'r nodyn a'i daflu o'r ffenestr i'r gwynt. Dau neu dri diwrnod yn ddiweddarach, daeth yr heddlu yn ôl i'r tŷ ac ymddiheuro'n llwyr oherwydd bod y gwyddonwyr fforensig wedi gwneud camgymeriad arswydus. Rywsut neu'i gilydd roedd pwy bynnag oedd yn gyfrifol am amcangyfrif cryfder y *cyanide* (a oedd yno, mae'n debyg, o ganlyniad i effaith y tân) yn hytrach na rhannu'r hafaliad efo deg, wedi'i luosogi ddeg gwaith! Roedd y ganran felly'n anghywir i fesur o gant. Ond cwestiwn amlwg yr heddlu oedd pam roedd Davies wedi rhaffu'r fath gelwyddau? A dyna pryd y chwalodd y cyfan. Dyma fe'n adrodd stori wahanol eto: y tro hwn mynnodd fod y ddau wedi bod yn cweryla ar dop y grisiau yn eu cartref, ei bod hi wedi ceisio'i daro, ac wrth iddo yntau godi ei ddwylo i'w amddiffyn ei hun, dyma hi'n cwympo i lawr y stâr, a threngi.

Mi gofiwch fod y rhan fwyaf o'r corff wedi'i losgi'n gyfan

gwbl; roedd y pen, y coesau a'r breichiau wedi mynd, a dim ond y torso ar ôl. Ond, yn anffodus i Dr Davies, roedd yna un darn o dystiolaeth allweddol ar weddillion y corff. Mae asgwrn bychan ar siâp pedol i'w gael yn y gwddw, o dan yr ên, sy'n cael ei alw'n asgwrn *hyoid*. Pan gaiff rhywun ei lindagu (neu o leiaf yn y mwyafrif helaeth o achosion), bydd yr asgwrn yma'n hollti, a gall yr hollt hwn ddangos yn glir beth achosodd y farwolaeth. Os yw person wedi'i lindagu, bydd llinell yr hollt ar oleddf o tua 45°, yn hytrach na bod yn llorweddol neu'n fertigol. Yn achos Mrs Davies druan, fe ddarganfuwyd bod yr asgwrn wedi'i hollti ar linell o tua 45°.

Ni fu'r rheithgor allan yn hir cyn cael Dr Davies yn euog o lofruddiaeth. Er mor anhygoel oedd yr hyn a ddigwyddodd, roedd yna un tro pellach yn y stori honno, a hwnnw'n un creulon. Roeddwn i'n cael fy arwain gan Gareth Williams ac roedd Martin Stephens, sydd wedi ymddeol yn ddiweddar ar ôl bod yn farnwr am flynyddoedd yn yr Old Bailey, yn cael ei arwain gan Aubrey Myerson, Cwnsler y Frenhines, bargyfreithiwr y diffynnydd. Flynyddoedd wedi hynny roedd mab hynaf Martin Stephens, bachgen ifanc galluog, yn yr ysbyty yn marw o lewcemia, a'i rieni'n ymweld ag ef bob dydd. Pwy oedd mewn gwely yn yr un ward, hefyd yn marw o lewcemia, ond Dr Davies. Petaech chi'n ysgrifennu nofel ar y llinellau hyn, rwy'n amheus a fyddai neb yn gallu credu'r cyd-ddigwyddiadau, ond mae popeth rydw i wedi'i ddweud yn llythrennol wir. Yn y diwedd, gellid profi'n ddiamau mai corff Mrs Davies oedd y corff yn y car, a'i bod hi'n amlwg wedyn ei bod hi wedi'i lladd, nid ar y Sadwrn ond cyn hynny ar y dydd Gwener. Eto, roedd dau neu dri o dystion oedd yn ei hadnabod yn taeru iddynt ei gweld ym Mhen-y-bont ar Ogwr y prynhawn Sadwrn hwnnw!

Achos anghyffredin arall y bûm yn ymhél ag ef pan oeddwn yn fargyfreithiwr oedd achos o ladrad arfog mewn lle o'r enw Brynmelyn, nid nepell o Faesteg. Roedd lladron arfog wedi torri i mewn i dŷ lle trigai hen ŵr a'i wraig, dal drylliau wrth eu pennau, a gofyn am bob ceiniog o arian oedd ganddynt.

Ychydig iawn o arian oedd yn y tŷ (er bod ganddynt gyfrif pur sylweddol yn y banc, mae'n debyg) ond roedd yna bot o arian ar silff ac yn agos at drigain punt ynddo. 'Peidiwch, er mwyn Duw, â chyffwrdd yn hwnna,' plediodd yr hen ŵr yn Saesneg, 'arian yr eglwys yw e – rwy'n drysorydd yr eglwys.' Gan mor ddienaid oedd y lladron, fe aethont â'r arian. Ond fe fyddai'r drwgweithredwyr yn derbyn eu haeddiant maes o law.

Y diwrnod cyn hynny bu'r lladron yn gwneud rhyw ffurf ar *reconnaissance* – roeddent wedi parcio'u fan goch yn agos at y tŷ ac wedi bod wrthi'n llygadu'r lle. Yn ddiarwybod iddynt hwy, yn y cae nesaf roedd ffarmwr ar ei dractor a gredai mai pobl wedi dod i ddwyn defaid oeddent. Dyma fe'n cydio mewn hoelen a chrafu rhif y fan goch ar gard olwyn y tractor. Fe ddaeth yr wybodaeth i ddwylo'r heddlu; fe ddarganfuwyd pwy oedd piau'r fan, ac yn y diwedd fe lwyddwyd i gael cyfaddefiad. Yn yr achos yma roeddwn yn amddiffyn dyn oedd wedi'i gyhuddo o fod yn rhan o'r cynllwyn, ond heb fod yn bresennol adeg y lladrad. Fe'i cafwyd ef yn ddieuog.

Yn aml fe ofynnir y cwestiwn i fargyfreithiwr, 'Sut yn y byd roeddech chi'n gallu amddiffyn person roeddech chi'n gwybod yn iawn ei fod yn euog?' Y gwir amdani, yn achos bargyfreithiwr, yw nad yw'n gwybod p'un a yw'r person wedi cyflawni'r drosedd ai peidio. Mae'n derbyn ei gyfarwyddiadau ar y ddealltwriaeth fod y person yn dweud y gwir. Hyd yn oed os yw'r stori'n un annhebygol, ei ddyletswydd yw rhoi achos y person gerbron y llys mor glir ac mor rymus ag y gall. Fe all y bargyfreithiwr ddrwgdybio i'r eithaf p'un a yw'r stori'n wir ai peidio, ond nid eistedd mewn barn ar y diffynnydd yw ei ddyletswydd – ond bod yn eiriolwr drosto a chyflwyno'i ochr ef o'r achos. Dyna'i dasg hanfodol. Dylai wneud hynny'n eofn ac yn gydwybodol, yn ôl llythyren y fersiwn o'r ffeithiau a rydd y diffynnydd iddo. Hyd yn oed os yw'n teimlo'i bod hi'n wrthun ganddo herio rhai tystion, megis plant bychain, menywod sensitif neu bobl oedrannus, mae'n rhaid iddo wneud ei ddyletswydd yn gwrtais ond yn gyflawn yn ôl cyfarwyddiadau'r diffynnydd.

Mae dyletswydd yr erlynydd yn un gwbl wahanol. Rôl hwnnw yw rhoi ffeithiau gerbron y llys sy'n gyson â'r honiad fod y cyhuddedig yn euog o'r drosedd; ond os yw'n amau bod yna ryw ffaith neu ffeithiau sy'n tueddu i ddangos dieuogrwydd y cyhuddedig, yna'i ddyletswydd yw dod â hynny i sylw'r llys. Hynny yw, mae disgwyl iddo fod yn weinidog cyfiawnder – *a minister of justice*, fel y dywed y llysoedd. Ond, os bydd bargyfreithiwr y diffynnydd yn gwybod am ryw wendid yn yr achos, yna does dim rheidrwydd arno ef i ddatgelu hynny i'r llys, cyn belled nad yw'n cyflwyno tystiolaeth sy'n groes i hynny o blaid y diffynnydd.

Un enghraifft dda sy'n dangos sut mae'r gyfundrefn yma'n gweithio yw'r hyn a ddigwyddodd ym Mrawdlys Dolgellau adeg yr Ail Ryfel Byd. Roedd nifer o fargyfreithwyr i ffwrdd yn y rhyfel a nifer bychan ohonynt oedd ar ôl. Yn y brawdlys roedd achos troseddol digon difrifol gerbron, a dim ond y bargyfreithiwr dros yr erlyniad wedi ymddangos. Fe ofynnodd y barnwr iddo a fyddai'n fodlon gwneud cymwynas â'r llys yn yr union achos hwnnw, sef a fyddai'n fodlon erlyn *ac* amddiffyn – hynny yw, galw'r dystiolaeth a chroesholi'r tystion i gyd. Fe gafodd y bargyfreithiwr air â chyfreithwyr yr erlyniad a chyfreithwyr y diffynnydd, ac o dan yr amgylchiadau cwbl anghyffredin hynny, fe gytunodd i weithredu yn ôl dymuniad y barnwr. Wrth reddf, mae'r sefyllfa'n ymddangos yn un ddigon rhyfedd, ond os ystyriwch chi'r peth, nid yw mor amhosib â hynny. Mae dyletswydd rhywun sy'n amddiffyn mor wahanol i un y sawl sy'n cyflwyno'r achos dros yr erlyniad, ac am y rheswm hwnnw mae'n bosib (mewn theori) eich rhoi eich hunan i wisgo gŵn yr erlynydd a'r amddiffynnydd yn eu tro.

Unwaith yn unig yn fy ngyrfa yr amddiffynnais rywun gan *wybod* ei fod yn euog. Achos ydoedd a ddigwyddodd yn un o siroedd gorllewinol Lloegr, lle roedd presenoldeb car modur yn rhan o'r dystiolaeth ac y cyhuddid y ddiffynnydd o fod yn yrrwr y car. Yn ôl y dystiolaeth, roedd gan bwy bynnag oedd yn gyrru'r car wallt melyn golau ond gwallt du oedd gan y person yma (mae'n debyg ei fod yn gwisgo wig). Yr unig dystiolaeth i gysylltu fy nghleient â'r achlysur oedd y ffaith ei fod yn perthyn i un o'r diffynyddion eraill. Roedd yna dri neu bedwar o lygad-dystion a phob un o'r rheini o dan ddylanwad y ddiod wedi gweld yr hyn a ddigwyddodd am eiliadau yn unig, ac yn tueddu i ddweud pethau cwbl wahanol i'w gilydd. Roedd pob un o'r tystion bellter i ffwrdd oddi wrth y digwyddiad ac wedi'u brawychu gan ei sydynrwydd. Roedd digon o amheuon, felly, yn codi ynglŷn ag ansawdd eu tystiolaeth.

Ar ôl pledio'n ddieuog yn y lle cyntaf, fe gyfaddefodd y cyhuddedig i'w gyfreithiwr cyn i'r treial ddechrau ei fod wedi cyflawni'r drosedd, ond ei fod am roi'r erlyniad ar brawf. Roedd yn ofynnol iddo fy hysbysu i oherwydd bod y cyfarwyddiadau gwreiddiol wedi'u cyflwyno ar y sail ei fod yn ddieuog. Siaradais â swyddog o Gyngor y Bar a gofyn ei gyngor ynglŷn â'm dyletswydd yn yr achos. Dywedwyd wrthyf yn blwmp ac yn blaen mai amddiffyn y person o fewn y rheolau oedd fy nyletswydd os dymunai barhau i bledio'n ddieuog. Y rheolau oedd y rhain: ni fedrwn alw'r cyhuddedig i'r bocs i roi tystiolaeth am y rheswm syml y gwyddem mai cyflawni anudon (*perjury*) fyddai. Fedrwn i ddim chwaith roi'r bai ar neb arall am y weithred, ond roedd gen i berffaith hawl, a dyletswydd, i groesholi pob un o'r tystion ynglŷn â'r hyn a welsai, a dyna a wneuthum. Fy nghwestiynau oedd: Oeddech chi'n gallu gweld yn glir neu a oedd yna goed neu gerbydau yn tarfu ar yr hyn a welsoch? Oedd yna bersonau eraill yn cerdded yn ôl ac ymlaen? Ydi'r hyn a ddwedsoch chi yn y llys yn awr yn gyson â'r hyn a ddwedsoch chi yn eich datganiad ar y pryd? Pa mor sobor oeddech chi? – ac yn y blaen. Mewn gwirionedd, roedd yr achos mor wan fel mai prin yr oedd angen i mi godi ar ddiwedd achos yr erlyniad a chynnig y ddadl nad oedd achos i'w ateb. Er bod dyn yn meddwl ei fod yn beth rhyfedd amddiffyn person yn yr amgylchiadau hyn, doeddwn i ddim yn gweld unrhyw beth o'i le arno. Roedd yr erlyniad wedi methu yn eu tasg ganolog o brofi'r achos yn erbyn y diffynnydd. Wrth gwrs, petai'r cyhuddedig heb *fynnu* pledio'n ddieuog, ni fyddai'r broblem wedi codi.

Fel bargyfreithiwr y ddiffynnydd, cwestiwn sy'n codi'n aml yw p'un a ydi'r cyhuddedig i roi tystiolaeth ai peidio. Mae ganddo berffaith hawl i wneud hynny, ac yn fwy aml na pheidio fe fydd yn awyddus i ddweud ei stori yn y bocs tystio. Weithiau, fodd bynnag, mae'n ddigon posib fod ei sefyllfa'n bur fregus ac wrth gamu i'r bocs a chael ei groesholi, bydd yn creu gwaeth sefyllfa iddo'i hun na chynt. Lle mae achos yr erlyniad, felly, yn llai na chadarn (a chymryd yn ganiataol nad yw'r erlyniad wedi llwyddo i brofi eu honiadau o ganlyniad i ddiffyg dilysrwydd yr achos neu nad oes achos i'w ateb ar ddiwedd yr erlyniad), yna, weithiau, ni fydd y diffynnydd yn mynd i'r bocs i dystio. Ac eto, mae'n rhaid rhoi pob cyfle iddo wneud hynny, os dyna yw ei ddymuniad.

Anghofia i byth amddiffyn dyn ar gyhuddiad o drais rhywiol. Roedd nifer o elfennau yn achos yr erlyniad yn pwyntio'n glir tuag at y posibilrwydd fod y gyfathrach rhyngddynt yn gwbl wirfoddol. Dyna oedd achos y diffynnydd o'r cychwyn cyntaf. Fe aeth ei achos rywfaint yn gryfach wrth i mi holi tystion yr erlyniad, un ar ôl y llall. Er bod achos i'w ateb, teimlwn y byddai tystiolaeth y diffynnydd yn gyfan o'i blaid pan âi i'r bocs.

Fel y digwyddodd, daeth hyn â ni at ddiwedd y dydd. Gofynnodd y diffynnydd am fy ngweld ac euthum gyda'i gyfreithiwr i'w gell. Eglurodd fod yna ddarn o dystiolaeth o'i blaid nad oedd wedi sôn amdano wrth ei gyfreithiwr. Effaith y darn hwn o dystiolaeth fyddai newid rhywfaint ar ei achos, er bod sail ei amddiffyniad o gyfathrach wirfoddol yn para yr un fath. Teimlwn ym mêr fy esgyrn ei fod yn dweud y gwir ynglŷn â'r dystiolaeth ychwanegol. Ond sut y gallwn ei alw i roi tystiolaeth a oedd yn wahanol i raddau i sail yr amddiffyniad roeddwn wedi croesholi tystion yr erlyniad arno? Dywedais wrtho,

'Fe ddof yn ôl i'ch gweld bore fory am 9.30 cyn inni fynd i'r llys. Fy nghyngor i yw na ddylech fynd i'r blwch tystio oherwydd bod y stori yma'n wahanol i'r un rydw i wedi croesholi'r tystion arni. Er mod i'n derbyn yr hyn rydych chi'n ei ddweud, rwy'n ofni mai ymateb y rheithgor fydd dweud, "Mae wedi newid ei feddwl, yn ôl y cwestiynau y bu ei fargyfreithiwr yn holi tystion yr erlyniad arnynt, ac felly mae'n rhaid ei fod e'n euog." P'un a ydych chi'n derbyn fy nghyngor ai peidio, rydwyf am i chi arwyddo fy mod i wedi'ch rhybuddio chi ac wedi'ch cynghori chi'n llawn yn hynny o beth.'

Rhaid cofio ei fod yn wynebu o leiaf bum mlynedd o garchar petai'n cael ei ddyfarnu'n euog. Yn y pen draw, fe benderfynodd dderbyn fy nghyngor ac ymatal rhag mynd i'r bocs. Bu'r rheithgor allan am tua phum awr, ond yn y diwedd fe ddaethant yn ôl a'u dedfryd oedd 'Dieuog'. Os bues i erioed yn chwysu gwaed, fe wnes hynny yn yr achos hwn oherwydd mod i'n sicr fod y ddiffynnydd yn dweud y gwir. Petai ddim ond wedi dweud y gwir llawn yn y lle cyntaf, yna fe fyddwn i wedi llunio'r achos mewn modd cwbl wahanol. Dyna un hanesyn ichi, un sy'n profi pwysigrwydd distawrwydd y diffynnydd er ei les ei hunan – mewn rhai achosion.

Barnwr

Cyn cael fy mhenodi'n farnwr llawnamser mi fues am flynyddoedd yn farnwr rhan-amser fel cofiadur. Yn rhinwedd y swydd honno, bûm yn ymweld â nifer o lysoedd ar y gylchdaith, yng ngogledd a de Cymru. Gan fod y gwaith fel bargyfreithiwr mor drwm byddwn yn achub ar y cyfle yn ystod gwyliau'r haf i fynd am ryw bedair wythnos i eistedd fel cofiadur yn Llysoedd y Goron yn Llundain, ac yn arbennig yn Llys y Goron yn Snaresbrook. Codwyd y llysoedd hyn ar seiliau hen ysgol fonedd mewn parc o hanner can erw, a llynnoedd o'u hamgylch. Mae rhyw ddeg ar hugain o lysoedd yn yr adeilad. Y prif farnwr ar y llysoedd hynny oedd ei

Anrhydedd Owen Stable, mab i'r enwog Ustus Stable o Sir Drefaldwyn. Roedd yn gymeriad hynod, a bu'n garedig tu hwnt tuag ataf ar hyd y blynyddoedd. Byddai'r barnwyr i gyd yn cael eu gwadd am sieri yn ei ystafell am ddeg munud i un cyn mynd i giniawa gyda'n gilydd. Roedd yno awyrgylch hynod o gynnes a charedig, ac oherwydd fy mod yn dod o Gymru, fe wnâi ffws arbennig ohonof. Câi dyn brofiad anhygoel yn y fan honno: gwelwn y gwaethaf a'r gorau o bobl gan fod y llys hwnnw'n gwasanaethu poblogaeth o rai miliynau yng ngogledd Llundain.

Syndod mawr i mi oedd cael fy nyrchafu'n farnwr yn 1986. Achos pennaf fy syndod oedd y ffaith i mi gymryd yn ganiataol na fedrai neb fod yn farnwr ac yn aelod o Dŷ'r Arglwyddi yr un pryd. (Nid oedd – ac nid oes – unrhyw ddarpariaeth i alluogi Arglwydd am Oes i ymddeol o'r Tŷ.) Ystyriwn na fedrai unrhyw un fod yn aelod llawn o'r farnwriaeth yn ogystal â bod yn aelod o ail dŷ'r Senedd, gan ddilyn yn llythrennol ddehongliad Montesquieu o rannu pŵer, sef na fedrwch fod yn ddeddfwr ac yn farnwr oherwydd bod annibyniaeth y farnwriaeth yn hollbwysig. Pan es i ymweld â'r Arglwydd Ganghellor i gael fy urddo'n farnwr ganddo, roedd am i mi roi sicrwydd iddo o dri pheth. Yn gyntaf, fy mod yn medru'r Gymraeg ac y gallwn gynnal achos yn y Gymraeg; wel, doedd hynny ddim yn drafferth i un a'r Gymraeg yn famiaith iddo. Yn ail, y byddwn yn fodlon eistedd yng ngogledd Cymru; eto doedd yna'r un rhwystr, gan fod fy nghartref yn y Dole hanner ffordd, bron, rhwng Caernarfon a'm gwaith cyn hynny yng Nghaerdydd. Cyfeiriai'r trydydd amod at fy sefyllfa yn Nhŷ'r Arglwyddi; nid oedd yna wrthwynebiad i mi fynychu'r Tŷ, ond ni chawn bleidleisio, na siarad ar ddim byd 'dadleuol' (*controversial*). Bûm yn ddigon parod, wrth gwrs, i roi'r addewid iddo, ond yn fuan sylweddolais mai cwbl eithriadol fyddai i destun beidio â bod yn 'ddadleuol', felly cymerais drwydded absenoldeb o'r Tŷ tra oeddwn yn gweithredu fel barnwr.

Roedd yn flin gennyf adael y Bar, ond wrth i ddyn

heneiddio, mae'n anoddach teithio'r wlad, felly roedd y sicrwydd yma o ddyfodol yn fendith. Fel barnwr, roedd rhan helaeth o'm gwaith yn ymwneud ag achosion teuluol, ac achosion plant yn arbennig, er fy mod i am ryw dri neu bedwar mis y flwyddyn yn ymgymryd â gwaith troseddol a rhywfaint o waith sifil. Er nad oeddwn wedi gwneud nemor ddim gwaith teulu fel bargyfreithiwr, a'r nesaf peth i ddim fel cyfreithiwr cyn hynny, deuthum yn hynod hoff o'r achosion hyn.

Gall fod yn waith digon anodd, a'r teimladau sydd i'w cael yn y llys yn aml yn rhai llym a deifiol, yn fwy felly yn aml nag yng nghyswllt achosion troseddol. Mewn achos o ddedfrydu person sydd wedi cyflawni trosedd ddifrifol, mae'r unigolyn yn ymwybodol o'i gam, yn deall ei fod yn cael ei haeddiant, ac mae'n ddigon posib y bydd yn ystyried yr hyn rydych chi'n ei roi iddo fel cosb yn deg. Ond pan fo raid penderfynu ar gwestiwn o ofal plentyn, bydd un rhiant yn aml yn gadael y llys yn fuddugoliaethus, a'r llall yn teimlo pwys anghyfiawnder enfawr. Fel barnwr, rhaid gwneud y gorau y gellir bob tro, ond nid oes modd plesio pawb; er enghraifft, dim ond mewn achosion arbennig iawn y gellir rhannu gorchymyn gofal rhwng dau riant. Rhaid penderfynu o blaid y naill neu'r llall; yr ystyriaeth ganolog bob amser yw lles y plentyn neu'r plant.

Mi fu yna duedd, ryw hanner can mlynedd yn ôl a chyn hynny, i fod yn llym ac yn anhrugarog tuag at wraig oedd wedi cael perthynas tu allan i briodas. Teimlid mai rhan o'r gosb am hyn fyddai iddi golli'r hawl i edrych ar ôl ei phlant. Perthyn rhywbeth barbaraidd a ffroenuchel wrywaidd i'r agwedd hon, ond erbyn heddiw un o nifer o ystyriaethau yn unig fydd yr hyn mae'r fam wedi'i wneud, ac nid yw godineb ar ei rhan yn berthnasol, heblaw mewn achosion pan fydd yn effeithio ar ei gallu i edrych ar ôl y plant. Rhaid pwyso a mesur y cyfan, a cheisio dod i benderfyniad sut yn union mae diogelu lles gorau'r plant – naill ai gyda'r tad neu gyda'r fam. Rhaid ceisio sicrhau hefyd, hyd yn oed lle mae'r gofal yn mynd i un ochr yn hytrach na'r llall, fod y berthynas rhwng rhiant a phlant yn parhau mor gyflawn ag sy'n bosib, ond gall hyn fod yn anodd yn aml.

Yn ystod y blynyddoedd diwethaf hyn mae'r mudiad Tadau dros Gyfiawnder wedi honni bod gan y llysoedd ragfarn yn eu herbyn. Ni chredaf fod hynny'n wir. Does yna ddim polisi gan y llysoedd yn erbyn tadau ac o blaid mamau. Eto, mae'n rhaid cofio, gan amlaf, pan fydd y fam yn llwyddo i gadw'r plentyn mai hi fel arfer sydd wedi gofalu amdano fwyaf cyn hynny, a'r tad sydd wedi gadael y cartref. Mewn achos lle mae'r plentyn yn faban fe all mai dim ond y fam a allai ofalu'n llawn am y plentyn; lle y mae plant eraill, yn aml rhoddir gofal pob un ohonynt i'r fam er mwyn diogelu undod y plant ar yr un aelwyd. Yn ychwanegol at hyn, am bob tad sy'n methu ennill gorchymyn gofal yn y llys, mae yna nifer fawr o dadau na fynnant ddim i'w wneud â'u plant: ddim am dalu ceiniog i'w cynnal, nac yn dymuno eu gweld. Bûm yn myfyrio lawer gwaith fel barnwr ynghylch beth allai cymdeithas ei wneud i sicrhau bod mwy a mwy o'r tadau sydd wedi'u halltudio'u hunain yn gyfan gwbl o fywydau eu plant yn cael eu denu i gymryd mwy o ddiddordeb ynddynt. Ac eto, anodd yw cymell dyn i garu ei epil os na fyn wneud hynny. Mae llawer agwedd ar gyfraith y teulu mor gymhleth ac mor sensitif nes gwneud gweinyddu cyfraith droseddol yn rhywbeth tipyn symlach.

Un o'r enghreifftiau anoddaf oedd yr achosion pan fu'n rhaid i mi benderfynu ar gais i fabwysiadu plentyn, a'r cais hwnnw'n cael ei wrthwynebu. Roedd llawer achos o fabwysiad yn hollol ddiwrthwynebiad, wrth gwrs, er enghraifft, lle roedd gwraig weddw wedi ailbriodi a'r gŵr newydd yn uno gyda hi i fabwysiadu'r plentyn. Bu'n syndod mawr i lawer mam, yn y cyswllt hwnnw, fod yn rhaid iddi fabwysiadu ei phlentyn ei hunan, ond y gwir amdani oedd fod ei pherthynas â'r plentyn yn newid dan yr amgylchiadau. Mae'r berthynas o fod yn rhiant ar y cyd â'i hail ŵr yn wahanol i fod yn llwyr gyfrifol am y plentyn. Roedd i'r fam fabwysiadu ei phlentyn ei hunan yn ymarferol haws hefyd, ac yn osgoi sefyllfa lle byddai'r fam a'r tad newydd yn gorfod anfon dogfennau di-ri at ei gilydd – er i lawer mam ei ystyried yn beth sarhaus fod angen iddi fabwysiadu ei phlant ei hun. Wrth ddelio ag achosion o fabwysiadu diwrthwynebiad teimlwn fod yr awyrgylch hapus a fodolai yn gwneud iawn am bob penderfyniad chwyrn y bu raid i mi ei wneud mewn gwahanol feysydd eraill pan oeddwn yn farnwr.

Cefais rai achosion teulu yn anodd i'w penderfynu. Ymhlith y rhain roedd achosion lle y gwrthwynebai mam y plentyn gais gan ei mam ei hun i fabwysiadu. Nid achos o benderfynu geirwiredd ffeithiau mo'r achosion hyn ar y cyfan – yn aml iawn roedd y ffeithiau'n ddigon di-ddadl. Asgwrn y gynnen fyddai'r modd yr ystyrid ac y dadansoddid gwahanol ffactorau a allai godi yn y dyfodol, a cheisio rhag-weld beth oedd yn debyg o ddigwydd. Dychmygwch achos fel hwn: merch bedair ar ddeg oed, benchwiban, anghyfrifol, yn yfed yn drwm ac wedi troi at gyffuriau – a hithau'n dod yn feichiog. Ei mam (sef mam-gu'r newydd-anedig) mewn oedran cymharol ifanc (yn bymtheg ar hugain oed, dyweder), yn cymryd y plentyn ac yn rhoi magwraeth ardderchog iddo neu iddi. Bum mlynedd yn ddiweddarach, mae'r ferch ifanc a arferai fod yn wyllt erbyn hyn yn fenyw ifanc sobr a chyfrifol, wedi'i derbyn i goleg ac wedi dyweddïo â bachgen ifanc hynod barchus a chywir – ac eisiau'r plentyn yn ôl. Mae'r fam-gu'n gwrthwynebu ac yn awyddus i fabwysiadu'r plentyn. Lawer gwaith bûm yn pendroni, a meddwl sut yn y byd y byddai'r Brenin Solomon, petai'n eistedd yn Llys Teulu Caersalem, yn penderfynu achos o'r fath!

Mewn rhai o'r achosion byddwn yn penderfynu o blaid y fam-gu. Wedi'r cyfan, rhaid ystyried bod record o bum mlynedd solet a pherthynas glòs rhyngddi hi a'r plentyn yn arwyddocaol, a'r berthynas yn fwy o berthynas mam a phlentyn yn hytrach na mam-gu ac ŵyr neu wyres. Yn aml ni wyddai'r plentyn nad y fam naturiol oedd y fam-gu. Mewn achosion eraill dyfarnwn o blaid y fam ifanc, efallai ar sail amheuaeth ynglŷn â dyfodol priodas y fam-gu neu bosibilrwydd y gallai'r fam-gu gael rhagor o blant ei hunan, ac y gallai problemau godi mewn sefyllfa o'r fath. Yr unig beth o fewn fy ngallu oedd gwneud fy ngorau yn ôl y ffeithiau a'r ystyriaethau oedd o'm blaen. Cawn fewnbwn gan yr awdurdodau mwyaf galluog i'm cynorthwyo; yn fy nwylo byddai adroddiadau eithriadol o fanwl gan arbenigwyr y gwasanaethau cyhoeddus – ac eto, yn y diwedd, roeddwn yn gorfod darogan beth fyddai'n debyg o ddigwydd i'r plentyn yna petawn yn cymryd llwybr A yn hytrach na llwybr B. Felly, er ei fod yn waith pleserus, gallai fod yn waith llawn pryder, ac ni fedrwn wybod i sicrwydd a oeddwn wedi gwneud yr hyn oedd yn iawn ai peidio am flynyddoedd wedyn.

Cofiaf un achos arbennig lle cafwyd brwydro caled iawn am ofal dau o blant rhwng tad oedd yn uchel Gatholig, a mam oedd yn un o Dystion Jehofa. Roedd y ddau ohonynt yr un mor gadarn ac argyhoeddedig â'i gilydd. Fe ddyfarnais yn y diwedd o blaid y fam, ar delerau penodol iawn. Yn ddiweddarach fe dderbyniais ddau lythyr: un gan y tad yn diolch i mi am roi pob rhwyddineb iddo i osod ei achos gerbron ac am wrando'n fanwl, ac er ei fod yn naturiol yn siomedig â'r penderfyniad, ei fod yn ei dderbyn ac yn ei barchu. Yn ei llythyr hithau, roedd y fam yn dyfynnu'r adnod o Lyfr y Datguddiad sy'n sôn am y 144,000 o bobl gadwedig a gaiff eu hachub yn Nydd y Farn, a'i bod hi'n hollol argyhoeddedig y byddwn i ymhlith y rheini! Mewn un ystyr, efallai, roeddwn fel Presbyteriad Cymreig yn y tir canol rhwng credoau crefyddol y ddau, er mai ar dir lles y plant yn hytrach nag unrhyw ddogma crefyddol fel y cyfryw y deuwn i benderfyniad.

Yng nghyswllt gwaith troseddol, roeddwn yn ymwneud ag ystod eang o droseddau, megis bwrgleriaeth, trais difrifol, clwyfo neu niweidio difrifol, neu efallai achosion cymhleth o dwyll, a byddai'r gwaith yn aml yn hynod ddiddorol. Fel barnwr hefyd, teimlwn fod pob rheithgor yn anifail gwahanol – yn union fel y teimlwn fel bargyfreithiwr. Fy mwriad ym mhob achos oedd sicrhau bod y rheithwyr yn deall i'r blewyn yr hyn roedd y tyst yn ei ddweud. Y nhw wedyn oedd i benderfynu a oeddent yn derbyn y dystiolaeth ai peidio – dyna'r flaenoriaeth.

Byddwn hefyd yn ceisio creu'r awyrgylch mwyaf hamddenol ac esmwyth y gallwn mewn llys. Mae holl bensaernïaeth llys, ei ddodrefn a'i gyfundrefnau, yn tueddu i greu awyrgylch afreal i lawer. Agwedd wahanol oedd gan rai barnwyr, hyd yn oed ynghylch pethau mor syml â gwahodd y diffynnydd i eistedd pan oedd yn tystio. Byddai barnwyr o'r hen ysgol yn ystyried hynny'n anghywir, ond yn fy marn i, peth hollol anfoesgar oedd gwrthod iddo eistedd fel pob tyst arall – os dymunai. Byddai rhai tystion – heddweision, er enghraifft – yn gwrthod y cynnig ac yn dewis sefyll, a rhwydd hynt iddynt wneud hynny. Ond fedra i ddim gweld bod tystiolaeth tyst yn well trwy ei orfodi i sefyll am oriau'n ddi-dor! Erbyn hyn mae agweddau ac arferion wedi gwella llawer, yn enwedig yng nghyswllt plant. Mae rheolau manwl yn bodoli ynglŷn â sut maent i roi tystiolaeth: eisteddant mewn ystafell y tu allan i'r llys, â'r cyfan yn cael ei ddangos ar sgrin, a'r barnwyr a'r bargyfreithwyr wedi diosg eu gynau a'u wigiau. Ond cyfundrefn geidwadol yw cyfundrefn y gyfraith, ac ar y gorau mae rhywfaint o anhyblygrwydd yr hen drefn yn parhau.

Mae agweddau, yn ogystal ag arferion, wedi newid rhywfaint. Pan oeddwn yn fyfyriwr cyfraith awn o bryd i'w gilydd i'r brawdlys yng Nghaerfyrddin neu yn Llanbed, a does dim dau nad oedd barnwyr y genhedlaeth honno mewn byd gwahanol i farnwyr ein hoes ni. Yn y dyddiau hynny byddai barnwyr yr Uchel Lys yn cael eu trin fel duwiau, a phobl yn eu hannerch mewn llais goslefaidd, fel petaent yn ofni cablu ger eu bron. Yna, gyda Deddf Llysoedd 1971, fe wnaed i ffwrdd â'r hen lys chwarter a'r brawdlys, a sefydlu un llys, sef Llys y Goron, gyda barnwyr uchel lys, barnwyr cylchdaith a chofiaduron yn eistedd arno. Yn gyffredinol, mae'r barnwyr a'r cofiaduron hyn yn nes at fywyd cyffredin, o'u cymharu â'u rhagflaenwyr. Fe ddaeth rhai o'r hen agweddau'n rhai ystrydebol, bron. Ystyrier hanes y barnwr – apocryptaidd, o bosib – a ddywedodd wrth hen drempyn, 'I am placing you on probation, and the condition of your probation is that you shall not take any alcohol at all – not even the tiniest sherry before dinner.' O ryw saith cant ohonynt, mae cyfartaledd uchel o farnwyr cylchdaith yn parhau'n gynnyrch ysgolion bonedd a Rhyd-grawnt (Oxbridge), a dim ond yn araf y gwelir barnwyr yn dod o gefndiroedd mwy gwerinol a mwy o fenywod yn dod yn farnwyr cylchdaith.

Un agwedd a berthynai i'r hen do o farnwyr oedd y teimlad y dylid cosbi'n llym, gan gynnwys carcharu, wrth gwrs. Mae hwn yn bwnc sy'n ennyn llawer o drafodaeth, ond mae bron yn anochel mewn achosion difrifol. Mae sawl rheswm dros garcharu. Yn gyntaf, os yw'r weithred yn un mor ddifrifol fel y byddai cymdeithas wâr a deallus yn dal ei gwynt pe na roddid dedfryd o garchar yn yr union achos hwnnw, dylid carcharu'n ddiamau gan ei bod yn ofynnol i gymdeithas ddatgan ei hanghymeradwyaeth sylfaenol o'r weithred ddifrifol.

Ail reswm dros garcharu yw fod rhai troseddwyr mor beryglus ag anifeiliaid rheibus, ac nad oes lle iddynt ond mewn carchar, a hynny am dymor hir. Gwarth fyddai eu rhyddhau i beryglu cyrff ac aelodau pobl eraill.

Ceir trydydd categori, yr hyn a elwir yn gosb ataliol (*deterrent punishment*), lle caiff person ei garcharu er mwyn ei atal rhag parhau i droseddu, neu i rwystro pobl sydd ag awydd cyffelyb i droseddu. Enghraifft dda o hyn oedd y dedfrydau o garchar a roddwyd yn sgil y terfysgoedd yn Llundain ac mewn dinasoedd eraill yn 2011.

Yn bedwerydd, gellir cyfiawnhau carcharu mewn amgylchiadau lle ddaw llys i'r casgliad, ar ôl dangos hir amynedd, mai trwy garcharu yn unig y gellir yn ymarferol atal person sydd yn cyflawni troseddau gweddol syml dro ar ôl tro. Wrth gwrs, gall y cyfnod o garchar fod yn un byr (yr hyn a elwir yn y llysoedd yn 'the clang of the gate') yn y gobaith y bydd y sioc o garchar yn ei hunan yn ddigon yn y math yma o achos.

Un pwrpas pwysig i garcharu – ar wahân i gosbi a chadw troseddwyr peryglus oddi wrth y cyhoedd – yw'r ymgais i ddiwygio'r troseddwr. Cofiwn mai'r enw traddodiadol a roddid i garcharau yn yr Unol Daleithiau oedd 'Penitentiaries', a'r athroniaeth y tu ôl i hynny oedd fod person yn treulio cymaint o'i amser ag oedd yn bosib ar ei ben ei hunan, yn gorfod 'siarad' â'i gydwybod, a thrwy hynny ddisgyblu a phuro'i bersonoliaeth. Erbyn yr ugeinfed ganrif, er bod gan ddiwygwyr fel Romilly ac eraill syniadau nid annhebyg ym Mhrydain yn y bedwaredd ganrif ar bymtheg, roedd rhoi person mewn cell ar ei ben ei hunan yn amhosib. Yn ymarferol, bydd carcharor yn rhannu cell yn un o ddau neu dri, neu fwy na hynny hyd yn oed. Rhaid, felly, i lys fod yn ofalus dros ben yn yr achosion hyn. Efallai y bydd cyfnod dan glo yn ddigon o sioc i'r system fel y bydd y person hwnnw'n newid ei lwybr wedi iddo gael ei ryddhau. Ond credaf fod carchar yn aml yn llygru person, yn enwedig person ifanc, ac yn ei wneud yn gymeriad gwaeth o lawer na phetai wedi'i gosbi mewn modd arall. Cofiaf glywed yr Arglwydd Ustus Lane, mewn araith yn Nhŷ'r Arglwyddi yn yr wythdegau, yn dweud, 'In my experience, I doubt whether imprisonment has reformed a single person.' (Cymharer y farn hon â geiriad Rheol 1 o'r Prison Rules 1964: 'The prime purpose of imprisonment is the reformation of the offender'.)

Gydag ychydig o feddwl, mae dyn yn dod i sylweddoli bod yr holl gysyniad o 'garcharu er mwyn diwygio' yn un o eironïau mawr bywyd. Ystyriwch hyn: wrth ddedfrydu unigolyn i garchar, mae cymdeithas yn datgan bod ei ymddygiad mor annioddefol fel bod yn rhaid iddo (neu iddi) fynd y tu hwnt i furiau cymdeithas, gyda'r gobaith y daw'r person hwnnw yn ôl ryw ddydd a byw bywyd cywir a glân fel dinesydd. Ond wrth fynd i garchar, bron yn ddieithriad caiff ei anfon i amgylchedd gwaeth na'r un y bodolai ynddo fel dyn rhydd. Wrth reswm, felly, mae'r tebygolrwydd yn uchel y bydd yn dychwelyd o garchar yn waeth person nag ydoedd pan aeth i mewn. Ond, yn anffodus, mae rhyw obsesiwn wedi datblygu yn ystod y degawdau diwethaf i anfon mwy a mwy o bobl i garchar. Erbyn hyn, rydym yn carcharu tua dwywaith cymaint, yn ôl y 100,000 yn y boblogaeth, ag roeddem ugain mlynedd yn ôl. Nid yn unig y mae yna fai ar lywodraethau Torïaidd, oedd ar flaen y gad yn hyn o beth, ond hefyd ar lywodraethau Llafur yn talu gwrogaeth i'r un ragfarn. Y canlyniad yw mai ni sy'n carcharu'r cyfartaledd uchaf yn ôl y 100,000 o boblogaeth ledled Ewrop – ac mae hynny'n wir yng nghyswllt dynion, menywod a phlant. A yw hyn oherwydd bod pobl Prydain ar y cyfan yn gymeriadau salach na gweddill Ewrop, ynteu fod gennym fel cymdeithas duedd heintus o blaid carcharu? Credaf mai'r ail sy'n wir.

Mae'n debyg nad yw sawl llywodraeth, un ar ôl y llall, yn gweld fawr o'i le ar y sefyllfa, ond i mi mae'n frawychus. Cofiaf gyfnod pan oeddwn yn y Swyddfa Gartref â phoblogaeth ein carcharau yng Nghymru a Lloegr yn ddim mwy na rhai degau o filoedd. Erbyn heddiw mae'r cyfanswm hwnnw yn yr wythdegau uchel, ac yn fuan iawn does gen i ddim amheuaeth na fyddwn ni'n gweld 100,000 o'n poblogaeth mewn carchar yr un pryd. Yn ychwanegol at y cwestiynau moesol ynghylch diwygio, rhaid cydnabod yn ymarferol na lwyddir byth i oresgyn y sefyllfa drwy adeiladu carcharau newydd. Dyna'r gwirionedd, p'un ai carcharau mawrion neu fychain gaiff eu hadeiladu. Yn dilyn Adroddiad Carter ar garcharau, penderfynwyd adeiladu'r 'Titans' newydd yma, ond lliniarwyd hyn a phenderfynu adeiladu mwy o garcharau llai o faint. Er hynny, mi fydd hi'n flynyddoedd lawer eto cyn i'r carcharor cyntaf fynd i mewn i'r un o'r rhain. Erbyn hynny fe fydd nifer y carcharorion wedi cynyddu'n aruthrol, petai dim ond yn sgil y ffaith ein bod yn creu bob blwyddyn leng o droseddau newydd y gellir dedfrydu cosb o garchar am eu cyflawni.

Dyna oedd fy agwedd tra gweithredwn fel cofiadur ac yna fel barnwr, er y bu'n rhaid i mi anfon nifer o bobl i garchar yn eu tro. Ond roeddwn bob amser yn ystyried, 'A yw hi'n hollol angenrheidiol carcharu yn yr achos hwn? Oes yna ryw ffordd arall a fydd yn ddiogel i gymdeithas?' neu 'A fyddai'n fwy llesol i'r troseddwr, os ei ddiwygio yw'r bwriad, ei gosbi mewn ffurf arall yn hytrach na thrwy garchar?' Derbyniaf fod y sefyllfa'n un anodd. Nid ystyriaethau aeddfed o realaeth y sefyllfa a'r posibiliadau ymarferol fydd yn llunio barn gwerin gwlad am gosb yn aml, ond yn hytrach yr awyrgylch y bydd bwhwman y wasg boblogaidd yn ei chreu. Anodd yw cael pobl sydd yn ddigon cytbwys i edrych ar y sefyllfa'n wrthrychol a phengaled, gan fod cynifer o bobl wedi'u cyflyru gan olygyddion y 'wasg felen'. Ac yn wir – a bod yn deg â'r wasg felen – ceir yr un afledneisrwydd rhesymeg mewn rhai papurau sydd yn eu hystyried eu hunain yn drymion a chytbwys eu hagweddau.

Os diwygio troseddwyr yw prif bwrpas cosb yn y rhan fwyaf o achosion, yna mae rheidrwydd arnom i feddwl yn ddwysach sut y gallwn anfon llai o bobl i garchar. Yr hyn yr hoffwn feddwl y gellid arbrofi ag ef yw'r syniad o anfon person i amgylchedd nad yw'n *waeth* na'r un y maged ef ynddo ond yn hytrach i amgylchedd sy'n *well*. A oes modd creu cyfundrefn felly? Petai gennym ryw fath ar wasanaeth cenedlaethol sifil, gwirfoddol ar gyfer pobl o bob oed (ond yn enwedig yr ifanc), dyna'r ddelfryd a fyddai'n gynsail iddo. Gan gymryd yn ganiataol na fyddai'r drwgweithredwr yn perthyn i unrhyw un o'r categorïau mwyaf difrifol rydw i wedi'u disgrifio eisoes ac wedi'i ddewis yn fanwl ar sail ei briodoldeb, byddai modd ei orfodi i dderbyn ei gosb ar ffurf dra gwahanol, sef bod mewn amgylchedd gwell na'r un mae ynddo ar y pryd, gan ddysgu gwersi ac ennill sgiliau a gobaith i'r dyfodol. Tybed a fyddai'r canlyniadau'n well na'r hyn a geid drwy ei anfon i garchar? Hoffwn weld ymchwil manwl, dwys, ac adnoddau swmpus yn cael eu neilltuo i'r union gyfeiriad hwn.

Gwaith manwl, difrifol yw gwaith barnwr, ac ychydig iawn o seibiant a geir yn y llys. Ac eto, dros y blynyddoedd mae un neu ddau o ddigwyddiadau wedi bod yn destun hiwmor i ddyn. Yr atgof amlycaf sydd gennyf oedd achos yn y llys sifil yn Macclesfield tua chanol y nawdegau. Pwy oedd yn y llys y bore hwnnw, yn gorfod ateb am rywbeth neu'i gilydd, ond dyn mewn tipyn o oedran oedd mor feddw nes ei fod yn cael gwaith sefyll ar ei draed. Doedd yna ddim cyfreithiwr na bargyfreithiwr i'w gynrychioli, ac fe geisiais fod mor amyneddgar ag y gallwn gydag ef, ond roedd ei iaith yn gywilyddus. Fe'i rhybuddiais, os byddai'n ailadrodd yr ansoddair arbennig hwnnw unwaith eto, y byddai'n rhaid i mi ei garcharu. Mewn amrantiad fe ailadroddodd y gair yn ei fedd-dod. Dywedais wrtho, 'Popeth yn iawn, fe gewch chi aros yn y ddalfa tan y byddaf wedi gorffen pob achos arall.' Yn union wedi i mi lefaru'r geiriau hynny fe sylweddolais fod dau o'r tri thywyswr yn y llys y bore hwnnw yn wragedd, a'r llall yn ŵr oedd mewn oedran sylweddol. Mi fyddai wedi bod yn hollol afresymol i mi eu peryglu trwy arestio'r dyn yn y ffordd arferol. Fel y digwyddodd, y tu ôl i ystafell y llys roedd ystafell fechan arall, nad oedd drws allan ohoni ac eithrio yn ôl trwy'r llys ei hun. Gorchmynnais fod y dyn i fynd i'r ystafell, eistedd i lawr a bihafio'i hun, ac fe fyddwn yn delio ag ef ar ddiwedd y bore. Fe aeth i'r ystafell fach yn ddigon ufudd.

Aed ymlaen â gwaith y llys. Anghofiais i – a phawb arall – amdano nes bod y llys ar fin cau ddiwedd y prynhawn. Erbyn hyn roedd wedi cael oriau o gwsg, wedi sobri, ac yn hynod awyddus i ymddiheuro! Fe dderbyniais ei ymddiheuriad yn llawn – a rhoi 'binding-over order' iddo i fihafio'i hunan am flwyddyn, neu fforffedu mil o bunnoedd.

* * *

Mae'n debyg fod pobl nad ydynt yn mynychu'r llysoedd o ddydd i ddydd yn meddwl am farnwr fel rhyw belican tawedog sy'n eistedd ar gangen uchel ac yn byw bywyd cwbl anegnïol. Credwch fi, nid dyna'r sefyllfa o safbwynt y barnwr; yn hytrach mae fel petai'n gyrru cerbyd ar hyd heol brysur, gan wybod y gall rhyw argyfwng godi'n sydyn a dirybudd, lle bydd yn rhaid iddo ymateb ar fyrder.

Yn y cyswllt sifil, gydag ychydig eithriadau, bydd y barnwr yn eistedd heb reithgor ac yn penderfynu a yw'r tyst yn ceisio dweud y gwir, ac os ydyw, a yw'r hyn yr honna a ddigwyddodd yn gywir. Mewn achosion teulu, yn aml bydd yn rhaid gogru'r dystiolaeth yn ofalus, er sicrhau'r ffeithiau hanfodol, a hyd yn oed wedyn bydd yn rhaid i'r barnwr ystyried yn fanwl pa un o nifer o lwybrau, efallai, a fydd yn debygol o fod yn fwyaf diogel neu lesol i'r plentyn hwnnw neu'r plant hynny.

Yng nghyswllt gwaith troseddol, nid y barnwr ond y rheithgor sy'n barnu'r ffeithiau ac yn penderfynu a yw'r diffynnydd yn euog ai peidio. Swyddogaeth y barnwr yw sicrhau mai dim ond tystiolaeth dderbyniadwy (*admissible*) sy'n dod i sylw'r rheithgor, gofalu bod pob aelod o'r rheithgor yn deall yr hyn mae pob tyst yn ei ddweud, ac yna crynhoi'r ffeithiau'n gytbwys a chyfarwyddo'r rheithgor ynglŷn â'r gyfraith sy'n berthnasol i'r achos. Os 'dieuog' yw'r dyfarniad, yna dyna ddiwedd ar gyfrifoldeb y barnwr yn yr achos, ar wahân i gostau efallai. Ond os 'euog' yw'r ddedfryd, rhaid i'r barnwr ystyried y gosb sy'n addas yn yr union achos hwnnw.

Gofynnodd cyfaill i mi unwaith i ba raddau roedd ystyriaeth o drugaredd yn perthyn i benderfyniad terfynol y barnwr. Dywedais wrtho nad rhyw rodd fympwyol yn nwylo'r barnwr oedd trugaredd, fel petai dyn yn rhoi losin i blentyn, ac na allwn wneud yn well nag adrodd geiriau'r Arglwydd Edmund Davies, a hynny ar raglen nos Sul *Everyman* rai degawdau yn ol: 'Mercy witheld in a proper case is as much a miscarriage of justice as a miscarriage of justice in any other context.'

Fel barnwr, ceisiais weinyddu'r gyfraith mor gywir a theg ag y gallwn, a hynny gyda chymaint o ddyngarwch ag y byddai'r amgylchiadau yn ei ganiatáu. Yr un pryd roeddwn yn ymwybodol nad oedd y gyfundrefn fwyaf gwâr a blaengar o weinyddu cyfraith, mewn byd amherffaith, yn ddim amgenach na chysgod gwelw o'r cysyniad o gyfiawnder cyflawn. Dim ond y Goruchaf a all warantu hwnnw. Gwelodd ein hynafiaid hyn dros fil o flynyddoedd yn ôl, fel y dengys geiriau Cyfreithiau Hywel Dda: 'Kany allo gwir a chyfreith Rytgerdet ym pob lle, Ryt Kytgerdont yn Vynych.' ('Nid yw iawn a chyfraith yn cydgerdded bob amser, ond cydgerddent yn fynych.')

Tŷ'r Arglwyddi

Ar ôl bod yn aflwyddiannus ym Môn yn etholiad 1979, roeddwn i raddau helaeth wedi rhoi'r ffidl yn y to o safbwynt gwleidyddiaeth seneddol. Roedd cyfeillion i mi wedi bod yn holi a fyddai gennyf ddiddordeb mewn seddi gwahanol yma ac acw: ambell un yn sedd ddiogel yn y de ac, yn wir, un arall yn Llundain. Ond erbyn hynny doeddwn i ddim yn teimlo y gallwn i fwrw ati â'm holl galon i unrhyw ymgyrch i geisio ennill ymgeisyddiaeth am sedd o'r fath.

Eto, byr fu'r seibiant. Yn gynnar yn y flwyddyn 1981, a minnau'n dychwelyd o achos yn yr Uchel Lys ym Mryste, roedd neges yn y siambrau fy mod i ffonio Pat Llewellyn Davies, prif chwip y Blaid Lafur yn Nhŷ'r Arglwyddi ar y pryd. Wedi i mi wneud yr alwad, roedd yn bur amlwg ei bod hi wedi bod yn trafod fy sefyllfa ag eraill. Roedd Cledwyn, oedd yn arwain yr Wrthblaid yn Nhŷ'r Arglwyddi, yn awyddus i gael dirprwy i Elwyn Jones i'w gynorthwyo ar y fainc flaen ynglŷn â materion cyfreithiol a chyfansoddiadol. Roedd yna wahoddiad i mi ymuno â hwy.

Nid oedd erioed wedi croesi fy meddwl y byddai'r fath beth yn digwydd, ac mi gymerais beth amser i ystyried. Bûm yn trafod ag Alwen, a hithau mor deyrngar ac ystyriol ohonof ag erioed – er na hoffai'r syniad o fod yn fonesig! Dywedodd, os dyna roeddwn i am ei wneud, y gwnâi bopeth yn ei gallu i'm cynorthwyo. Roedd hi'n amlwg y byddai'n anodd i mi gynnal practis bargyfreithiwr, oedd yn brysur ar y pryd, a gwneud y gwaith yn llawn yn Nhŷ'r Arglwyddi. Ond, wedi trafodaeth gydag Elwyn a Cledwyn daethom i gymrodedd ac mi addewais wneud y gwaith hwnnw am rai blynyddoedd.

Ac yn wir, roeddent yn flynyddoedd bywiog dros ben, er ei fod yn gyfnod oedd yn llawn gwaith a phrysurdeb. Yn aml, golygai y byddwn ar fy nhraed yn croesholi drwy'r dydd yn Llys y Goron yng Nghaerdydd, cyn neidio i mewn i'r car am hanner awr wedi pedwar a gyrru i Lundain. Yna, cymryd rhan mewn cyfnod pwyllgor neu gyfnod adroddiad yn Nhŷ'r Arglwyddi – a throi yn ôl am 11 o'r gloch yr hwyr a chyrraedd Caerdydd yn oriau mân y bore; mynd i'r siambrau i weld oedd yno bapurau i'w darllen, cyn cario ymlaen â'r achos y diwrnod canlynol. Un tro, mi wnes i hynny dair gwaith yn yr un wythnos! Ond bryd hynny roeddwn yn fy mhumdegau cynnar ac yn fwy gwydn ac egnïol nag yr wyf yn awr.

Beth bynnag yr anawsterau, deuthum yn aelod o Dŷ'r Arglwyddi, ac roedd yn brofiad diddorol a sylweddol. Roedd Elwyn a minnau'n ymwneud ag ystod eang o faterion ac mi lwyddon o bryd i'w gilydd i fynd â rhai diwygiadau bychain drwy'r Tŷ. Yn y cyfnod hwnnw rwy'n credu bod yr Wrthblaid Lafur wedi dod yn rym credadwy fel pŵer oedd yn gwrthwynebu Thatcheriaeth ac a allai weithiau orfodi'r Llywodraeth i ailystyried mewn modd na lwyddai Tŷ'r Cyffredin i'w wneud. I raddau, credaf fod Tŷ'r Arglwyddi wedi ennill ei blwyf yng nghalon gwerin gwlad yn y cyfnod hwnnw, oherwydd gwelid bod y Tŷ yma, er ei fod yn deillio'n hanesyddol o linach aristocrataidd, yn llwyddo i fod yn well tarian i iawnderau'r bobl nag oedd Tŷ'r Cyffredin ar y pryd. Yn sicr, yn y cyfnod hwnnw roedd yr Wrthblaid Lafur yn Nhŷ'r Arglwyddi yn teimlo'i bod hi'n llwyddo'n well na'r Wrthblaid Lafur yn Nhŷ'r Cyffredin yn y rôl o liniaru ar bolisïau'r Llywodraeth Dorïaidd, a rhoi achos cyfiawnder cymdeithasol gerbron.

Buddugoliaeth fechan dechnegol sy'n aros yn y cof, a hynny wedi i mi ddarganfod ynglŷn â rhyw fesur fod yna gymal oedd yn anghyson â theitl hir y ddeddf, ac felly'n anghyfreithlon. Doedd Elwyn ddim yn siŵr a fyddem yn llwyddo, er ei fod yn teimlo ei bod yn debyg mai fi oedd yn gywir. Yn y lle cyntaf gwrthodwyd ein dadl, â'r Torïaid oedd yn cynnig y mesur yn chwerthin ar ein pennau ('subtle Welsh lawyers exercising their skills'). Ond ymhen deuddydd derbyniais lythyr brys oddi wrth y gweinidog yn ymddiheuro'n ddigymrodedd ac yn egluro'i fod wedi derbyn cyngor cyfreithiol ar y lefel uchaf yn dweud mai Elwyn a minnau oedd yn iawn. Ac yn wir, ar ôl tipyn bach o embaras i'r Llywodraeth, fe newidiwyd teitl hir y mesur i gyfreithloni'r cymal hwnnw!

Roedd ethos Tŷ'r Arglwyddi bryd hynny rywfaint yn wahanol i'r hyn a welwn yn awr. Tŷ bonheddig, llawn sifalri ydoedd, a phopeth yn cael ei wneud yn bwyllog, ac awyrgylch tebycach i lys barn na siambr senedd. Bryd hynny roedd nifer fawr o'r aelodau'n rhai etifeddol: rhai ohonynt yn bur weithgar ond eraill yn dod yno fel petaent yn aelodau o glwb yn unig. Nid oeddent i gyd yn gwbl gyfrifol! Rwy'n cofio un, na fynnwn ei enwi, oedd yn ei chael hi'n amhosib siarad yn berthnasol ar unrhyw bwnc, ond eto byddai ar ei draed yn rheolaidd. Roedd byth a beunydd yn mynd yn ôl i'r dyddiau pan oedd ei deulu yn berchen ar ystadau eang yn India'r Gorllewin, ac yn credu mai'r hyn oedd yn tanseilio'r gymdeithas honno oedd cyffuriau – a byddai pob araith yn gorffen â'r gair 'ganja'. Ni lwyddai i gyflwyno unrhyw bwyntiau eraill o bwys! Sut yn y byd y llwyddodd cofnodwyr Hansard i greu synnwyr o'i eiriau, ni wn – ond roedd pob adroddiad yn gampwaith o ddychymyg creadigol!

Rwy'n cofio un digwyddiad arbennig sydd yn dangos yr awyrgylch o sifalri oedd yn Nhŷ'r Arglwyddi bryd hynny, yn ogystal ag anian llawer cymeriad yno. Does yna ddim llefarydd fel y cyfryw i Dŷ'r Arglwyddi, ac felly dyw hi ddim yn bosib disgyblu neb yn uniongyrchol am yr hyn mae'n ei wneud. Os bydd person yn ei roi ei hunan mewn sefyllfa amhosib, bydd yn agored i'r Tŷ, mewn sefyllfa anghyffredin, basio penderfyniad 'that the noble Lord be no longer heard'. Fe ddigwyddodd sefyllfa o'r fath yng nghyswllt diwygio Deddf Gogledd America Brydeinig (British North America Act) 1867, a greai gyfansoddiad newydd a chwbl annibynnol i Ganada. Roedd hen arglwydd – a oedd ymhell yn ei wythdegau – wedi colli pob ystyriaeth o gynnwys y mesur, ac yn siarad am bob math o bethau digyswllt – ryseitiau coginio, y Beibl, pob dim o dan haul heblaw'r testun – a hyn am ymhell dros awr. Gwelwn chwipiaid y ddwy ochr yn nodio ar ei gilydd yn barod i gyflwyno'r cynnig chwerw nad oedd yr aelod i'w glywed ymhellach.

Cyn iddynt gael y cyfle, fodd bynnag, dyma Cledwyn, arweinydd yr Wrthblaid ar y pryd, yn codi ei law arnynt. Fe gerddodd lan yr eil, at y rhes uchaf lle roedd yr hen ŵr yn taranu, ac meddai wrtho mewn llais uchel, 'Would you like a cup of tea?' Gwenodd hwnnw ar Cledwyn a dweud, 'Capital idea, dear boy.' A dyma'r ddau ohonynt yn cerdded fraich ym mraich, i lawr yr eil ac allan o'r siambr. Ym mha senedd arall yn y byd y byddai hynna'n bosib, ac eithrio yn Nhŷ'r Arglwyddi? A pha aelod arall, heblaw'r annwyl a'r addfwyn Cledwyn a fyddai wedi llwyddo yn y fath fodd?

Un o gymeriadau mwyaf hynod y Tŷ yn y cyfnod hwnnw oedd yr Arglwydd Denning, un o farnwyr mwyaf galluog, anturus a gwreiddiol ei gyfnod, a fyddai'n cymryd rhan yn gyson mewn materion ynglŷn â'r gyfraith. Yn aml, byddai'n adrodd rhyw hanesyn neu'i gilydd i roi goleuni ar y pwynt y ceisiai ei brofi. Cofiaf iddo adrodd un stori, gan ddechrau: 'Aye, my Lords, it was in the Trinity Assizes 1934, and I was defending a young Naval officer on a charge of *murder* ...' (roedd o leiaf bedair 'r' yn y gair 'murder') – dyna'i ragymadrodd i gyflwyno'i ddadl! Teimlwn fod Denning yn llinach fwyaf clasurol y cyfarwydd ar hyd yr oesau; roedd ei bwynt bob amser yn un perthnasol ac yn gynnyrch meddwl miniog. Ond, yn fwy na dim, roedd ei ddawn i greu awyrgylch ddramatig yn fythgofiadwy.

Yn y dyddiau hynny roedd nifer o Arglwyddi'r Gyfraith a fyddai'n mynychu'r Tŷ yn cymryd rhan yn y dadleuon, a thrwy hynny'n cyfoethogi bywyd y Tŷ yn enfawr. Heddiw, wrth gwrs, mae pethau'n wahanol; mae'r Goruchaf Lys (Supreme Court) wedi disodli Tŷ'r Arglwyddi ac nid yw ei aelodau bellach yn arglwyddi, oni bai eu bod wedi'u creu'n arglwyddi cyn y newid. Felly, mae'r Tŷ wedi colli'r gronfa amhrisiadwy hon o ddoethineb a'r arbenigedd oedd ganddynt i'w gynnig, a theimlaf fod llawer iawn o'r cyfraniadau o'r meinciau croes wedi dysgu mwy i mi am hanfodion y gyfraith nag a ddysgais mewn llyfr erioed.

Bûm yn aelod o fainc flaen yr Wrthblaid am ryw bum mlynedd, nes i mi ddod yn farnwr yn 1986. Fel rwyf wedi sôn eisoes, parodd y cynnig hwn syndod i mi gan fy mod wedi cymryd yn ganiataol na allai person a oedd yn aelod o'r Senedd (gan gynnwys Ail Dŷ'r Senedd) fyth fod yn farnwr, a bod rhaniad yn y pwerau sy'n gwahardd y rhai sy'n creu deddfau rhag eu gweinyddu ar yr un pryd. Ond dywedwyd wrthyf nad oedd hyn yn dramgwydd, a bod rhai mewn oesau blaenorol wedi cael eu penodi o Dŷ'r Arglwyddi i fod yn aelodau o'r fainc. Roeddwn yn fy mhumdegau cynnar ar y pryd, a sylweddolais os oeddwn am gymryd swydd o'r fath mai gorau po gyntaf fyddai hynny.

I Groesfeinciau'r Tŷ Newydd

Pan ddychwelais i Dŷ'r Arglwyddi yn 2005 roedd yn lle gwahanol iawn i'r hyn a adawswn bedair blynedd ar bymtheg cyn hynny. Teimlwn fel yr hen greadur chwedlonol hwnnw Rip Van Winkle, a aeth un diwrnod i'r coed i hela. Syrthiodd i gysgu, a dod yn ôl i'w bentref ymhen degawdau, dim ond i weld bod y byd wedi newid yn gyfan gwbl. Dyna oedd fy hanes innau i raddau helaeth. Roedd llawer wyneb annwyl wedi ymadael, ac roedd yr holl arglwyddi etifeddol a'u lliw a'u hynodrwydd wedi'u halltudio, ac eithrio 92 o'u plith a etholwyd i'w cadw.

Treiddiai'r camerâu teledu i bob twll a chornel, gan ei gwneud yn anodd i ddyn gosi ei drwyn heb ddadlennu hynny i'r cyhoedd! Erbyn hyn, roedd llawer mwy o gyn-Aelodau Tŷ'r Cyffredin yno nag a oedd pan adewais, ac i mi, roedd ethos hanfodol y lle wedi newid yn sylweddol hefyd. Roedd mwy o ymryson pwy oedd i godi i ofyn cwestiwn, a mwy o ystrywiau Tŷ'r Cyffredin nag oedd yna ugain mlynedd ynghynt. Roedd llawer o'r hen sifalri wedi diflannu.

Fel cyn-farnwr, eisteddaf ar y meinciau croes, ond gan ystyried fy hun yn gefnogol i Lafur. Mae'r materion rwyf yn ymwneud â hwy ym myd cyfraith a chyfansoddiad, ac yn fwy aml na dim canolbwyntiaf ar y meysydd hynny y gweithredwn ynddynt fel barnwr – cyfraith plant a phobl ifainc a'r gyfraith droseddol. Ond, o bryd i'w gilydd, byddaf yn ymwneud â phynciau gwledig, ac ni fyddaf yn colli cyfle i gymryd rhan mewn trafodaeth ar Gymru, lle mae hynny'n bosib.

Erbyn i mi ddychwelyd, roedd yno elfen o gydbwysedd pleidiol, fwy neu lai. Does yna'r un blaid, boed hi'n garfan Dorïaidd, yn garfan Lafur neu'n garfan Ddemocrataidd Ryddfrydol, a all lwyddo i ennill pleidlais ar ei phen ei hun – ddim mwy na'r croesfeincwyr. I gario'r dydd, felly, os bydd unrhyw un, boed o wleidyddiaeth y Chwith neu o wleidyddiaeth y Dde, am ennill pleidlais yn Nhŷ'r Arglwyddi, mae'n rhaid iddo sicrhau bod ei bobl ei hunan yn bresennol yn ogystal â chanran helaeth o garfan arall neu'r croesfeincwyr. Dyna i mi yw nerth ac awdurdod moesol y lle.

Canlyniad diwygiad 1999 oedd hyn. Petaech yn Aelod Llafur yn y cyfnod cyn 1999, credaf y byddai'n anochel y byddech yn drwgdybio'r pŵer oedd gan Dŷ'r Arglwyddi, petai'r Tŷ am ddefnyddio'r pŵer hwnnw. Roedd yna gannoedd o arglwyddi etifeddol a oedd yn wrth-Lafur. Doedd y rhan fwyaf ohonyn nhw ddim yn mynychu'r Tŷ yn gyson, ac eithrio ar achlysuron arbennig iawn. Fe ddigwyddodd un o'r rheiny pan oeddwn yn Aelod Seneddol yn y 1960au, a'r Tŷ yn trafod Rhodesia. Daeth cannoedd o arglwyddi etifeddol yno, llawer ohonynt heb erioed fod yn y Tŷ cyn hynny – y 'backwoodsmen'. Rwy'n cofio'r achlysur yn dda: dyna lle roeddwn i'n gadael Tŷ'r Cyffredin ryw amser cinio a nifer o'r rhain yn dod i mewn i gyntedd y Tŷ, ac un ohonynt yn gofyn i mi, 'I say, dear boy, where is the place?' Meddyliais mai siarad am y tŷ bach yr oedd. Ond 'y place', wrth gwrs, oedd Tŷ'r Arglwyddi! Ac mi drechon nhw'r ordor hwnnw.

Mae egwyddorion Salisbury, sy'n bodoli ers dros bump a thrigain o flynyddoedd, yn ymgorffori mesur o gymrodedd a dealltwriaeth: os yw plaid wedi gwneud yn glir yn ei maniffesto etholiadol yr hyn mae am ei wneud mewn unrhyw faes gwleidyddol, a'r blaid honno'n creu llywodraeth, yna, mae Tŷ'r Arglwyddi yn ystyried nad oes ganddo'r hawl gyfansoddiadol (mewn modd anffurfiol) i wrthod hynny. Fe ddaeth hynny i fod ar ôl 1945, pan nad oedd ond llond dwrn yn derbyn y chwip Lafur a channoedd ar gannoedd yn derbyn y chwip Doriaidd – a channoedd mwy yn Doriaid rhonc. Ond er gwaethaf yr egwyddorion hyn, yng nghefn meddwl Aelodau Llafur fe fyddai yna deimlad, oherwydd y niferoedd anghytbwys, fod y posibilrwydd echrydus o gael eich boddi gan fagad o'r 'backwoodsmen' yn bodoli o hyd, ac felly fod yn rhaid cael gwared ohono. Er bythol glod i'r Llywodraeth Lafur, fe wnaed hynny yn 1999. Yr hyn sy'n rhyfeddol ydi sut y cafwyd cymaint o gytundeb yn Nhŷ'r Arglwyddi ynglŷn â hynny, gyda'r Aelodau'n fodlon ildio'u hawliau a chadw dim ond 92 o arglwyddi oedd wedi eu hethol o'u plith eu hunain.

Yn fy ail gyfnod yn y Tŷ, daw ambell achlysur arbennig i gof pan gefais y cyfle i gymryd rhan mewn dadleuon ynglŷn â phynciau oedd yn cyffwrdd â rhai o elfennau mwyaf hanfodol bywyd. Y cyntaf ohonynt oedd dadl ar ail ddarlleniad mesur i sicrhau nad rheithgor a fyddai'n penderfynu achos o dwyll yn Llys y Goron, ond barnwr yn unig. Dadl y Llywodraeth (Lafur bryd hynny) oedd fod yr achosion hyn yn gymhleth, yn anodd eu deall, ac yn para am fisoedd, ac y byddai'n anodd i aelod cyffredin o reithgor ddilyn y dystiolaeth. Fy nadl i oedd nad oedd achosion twyll yn fwy cymhleth nac yn fwy llafurus o ran amser na nifer o achosion eraill yn ymwneud â chynllwynio difrifol yng nghyswllt cyffuriau, ymosodiadau ar fanciau, herwgipio ac yn y blaen. Heriais y Llywodraeth i ddweud faint o achosion o dwyll oedd wedi para dros dri mis yn y pum mlynedd blaenorol o'u cymharu ag achosion eraill o gynllwynio. Nid oedd yr wybodaeth ar gael! Gan nad oedd tystiolaeth, sut felly, dadleuwn, y gallai'r Llywodraeth gyfiawnhau gwneud darpariaeth wahanol ar gyfer twyll i'r hyn a wneid ar gyfer achosion difrifol eraill? Dyfynnais o adroddiadau cyhoeddus a ddangosai fod corff cryf o dystiolaeth yn dangos bod rheithgor yn llwyddo i ddeall – ac i ddadansoddi'n gywir – yr achosion hiraf a mwyaf cymhleth o dwyll.

Gwae'r dydd pan fyddwn yn cael gwared ar reithgorau yn gyffredinol – er bod proses eisoes yn bodoli sy'n ei gwneud hi'n bosib, mewn rhai achosion cwbl eithriadol, i farnwr eistedd heb reithgor. Roedd y mesur a ddygwyd gerbron y Tŷ, yn fy marn i, yn dechrau ar y gwaith o chwalu'r gyfundrefn reithgorol. Er bod achosion o dwyll yn aml yn achosion maith a chymhleth, mae achosion eraill fel achosion cyffuriau – lle mae yna gynllwyn ar raddfa ryngwladol neu rywbeth felly – yn gallu bod lawn mor gymhleth ac yn para cyn hired, ond does neb yn sôn ar hyn o bryd am wneud i ffwrdd â rheithgor ar gyfer y rheini. Amheuwn fod y sefydliad o'r farn mai mewn achosion o dwyll mae'r crac yn y cread, a thrwy agor y bwlch yma a gwthio trwyddo y bydd yn bosib gwneud i ffwrdd â'r rhan helaethaf o achosion rheithgor.

Er bod nifer o gymhellion yn ysgogi'r mudiad, un amlwg yw'r teimlad fod rheithgorau'n rhy garedig wrth y diffynnydd, a bod canran y diffynyddion a gaiff eu dedfrydu'n euog yn rhy isel. Fe gewch hefyd achosion lle mae'r rheithgor wedi dioddef ymyrraeth, drwy fygythiad ac ofnadwyaeth; ac yn ddiweddar cafwyd achosion o'r math lle bu'n rhaid diddymu'r rheithgor, a'r barnwr yn clywed yr achos ar ei ben ei hunan. Bygythiad mwy tebygol na hwnnw yw pobl sy'n osgoi bod ar reithgor, gan gynnig pob math o dystiolaeth feddygol sy'n eu galluogi i ddweud na fedrent fod yno am gyfnod hir. Mae eraill wedyn sy'n derbyn gwŷs i eistedd ar reithgor yn osgoi eu dyletswydd drwy dalu i rywun arall gymryd eu lle gan esgus mai fe (neu hi) yw'r un a alwyd i'r rheithgor. Felly, yn aml ceir y ddadl ein bod yn gwario llawer gormod o arian ar reithgorau, ac y byddai gymaint â hynny'n rhatach a chyflymach i farnwr gymryd yr achos.

Yn y ddadl dyfynnais eiriau anfarwol yr Arglwydd Devlin mewn darlith a draddododd rai degau o flynyddoedd yn ôl ar werth y rheithgor. Ei eiriau oedd: 'Each jury is a little parliament ... no tyrant could afford to leave a subject's freedom in the hands of twelve of his countrymen. So that trial by jury is more than an instrument of justice and more than one wheel of the constitution: it is the lamp that shows that freedom lives.'

Rwy'n credu'n llythrennol yn y gwirionedd yna. Enillasom y bleidlais. Gwelodd y llywodraeth yn dda i ddiosg y mesur.

Achlysur pwysig arall oedd gwrthod Mesur Preifat yr Arglwydd Joffe i ganiatáu trwydded gyfreithiol i'r sawl na wnâi ddim mwy na threfnu i rywun agos ac annwyl iddo (neu iddi) deithio i wlad dramor lle gallai'r person hwnnw gyflawni hunanladdiad. Yn fy araith, credaf imi lwyddo i ddangos bod y mesur yn wallus gan nad oedd yn cyfreithloni gweithred yr un a drefnai'r daith, ac eithrio yn unig yng nghyswllt prynu tocynnau i deithio ac aros. Ni fyddai'n diogelu person a fyddai'n bresennol gyda'r un a gyflawnai hunanladdiad er mwyn bod yn gwmni ac yn gysur iddo. Ceisiais ddangos hefyd mor ariangar a dideimlad oedd y parlyrau hunanladdiad hyn. Byrdwn fy sylwadau, beth bynnag, oedd fod holl agwedd y diwygwyr, er eu dyngarwch a'u diffuantrwydd, o reidrwydd yn arwain at ddibrisio bywyd, sy'n rhodd y Goruchaf. Dyfynnais eiriau enwog John Donne: 'Any man's death diminishes me, because I am involved in Mankind', ac yn y blaen. Gofynnais hefyd pa effaith fyddai'r newid hwn yn ei gael ar y bobl ifanc hynny ym Mhen-y-bont ar Ogwr a oedd, ar y pryd, yn eu niferoedd, yn ystyried cyflawni hunanladdiad.

Eto, ni hoffwn gyfleu'r syniad fy mod yn rheolaidd yn traddodi areithiau meithion ar byncíau dyrys. Bu nifer o'm cyfraniadau'n gyfyngedig i bwynt cyfreithiol, i ddangos bod lle i amau cywirdeb y drafftio. Ystyriaf y swyddogaeth hon nid yn annhebyg i eiddo'r cymeriad Shakespearaidd cellweirus hwnnw Autolycus: 'A snapper-up of unconsidered trifles'.

Er etholiad Mai 2010 mae'r rhan helaeth o sylw'r Tŷ wedi

canolbwyntio'n amddiffynnol ar ddeddfwriaeth sy'n cyrraedd o Dŷ'r Cyffredin, megis y Ddeddf Bleidlais Amgen a Ffiniau Etholaethau; Deddf Cyrff Cyhoeddus a hefyd y Ddeddf Cymorth Cyfreithiol a Chosb Droseddol. Mae rôl Tŷ'r Arglwyddi wedi bod yn ddeublyg. Yn y lle cyntaf, wrth gwrs, mae iddo'r dasg o adolygu'n fanwl, tra bo'r ail swyddogaeth yn anatodadwy gysylltiedig â'r cwestiwn o amddiffyn yn erbyn yr hyn sy'n ymddangos yn ymddygiad unbenaethol gan lywodraeth y dydd ac arafu proses hwnnw i ddod yn ddeddf.

Roedd y mesur Pleidlais Amgen a Ffiniau Etholaethol yn ddau fater cwbl wahanol, wrth gwrs, ond o ganlyniad i gytundeb y glymblaid fe luniwyd y ddau gyda'i gilydd fel pris cadw'r Democratiaid Rhyddfrydol yn ddiddig. O gael dau fesur ar wahân, roedd yn amlwg na allai'r Llywodraeth fod wedi llwyddo i gadw'r glymblaid yn gytûn, ac o ganlyniad cafwyd un mesur mawr, afrosgo. Cyn belled ag roedd y mesur ffiniau etholaethol yn y cwestiwn, roedd yna athroniaeth sinigaidd wrth ei wraidd. Yn gyntaf dadleuid bod angen gostwng nifer seddau Tŷ'r Cyffredin o 650 i 600. Yn fy marn i, doedd yna ddim gronyn o dystiolaeth i gyfiawnhau hynny. Yn wir, haws fyddai dadlau bod achos cryf dros gynyddu nifer y seddau yn Nhŷ'r Cyffredin oherwydd bod y boblogaeth wedi cynyddu dros y degawdau a bod dyletswyddau'r Aelodau Seneddol hefyd wedi mynd yn fwy niferus. Roedd y cyfan yn seiliedig ar ryw dybiaeth, gan fod gwleidyddion yn nadir eu poblogrwydd, mai'r peth tactegol i'w wneud, felly, oedd diddymu hanner cant ohonynt (fel y dywed y Ffrancwr, '*Pour l'encouragement des autres*') a bod hynny'n mynd i ddod â phoblogrwydd i lywodraeth y dydd.

Roedd yn gynllun hollol ddiegwyddor a di-sail, heb unrhyw gyfiawnhad democrataidd iddo. O ganlyniad, rhaid oedd ailwampio holl seddau Prydain yn ôl fformiwla arbennig. Dyna'r greadigaeth fwyaf ffuantus y gellid meddwl amdani, sef bod yn rhaid ceisio cael pob etholaeth i gynnwys rhwng 70,000 a 76,000 o etholwyr, a bod y Deyrnas Unedig yn rhannu'n barseli o etholaethau o'r fath. Yn fy marn i, roedd y syniad yna'n gwbl ynfyd, gan mor wahanol yw nodweddion etholaethau a'r oblygiadau i'r Aelodau sy'n eu cynrychioli. Meddylier am etholaeth ddinesig neu etholaeth mewn tref boblog lle y medrai'r Aelod reidio beic trwyddi mewn hanner awr. Ond ystyrier etholaeth wledig lle mae angen tiriogaeth eang i sicrhau'r 73,000 o bleidleiswyr angenrheidiol. Faint o siroedd fyddai gofyn eu huno at ei gilydd i gyrraedd y ffigwr hwn? Roedd y peth yn hollol fympwyol ac ynfyd, ond credai'r Toriaid y byddent yn elwa o ryw ugain sedd mewn etholiad cyffredinol wrth wneud hyn.

Ymhellach, roedd yn seiliedig ar rywbeth pur artiffisial, oherwydd ar restr yr etholwyr, ar gyfartaledd, mae rhyw dair i bedair mil o bleidleiswyr nad ydynt wedi'u cofrestru. Maent yn byw yn yr etholaeth, a nifer ohonynt yn dibynnu ar wasanaeth yr Aelod Seneddol – rhai ohonynt, efallai, yn fwy na'r rheini sy'n gofrestredig fel etholwyr – ond dydyn nhw'n cyfri dim yn ôl yr athroniaeth hon. Yr oedd llawer o Aelodau Seneddol yn eu naïfrwydd yn credu eu bod yn hollol ddiogel o dan y cynllun hwn. Clywais un neu ddau ohonynt yn dweud, 'O, rwy'n hollol saff, mae f'etholaeth i'n saith deg o filoedd.' Beth nad oedd y bobl ddifeddwl hyn yn ei sylweddoli oedd y gallai'r etholaethau i'r dde a'r chwith ohonynt gynnwys deugain mil o etholwyr, ac y byddai ei etholaeth ef (neu hi) yn cael ei hollti i lawr y canol a'i rhannu rhwng y ddwy arall! Nid oedd a wnelo'r aildrefnu ddim â maint yr etholaeth ar ddechrau'r broses. Y patrwm terfynol yn unig oedd yn cyfrif.

Byddai'r effaith a gâi'r newid ar Gymru yn alaethus. Golygai y byddai nifer ein seddau seneddol yn gostwng o ddeugain i ddeg ar hugain. Hynny ydi, golygai y byddai yna lai o Aelodau Seneddol Cymreig nag oedd yn Nhŷ'r Cyffredin yn 1832, adeg Mesur y Diwygiad Mawr (Great Reform Bill). Yn 1993, pan oedd Kenneth Clarke yn Ysgrifennydd Cartref, fe godwyd y cwestiwn ynglŷn â nifer seddau Cymru, a'n bod yn cael ein gorgynrychioli oherwydd y boblogaeth denau yn yr ardaloedd gwledig. Erfyniwyd ar i Clarke newid hynny, ond fe wrthododd y syniad, er mawr glod iddo, a dweud bod Cymru yn genedl: bod ganddi ei hanes ei hunan a'i daearyddiaeth ei hunan, ac felly, yn yr amgylchiadau hynny, ac ar sail hynny, na fyddai'n newid y patrwm. A oedd cenedligrwydd Cymru rhywfaint yn llai yn 2011 nag ydoedd yn 1993?

Rwy'n cofio'r sefyllfa chwerthinllyd yn Nhŷ'r Arglwyddi un noson a nifer ohonom yn ceisio newid y cymal hwn ynglŷn â Chymru. Awr ynghynt roedd y Democratiaid Rhyddfrydol wedi dadlau a phleidleisio i gadw dwy sedd Ynys Wyth. Ni lefarodd yr un ohonynt *air* o blaid Cymru. Bron imi deimlo cywilydd ar eu rhan ym mhwys eu hanes mewn oesau fu. Beth fyddai Lloyd George wedi ei wneud o dan yr amgylchiadau? Mi siaradodd ei ŵyr, Is-iarll Dinbych-y-pysgod, a dweud, 'My grandfather wouldn't just be turning in his grave, he would have fallen into the Dwyfor by now.' Ac roedd hynny'n dweud y cyfan. Os bu yna erioed enghraifft o ddiffyg gwroldeb ac absenoldeb unplygrwydd yn enw clymblaid, hon ydoedd. O ganlyniad bydd yr anhrefn a gaiff ei greu yng Nghymru yn llawer mwy ar gyfartaledd na'r hyn a fydd yn digwydd yng ngweddill y Deyrnas Unedig, oherwydd mae colli 25% o seddi Cymru ryw ddwywaith yn uwch na cholled gweddill y deyrnas. Erbyn heddiw ymddengys, trwy ryw ddirgel ffyrdd, ei fod yn bosib y bydd y Democratiaid Rhyddfrydol yn atal eu cefnogaeth pan ddaw'r mater gerbron y Senedd yn 2013 fel tâl i'r Torïaid am ollwng mater diwygio Tŷ'r Arglwyddi.

Yr ail ddarn o ddeddfwriaeth oedd Mesur Cyrff Cyhoeddus, ac yn hwn, fel cynt, fe ddangosodd y Llywodraeth ei hymlyniad wrth ragfarnau gwleidyddol, yn hytrach nag edrych yn wrthrychol a theg ar bob un o'r cyrff hyn yn unigol. Mor fawr oedd ei sêl dros ddiddymu cynifer o gyrff enwebedig â phosib fel na feddyliodd am eiliad mor wahanol oedd un corff i'r llall – mor wahanol ei swyddogaethau, ei hanes a'i bwrpas. Dri chwarter y ffordd trwy gwrs y mesur yn Nhŷ'r Arglwyddi, bu raid iddi newid ei holl agwedd a diddymu rhan helaeth o'r mesur. Golyga hyn fod yna gannoedd o gyrff a fyddai wedi cael eu cynnwys o fewn ffiniau'r mesur wedi eu rhyddhau.

Un o'r cyrff nas rhyddhawyd oedd S4C. Credaf mai ychydig iawn o sylw a roddodd y Llywodraeth o gwbl i'r mater hwn – dim ond delio ag ef ochr yn ochr ag ugeiniau o gyrff eraill yn gwbl ddifeddwl a heb ystyriaeth deilwng. Roedd S4C wedi'i chreu, o ganlyniad i heriad dewr a hunanaberthol Gwynfor wyth mlynedd ar hugain cyn hynny, i sicrhau nad oedd y Llywodraeth yn cefnu ar ei hymrwymiad i sefydlu sianel annibynnol Gymreig. Fel y cofiwch, roedd Gwynfor yn benderfynol o aberthu ei fywyd trwy ympryd, ac nid oes gennyf unrhyw amheuaeth ar wyneb daear na fyddai wedi gwneud hynny. Dyna wir gryfder y dyn. Roedd yn gwbl ddiffuant yn ei fwriad i golli ei fywyd i greu'r sianel annibynnol, a oedd yn ei farn ef ac ym marn cynifer ohonom, yn allweddol, nid yn unig i ffyniant ond i *barhad* yr iaith Gymraeg. Yn y dyddiau cythryblus hynny pan oedd Gwynfor yn bygwth ymprydio, fe roddwyd cryn dipyn o dystiolaeth o flaen William Whitelaw, yr Ysgrifennydd Cartref, ynglŷn â'r sicrwydd fod Gwynfor yn golygu'r hyn a fygythiai, a'r effaith fyddai hynny'n ei chael ar genedl a chymdeithas Cymru, ac yn arbennig ar gwestiwn cyfraith a threfn. Fe ysgrifennodd nifer ato a bu nifer ohonom mewn cysylltiad ag ef. Rwy'n cofio anfon neges ato yn dweud fy mod yn adnabod Gwynfor yn dda, ac os oedd un ffaith yn sicr, yna, y ffaith ei fod yn llwyr benderfynol o'i aberthu ei hunan oedd honno. Yn y diwedd fe ildiodd Whitelaw, y dyn call a chytbwys ag ydoedd, ac a wyddai'n well na neb am hanes Gogledd Iwerddon. Crëwyd y sianel.

Dadl nifer ohonom, felly, yng nghyswllt y mesur hwn oedd nad cwango fel y cwangos eraill a gafodd eu taflu ar y tân neu eu diwygio mewn rhyw ffordd neu'i gilydd allan o fodolaeth, bron, oedd y sianel, ond yn hytrach *cytundeb* rhwng Whitelaw a phobl Cymru, ac *ymrwymiad* na fyddai unrhyw berson anrhydeddus am ei dorri. Ond roedd y Llywodraeth yn glustfyddar i apeliadau o'r fath. Roedd nifer o Aelodau Llafur – John Morris a Kenneth Morgan – a chroesfeincwyr fel Dafydd Wigley a David Rowe-Beddoe a minnau, yn frwd o blaid amddiffyn y sianel. Cyflwynwyd nifer o welliannau yn y Tŷ, ond ni lwyddasom ar yr un ohonynt, ac fe aeth dirprwyaeth ohonom i weld Jeremy Hunt a'i weinidogion fwy nag unwaith. Bu inni gyfarfod ag uchel swyddogion ei adran, gan gynnwys y cyfreithwyr. Y ddadl a roddais i gerbron oedd na fedrai'r BBC, a oedd i fod yn gyfrifol i raddau helaeth am y sianel, fyth lwyddo i ddelio'n deg a chytbwys â chorff a oedd i bob pwrpas yn gystadleuydd iddo – a bod teimladau traddodiadol blwyfol yn rhannu'r ddau sefydliad. Yn y diwedd fe liniarodd y gweinidog ar ei gynllun, gan gytuno y byddai S4C yn atebol yn ei hanfod nid i'r BBC yng Nghymru ond i'w adran ef, a allai fod yn ddiduedd. Cytunodd hefyd i ddiogelu annibyniaeth S4C yn siartr newydd y BBC pan ddeuai honno i fod yn 2016.

Dyfodol y Tŷ

Ym mis Awst 2012 cyhoeddodd llywodraeth y glymblaid ei bod yn rhoi'r gorau i'w chynllun i geisio diwygio Tŷ'r Arglwyddi. Nid oedd hyn yn syndod i nemor neb ar ôl yr hyn oedd wedi digwydd fis ynghynt ar achlysur ail ddarlleniad y mesur yn Nhŷ'r Cyffredin. Y diwrnod hwnnw, fe bleidleisiodd 91 o Doriaid yn erbyn y mesur, ac ugain arall yn atal eu pleidlais. Roedd sïon hefyd o gylch San Steffan fod niferoedd eraill o'u cymrodyr yn fodlon cynorthwyo i ladd y ddeddfwriaeth, petai rhaid.

Ym marn llawer (a minnau yn eu plith), dyma un o'r mesurau mwyaf ynfyd a gwallus a ddygwyd gerbron y Senedd erioed. Roedd iddo ddau wendid echrydus ac amlwg. Y cyntaf oedd y ffaith ei fod yn ceisio sefydlu Ail Dŷ ag 80% o'i aelodau wedi'u hethol trwy bleidlais gyfrannol. Nid oedd unrhyw ddarpariaeth yn y mesur i ddelio â'r argyfwng anochel ac anniddig pan fyddai'r ddau Dŷ yn anghytuno beunydd â'i gilydd; byddai unrhyw un a edrychai'n ymarferol ar y sefyllfa yn gweld y byddai hynny'n sicr o ddigwydd. Ym marn rhai o awdurdodau cyfansoddiadol mwyaf disglair y deyrnas, dim ond trwy gyfansoddiad ysgrifenedig a Goruchaf Lys arolygol y gellid atal hyn. Yn absenoldeb y fath ddarpariaeth, ni ellid osgoi'r bedlam parhaol o ddau dŷ seneddol yn llindagu ei gilydd.

Yr ail wendid cynhenid yn y mesur oedd y broblem sut y gellid gwireddu'r ddelfryd o siambr a oedd yn atebol i'r cyhoedd yn ôl egwyddorion democratiaeth. Felly, ceisiwyd gwneud hyn drwy ethol aelodau am un tymor o bymtheng mlynedd! Sut mae aelod etholedig na fydd byth eto'n wynebu ei etholwyr yn atebol i gyfundrefn ddemocrataidd, ni wn. Ond hyd yn oed pe bai'r mesur yn ddilychwin a pherffaith, ni chredaf y dylid ei ddwyn gerbron y Senedd cyn i dri pheth ddigwydd.

Yn gyntaf, dylid gwneud ymchwiliad trylwyr i effaith unrhyw fath o ddiwygio ar Dŷ'r Cyffredin, Tŷ'r Arglwyddi a seneddau datganoledig yr Alban, Cymru a Gogledd Iwerddon. Mae bywydau'r sefydliadau hyn i gyd wedi eu plethu yn ei gilydd, ac ni ellir newid sefyllfa un yn hanfodol heb effeithio'n sylweddol ar fywyd y lleill hefyd. Yr ail amod cyn lansio mesur fyddai aros i weld pa beth fydd dedfryd pobl yr Alban yn hydref 2014 ar fater tyngedfennol annibyniaeth. Y trydydd amod fyddai sicrhau bod etholwyr Prydain yn derbyn mewn refferendwm y newidiadau i Dŷ'r Arglwyddi. Hyd yn oed petai mesur diwygio Tŷ'r Arglwyddi yn gampwaith perffaith o gynllunio, ni ellid rhoi ystyriaeth gywir iddo hyd nes y bydd y tri pheth uchod yn digwydd, ac yna byddai cyfle i ystyried y ddedfryd derfynol yng ngoleuni'r rhain.

Cododd y cwestiwn o ddiwygio Tŷ'r Arglwyddi dros ganrif yn ôl, ond credaf o lwyrfryd calon y dylem atgoffa ein hunain o'r ffaith fod y sefyllfa bresennol yn un dra gwahanol i'r un a wynebid yn 1911. Bryd hynny, fe weithredai Tŷ'r Arglwyddi, yn cynnwys mwyafrif llethol o aelodau etifeddol aristocrataidd, yn haerllug a gormesol i wrthod (neu i ddinistrio'n helaeth) fesurau pwysig a basiwyd gan Dŷ'r Cyffredin. Nid yw'r fath ormes gymdeithasol yn bodoli yn awr. Heddiw, mae aelodau'r Ail Dŷ yn bobl a benodwyd yn Arglwyddi am Oes o dan ddeddf 1958 (ar wahân i'r 92 sy'n weddill o'r cannoedd lawer o arglwyddi etifeddol) a'r esgobion.

Un eironi enfawr yng nghyswllt trafodaeth ar gwestiwn diwygio Tŷ'r Arglwyddi yw fod deddfau seneddol 1911 ac 1949 yn delio'n unig â chwestiwn *pwerau*'r Ail Dŷ i rwystro neu i newid deddfwriaeth Tŷ'r Cyffredin rhag cwblhau ei chwrs. Ar y llaw arall, mae bron pob trafodaeth er 1949 yn delio nid â phwerau'r Tŷ ond â chwestiwn *aelodaeth*. Ni allaf o'm rhan fy hun weld sut y gellid edrych ar y naill gwestiwn neu'r llall ac eithrio mewn perthynas â'i gilydd. Onid yr ateb i'r cwestiwn 'A ddylai aelodau o'r Ail Dŷ fod wedi'u hethol neu beidio?' yw dweud, 'Wel, dwedwch wrthyf fi beth yn union yw swyddogaeth yr Ail Dŷ i fod, ac mi geisiaf lunio ateb rhesymol i chi.'

Pe penderfynid, felly, mai priod waith yr ail siambr yw delio â'r mwyafrif mawr o faterion (heblaw pethau'n ymwneud â gwariant cyhoeddus), yna'n ddiamau byddai'n rhaid i'w aelodau fod wedi'u hethol gan yr etholwyr. Ar y llaw arall, os rôl yr Ail Dŷ yw arolygu'n fanwl y tunelli o ddeddfwriaeth sy'n dod o Dŷ'r Cyffredin, â llai na'i hanner yn aml wedi'i archwilio gan y siambr honno, yna cywir yw gofyn, 'A yw'n rhaid i aelodau'r Ail Dŷ gael eu hethol?' Gellid sicrhau y byddai'r fath Dŷ yn cynnwys pobl o brofiad a medr addas i'r dasg o arolygu. Gellid hefyd, wrth gwrs, sefydlu corff diduedd a weithredai'n deg ac yn dryloyw i benodi'r fath rai.

Ar nodyn personol, felly, teimlaf rywfaint o siom na chawsom y cyfle i ddadlau'n drylwyr y materion hyn sy'n ein dwyn at graidd a chnewyllyn democratiaeth seneddol. Eto, yn yr amgylchiadau, fel y ffigysbren yn Efengyl Luc – yn fwy drwy ddamwain nag o fwriad – achubwyd hi unwaith eto 'y flwyddyn hon'.

Cymru Fydd

Er pan oeddwn yn fachgen, roedd y dyhead o weld Cymru yn ennill statws cyfansoddiadol sylweddol yn obaith arbennig imi. Credaf, fel y credais erioed, fod parhad bywyd Cymru fel gwlad a chenedl yn dibynnu i raddau helaeth ar ddatblygiad cyfansoddiadol o wir sylwedd. Bod organig yw cenedl, sefydliad mecanyddol yw cyfansoddiad, ond mae'r statws hwnnw'n blisgyn ac yn lloches i fywyd creiddiol y genedl.

Yr un syniadau sydd gennyf yn awr yn y cyswllt hwn ag a oedd imi yn nyddiau bachgendod. Rwy'n dal i gredu mai'r nod terfynol i Gymru yw sicrhau statws dominiwn – nid cyfansoddiad ar yr union ffurf ag un Seland Newydd neu Awstralia neu wledydd tebyg, mae'n wir. Yn hytrach, sefydliad sy'n cydnabod y syniad o ryddid sylweddol i fyw bywyd fel cenedl, a hynny o fewn fframwaith y Gymanwlad Brydeinig, gan dderbyn, wrth gwrs, ein bod yn byw ysgwydd wrth ysgwydd â Lloegr fel gwlad. Mae pob gobaith sydd gennyf o ddatganoli yn gorwedd o fewn y fframwaith ehangach yma o nod cyfansoddiadol.

Yn ddyn ifanc, roeddwn yn ymwybodol fod dau duedd wedi diffinio Cymru yn y canrifoedd a fu. Y cyntaf o'r rhain oedd iddi, yng ngolwg cyfraith, gael ei thraflyncu gan Loegr yn Neddf Uno 1536, a ddiddymodd Gymru yn gyfan gwbl o'r cyfansoddiad Prydeinig: 'annexed, incorporated and included within the greater realm of England' (i'r graddau nad oedd hynny eisoes wedi'i gyflawni gan Statud Rhuddlan 1284). Yn ail, fodd bynnag, roedd yr awgrym o hunaniaeth genedlaethol a fynegwyd o bryd i'w gilydd er canol y bedwaredd ganrif ar bymtheg, trwy ddeddfu achlysurol megis Deddf Addysg Foster 1870 a mân ddeddfau eraill yn ymwneud â materion megis trwyddedu – ac yn arbennig Ddeddf Eglwys Cymru

1914 yn datgysylltu'r Eglwys yng Nghymru. Parhau a wnaeth yr arfer yma yn hanner cyntaf yr ugeinfed ganrif, ac ymhlith y deddfau hyn hefyd yr oedd Deddf Llysoedd Cymru yn 1942, ac er mor anghyflawn oedd honno, roedd hi'n ddechrau ar broses.

Ac eto, poenus o araf oedd unrhyw symudiad tuag at ddatganoli cyfansoddiadol. O ganol y bedwaredd ganrif ar bymtheg ymlaen bu ymdrechion annhymig, hwnt ac yma, i gymryd camau tuag at ryw ffurf o hunanlywodraeth. Diffoddwyd gobaith Mudiad Cymru Fydd yn y cyfarfod hanesyddol hwnnw yng Nghasnewydd yn 1896, pan gafodd llais Lloyd George ei foddi. Does dim amheuaeth gennyf nad ydoedd yn genedlaetholwr dilys ac y byddai wedi rhoi pleser iddo weld rhyw ffurf ar senedd i'w genedl, ond ymddangosai nerth gelynion Cymru Fydd yn anorchfygol. Asgell arall oedd mesur aelodau preifat fel yr hen feistr haearn E. T. John, un o Aelodau Seneddol gogledd-ddwyrain Cymru. Ac er bod y Blaid Lafur yn nyddiau Keir Hardie ac Arthur Henderson wedi bod, o leiaf mewn enw, o blaid senedd i Gymru, roedd y syniad wedi gwanhau nes bod yn llythyren pur farw am gyfnod maith cyn yr Ail Ryfel Byd.

Bu ymdrechion yng nghyfnod y pumdegau cynnar i sefydlu senedd i Gymru yn fethiant llwyr – er gwaethaf y ffaith fod S. O. Davies, Aelod Merthyr, wedi cynnig mesur yn Nhŷ'r Cyffredin a dderbyniodd gefnogaeth nifer o Aelodau megis Tudor Watkins, Goronwy Roberts a Chledwyn Hughes. Fel rheol, roedd mwyafrif Aelodau Seneddol y Blaid Lafur yn ystod y blynyddoedd hyn yn llai na chefnogol i geisio ennill statws cyfansoddiadol uwch i Gymru, ond yn y pumdegau diweddar fe newidiodd pethau. Erbyn etholiad 1959 roedd maniffesto Llafur yn cynnwys yr egwyddor o Ysgrifennydd i Gymru. Roedd amryw o ffactorau'n gyfrifol am y newid yma, mae'n siŵr, ond un hanesyn arwyddocaol sy'n aros yn y cof yw stori a glywais fwy nag unwaith – a hynny yn ei llawn fanylder gan James Idwal Jones, Aelod Seneddol Wrecsam o 1955 hyd 1970.

Roedd yn bresennol mewn cyfarfod wythnosol o'r Blaid Lafur Seneddol pan drafodwyd mater Ysgrifennydd i Gymru. Gan fod nifer o Aelodau Seneddol wedi cymryd gwahanol safbwyntiau, ar y ddwy ochr, ni ddaethpwyd i unrhyw benderfyniad. Pan ddaeth y cyfarfod i ben, dyma'r Aelodau'n symud i lawr i'r *tea room*, ac wrth y bwrdd Cymreig fe ddaeth nifer o Gymry ynghyd, gan gynnwys Aneurin Bevan a Jim Griffiths. Siaradodd Bevan nid yn ddilornus, ond braidd yn ddrwgdybus am y cynllun, tra oedd Jim yn naturiol wedi dangos ei fod yn gryf o'i blaid. Yna, yng nghanol y trafod wrth y bwrdd, fe ofynnodd Bevan i Jim,

'D-d-d-do you really want it, Jim?'

Atebodd Jim, 'Yes, Nye, with all my heart.'

Meddai Bevan, gan roi ei law ar lawes Jim, 'Then b-b-by God, Jim, you shall have it.'

Teimlaf yn sicr fod y dystiolaeth am yr achlysur yma'n llythrennol gywir. Wrth adrodd unrhyw hanes, byddai James Idwal Jones yn ei draddodi'n llafurus o fanwl, ond bob amser yn gyson. Os bu yna dyst y byddwn i â llawn hyder yn ei gywirdeb, yna James Idwal oedd hwnnw. Nid yw'r stori'n croes-ddweud chwaith yr hyn mae eraill wedi'i ddweud ynglŷn â Bevan ar y pryd – fod ei agwedd tuag at Gymru wedi lliniaru. Mae yna ragdybiaeth am Bevan ei fod yn reddfol wrthwynebus i ddyheadau cenedlaetholgar Cymreig, ond dadansoddiad rhy syml o lawer yw hyn. Mae gen i frith gof o ddarllen adroddiad am ddadl yn Nhŷ'r Cyffredin ar ganolbarth Cymru pan oeddwn yn ddyn ifanc, a synnu at gydymdeimlad a deallusrwydd Aneurin Bevan yng nghyswllt y Gymru wledig – agweddau na fyddem yn disgwyl iddo'u coleddu. Er mai Aelod Glyn Ebwy ydoedd, a'i fod yn dod o gefndir diwydiannol, nid oedd mor blwyfol â rhai eraill o'i gymrodyr o'r de. Mae'n werth cofio hefyd fod ei fam yn siarad Cymraeg ac wedi gweld yn dda i'w enwi ar ôl Aneirin, y bardd o'r chweched ganrif. Nid oedd yn wrth-Gymreig ond fe edrychai ar genedlaetholwyr Cymru yn ei gyfnod fel pobl fychain a chulion a fynnai ferwino'r ddelfryd o frawdoliaeth dyn yn enw'r hyn a oedd yn ei lygaid ef yn ffiloreg blwyfol a hunanol.

Boed hynny fel y bo, does dim dau nad oedd statws Bevan mor ddylanwadol o fewn y blaid fel y gallai ei air fod yn allweddol o safbwynt dylanwadu ar y polisi yng nghyd-destun Cymru. Nid mympwy oedd hyn. Cafodd yr Alban ysgrifennydd cartref yn 1885, ac er bod i'r Alban ei hanes gwahanol a'i chyfundrefn gyfreithiol ei hun, roedd Cymru hefyd yn wlad a chenedl; felly'r cwestiwn i rywun diduedd oedd holi, nid beth oedd dadleuon yr egwyddor o blaid Ysgrifennydd i Gymru, ond pa reswm oedd yna i'w wrthwynebu? Ni chredaf fod y Blaid Lafur wedi wynebu'r cwestiwn yn onest cyn canol y pumdegau.

Yn 1964, felly, dyna lle roedd y wlad a'r genedl, a oedd i bob pwrpas swyddogol wedi diflannu o'r cyfansoddiad Prydeinig, yn awr yn ailymddangos ac iddynt amlinell bendant a chlir. O'r funud honno, roedd posibiliadau dihysbydd o wireddu'r weledigaeth a rennid gennym ni a oedd o anian genedlaetholgar. Yn gyntaf oll, roedd yna doreth o ddyletswyddau a chyfrifoldebau gweinyddol i'w trosglwyddo, ac yn wir fe drosglwyddwyd cyfartaledd uchel ohonynt yn y blynyddoedd cyntaf. Yn bwysicach, fodd bynnag, oedd yr amgylchedd seicolegol iachach a mwy hyderus, lle roedd y syniad o Gymru fel gwlad a chenedl ac iddi hawliau pendant y tu hwnt i ddadl bellach. Teimlwn innau ar y pryd ein bod wedi cyrraedd rhyw ben talar aruthrol o bwysig.

Wrth gwrs, nid oedd sefydlu swydd Ysgrifennydd i Gymru yn golygu trosglwyddo pwerau deddfwriaethol, ond mi roedd yn golygu datganoli i Gaerdydd hawliau gweinyddol sylweddol. Fe aeth Jim Griffiths i'r swyddfa gyda'i enw mawr, fel dyn oedd yn un o bileri'r Blaid Lafur, wedi bod yn weinidog llwyddiannus yng nghyswllt pensiynau a'r trefedigaethau, ac yn ddirprwy arweinydd y Blaid Lafur. Aeth i'r swydd gydag awdurdod, ond swyddfa wag ydoedd: 'a few tables and chairs', fel y dywedodd rhywun. Bu'n rhaid iddo ddewis tîm o weision sifil, ac yn raddol yr adeiladwyd y sefydliad i fod yn adran effeithiol o'r llywodraeth, ac yn sbardun i ddatganoli. Ni allwn fyth orbwysleisio'r arweiniad cryf a llawn gweledigaeth a roddodd i'r swydd yn y cyfnod cynnar hwnnw. Ni ddylid ychwaith anghofio'r gefnogaeth a gafodd yn ei swydd gan Emrys Jones, ysgrifennydd Plaid Lafur Cymru, a Gwilym Prys Dafis, a oedd wedi ymgyrchu dros ysgrifenyddiaeth a chorff etholedig i Gymru ers blynyddoedd lawer.

Yr hyn sydd yn rhaid ei gofio, wrth drosglwyddo pwerau gweinyddol, yw y byddai awdurdod deddfwriaethol yn rhwym o ddilyn. Pe rhoddid pwerau i weinidog yn Lloegr, a'r union bwerau hefyd i Ysgrifennydd Cymru yng Nghymru, yna, ym mhlyg y blynyddoedd roedd yn anochel y byddai rhywfaint o ychwanegiad i'w bwerau wrth roi awdurdod i greu deddfwriaeth eilradd – a dyma'r gwirionedd y naill ochr a'r llall i Glawdd Offa. A dyna chi wedi cymryd cam tuag at dwf hawliau deddfwriaethol; mae'r ddau beth yn mynd law yn llaw. Ac yn sicr fe ddigwyddodd hynny, yn nyddiau Jim Griffiths, ac yna o dan arweinyddiaeth Cledwyn Hughes, John Morris ac eraill.

Roedd Cledwyn yn ddyn galluog, blaengar a chenedlaetholgar, ac fe wnâi bopeth posib i drosglwyddo cymaint o ddeddfwriaeth â phosib – ond er bod rhesymeg ddeddfwriaethol yn pwyntio tuag at ddatganoli mewn cynifer o feysydd, cyndyn oedd mandariniaid Whitehall i ildio modfedd. Ceir cenfigen ymerodrol rhwng un adran o lywodraeth a'r llall, ac mae colli'r mymryn lleiaf o awdurdod yn anathema i weinidog a'i weision sifil.

Dilynwyd yr un llwybr gan weinidogion eraill y swydd, ond nid o reidrwydd am yr un rhesymau. Fe ddaeth yr anhygoel Siôr o Donypandy, George Thomas, yn ysgrifennydd yn 1968. Ni chredaf iddo fod o deimladau gwlatgar, nac yn ddyn o weledigaeth, ac roedd yn berson a allai fod yn hynod ddichellgar, yn enwedig pan gredai fod 'those nationalists' yn ceisio'i wthio i unrhyw gyfeiriad. Ni allaf gytuno â'r honiad mai ef oedd 'tad datganoli', oherwydd roedd y syniad o Gymru fel gwlad a chenedl yn ysgymun ganddo, er y byddai dwyn ambell friwsionyn bach i'w fwrdd ei hunan yn atyniadol iddo ar lefel bersonol. Parhau a wnâi'r broses o ddatganoli yn ei gyfnod ef, felly, ond nid fel patrwm cynlluniedig. Fe'i dilynwyd gan Peter Thomas, dyn galluog arall ac iddo syniad aeddfed o Gymru fel gwlad a chenedl. Fe gymer John Morris hefyd ei le yn anrhydeddus ymhlith y rhai a ehangodd sgôp ac awdurdod y Swyddfa Gymreig yn sylweddol iawn. Ni ellir rhestru ei olynydd, Nick Edwards, ymhlith gwladgarwyr mwyaf ein gwlad, ond eto dyma ddyn a gryfhaodd y Swyddfa Gymreig ar sail ei allu gweinyddol a'i uchelgais wleidyddol.

Yn cydredeg â'r tueddiadau hyn roedd datblygiadau cyfansoddiadol Comisiwn Kilbrandon (Crowther). Yn fuan roedd gofyn i Lafur benderfynu pa fath o dystiolaeth fyddai'n ei chyflwyno. Yn anochel, fe fu rhaniadau o fewn y blaid, ac yn arbennig o blith Aelodau Llafur Cymru. Cofiaf y drafodaeth ym mhwyllgor yr Aelodau Seneddol o Gymru, a llawer dadl boeth, gyda Cledwyn, John Morris, Bryn John, Carwyn Roderick, William Edwards, Tom Ellis, Denzil Davies a minnau ac eraill o blaid – a thrwch Aelodau'r de ar y cyfan yn erbyn, yn cael eu harwain fel arfer gan Leo Abse.

Ond, wrth gwrs, pwy ddaeth i mewn ar ein hochr ni, a hynny'n gwbl ddigymrodedd, ond Michael Foot. Roedd hynny'n hollol ddealladwy, gan fod Foot yn perthyn i'r hen draddodiad clasurol oedd yn credu mewn hunanlywodraeth i'r gwledydd Celtaidd. Os rhywbeth, cenedlaetholwr Cernywaidd ydoedd, ac er mai mab mabwysiedig ydoedd yng Nglyn Ebwy, roedd wedi taflu ei hunan yn gyfan gwbl i genedligrwydd Cymru. Yn ei ffordd ddisglair ei hun cafodd ddwy effaith. Yn y lle cyntaf roedd yna'r fath barch at Michael gan Aelodau de Cymru – roedd ar lawer ystyr yn eilun iddynt – fel y byddai'n anodd iddynt anghytuno ag ef, lai fyth ei ddirmygu. Ac yn yr ail le, roedd ei ddadleuon bob amser yn gywir, yn finiog ac yn taro'r targed!

Yn y diwedd, fe adroddodd Comisiwn Kilbrandon

– adroddiad cawdelog ar y cyfan ond eto'n pwyntio tua'r goleuni. I mi, nid y peth pwysig yw gofyn p'un ai'r union ddigwyddiad yna neu'r union safiad arbennig yna a arweiniodd at fuddugoliaeth, ond cydnabod bod y cyfan ar yr un trac yn arwain tuag at y nod terfynol. Credaf fod y ffactorau hyn oll yn ffurfio rhan o'r broses honno sy'n cynnwys dwy gledr baralel: un trac yn rhoi awdurdod gweinyddol i wlad a chenedl, a'r llall yn arwain at awdurdod deddfwriaethol iddi. Mae yna gyfundeb cryf rhwng y ddau, ac yn y bôn rhaid derbyn mai'r un broses ydynt.

1979

Roedd yn anochel y byddai rhaid i'r syniadau oedd gan lawer ohonom ynglŷn â senedd ddeddfwriaethol i Gymru a'r Alban gael eu cynnig i'r bobl. Yn gynnar yn 1978 dechreuwyd ymgyrchu dros bleidlais 'Ie' yn y refferendwm ar ddatganoli a oedd i'w gynnal ar ddydd Gŵyl Dewi y flwyddyn ganlynol. Fe ddaeth nifer o bobl o ewyllys da ac o amrywiol wleidyddiaeth ynghyd i ffurfio ffrynt amlbleidiol.

Fe'm penodwyd yn Llywydd ar y corff hwnnw. Rhaid cyfaddef imi fod mewn rhywfaint o gyfyng-gyngor yn y lle cyntaf, p'un a ddylwn dderbyn y gwahoddiad ai peidio. Pan benderfynodd y Senedd y byddai yna reidrwydd i ennill 40% o bleidlais holl etholwyr Cymru er mwyn dilysu'r canlyniad, fe wyddwn ym mêr fy esgyrn fod hynny'n gwbl amhosib, hyd yn oed petai pob gwynt teg o'n hôl. O dan y fath amgylchiadau, teimlwn mai'r peth cywir o bosib oedd anwybyddu'r refferendwm a'i gondemnio fel twyll. Gwyddwn fod nifer o Blaid Cymru yn rhannu'r un amheuaeth: sef bod y sefyllfa yn un o 'Mission Impossible' (ys dywed y Sais) o'r cychwyn cyntaf, ac o ganlyniad dim ond methiant a'n hwynebai. Ymresymais yn y pen draw mai brwydro am bob pleidlais oedd y peth anrhydeddus i'w wneud, yn y gobaith y gallai pleidlais gref – buddugoliaeth heb gario'r 40%, efallai – sicrhau'r hawl foesol i orfodi pleidlais bellach ryw ddydd.

Byddai hynny'n gam arall pwysig ar hyd llwybr datganoli. Credwn, o bob drwg, mai dyna oedd y lleiaf.

Edrychwn ar y bleidlais a oedd i ddod fel allwedd hollbwysig i ryw ffurf ar senedd i Gymru, ond o'r cychwyn cyntaf roedd fel petai holl nerthoedd y Fall yn cynghreirio i'n herbyn. Er i un pôl piniwn yn hydref 1978 awgrymu bod y ddwy garfan yn weddol gyfartal â'i gilydd o ran cefnogaeth, ar i lawr y carlamodd pethau dros y misoedd nesaf, gyda phob propaganda gwrth-Gymreig yn cael ei hau'n helaeth. Roedd nifer yn awyddus i ymgyrchu ar agenda o ddatganoli'n unig, gan ystyried y gair 'Senedd' fel teitl i'w ddiarddel. Anghytunais â'r safbwynt hwnnw, a theimlwn mai'r unig beth gonest y gellid ei osod gerbron pobl Cymru oedd yr egwyddor o hunanlywodraeth – dyna oedd arwyddocâd y cyfan. Credwn mai dyna oedd yn wir, yn hanesyddol gywir ac yn driw i'r traddodiad a ymestynnai yn ôl i ddyddiau Thomas Edward Ellis a Lloyd George.

Ni wn a wnaeth y penderfyniad ronyn o wahaniaeth i'r ddedfryd derfynol. Mewn refferendwm, mae'n rhwyddach o lawer i grynhoi barn gwlad yn erbyn rhywbeth nag o'i blaid. I lwyddo, mae'n rhaid, rywsut neu'i gilydd (a gobeithiaf nad yw hyn yn ymddangos yn ffroenuchel), addysgu eich etholwyr yn yr hanfodion delfrydol, ond ar y llaw arall gall eich gwrthwynebwyr, trwy unrhyw ystryw arwynebol neu honiad anonest, lwyddo i greu amheuaeth ac ofnadwyaeth andwyol. A dyna ddigwyddodd yn yr ymgyrch hon. Cofiaf wraig fach yn sôn wrthyf fod ganddi nith yn byw yn Amwythig, a'i bod hi'n ymweld â hi bob mis, ac nad oedd hi ddim am funud eisiau dangos pasbort ar y ffin! Dyna'r lefel y gostyngodd y cyfan. Ond ni ddylem roi'r bai ar unigolion. Deilliai'r ymateb, yn rhannol o leiaf, o amgylchedd a seicoleg ddofn a fodolai trwy'r genedl gyfan – a honno oedd agwedd o daeogrwydd, diffyg hyder a llwfrdra oedd wedi'u magu yng Nghymru ers dyddiau'r Ddeddf Uno. Felly, peidied neb â gorfeirniadu Cymry'r ugeinfed ganrif am y tueddiad hwn a fu'n rhemp ym mywyd y genedl ers cannoedd o flynyddoedd.

Dyma'r reddf o israddoldeb y bu Leo Abse, Neil Kinnock a'u criw yn fwy na bodlon ei hecsbloetio – rhyw ffurf ar Ddic-Siôn-Dafyddiaeth sydd wedi llochesu ym mêr ein hesgyrn yn llawer rhy hir.

Ymgyrch o gyfarfodydd oedd hi, yn y dull henffasiwn. Cyfarfodydd bychain mewn festrïoedd capeli a neuaddau cyhoeddus. Heblaw am un cyfarfod enfawr yn Neuadd Fawr Coleg Aberystwyth, digon claear fu'r derbyniad. Siaradodd Gwynfor a minnau yn y cyfarfod hwnnw dros y mudiad 'Ie' a Kinnock a David Gibson-Watt yn ei erbyn. Roedd y lle'n orlawn, â rhyw 1,200 o bobl yno. Fe enillon y bleidlais a ddilynodd â thua 600 o fwyafrif. Rwy'n cofio gorffen fy anerchiad gan droi at Kinnock a dweud, 'Don't think that you can trample the life of a nation in the mud of your own miserable self-interest.' Heddiw, mae'r geiriau yna'n ymddangos yn giaidd, ac fe'u llefarwyd mewn tymer, cans credwn o lwyrfryd calon fod y bachgen ifanc, uchelgeisiol, pengoch yma'n fodlon gwasgu pob diferyn o fantais trwy fod yn brif ladmerydd gwrth-ddatganoli, nid o ran unrhyw wrth-Gymreictod cynhenid, ond am iddo syrthio i'r temtasiwn o wneud cenedlaetholdeb gwleidyddol Cymru yn ysglyfaeth i'w uchelgais i ennill arweinyddiaeth y Blaid Lafur.

Daeth Gŵyl Ddewi a'i gwawr greulon. Fel y cofiwch, gwrthododd Cymru'r cynnig gyda mwyafrif o bedwar i un. Ym mhob rhanbarth o Gymru gan gynnwys Gwynedd a Dyfed, roedd mwyafrifoedd yn erbyn. O ran siroedd Cymru, dim ond Sir Aberteifi – i'w thragwyddol glod – a bleidleisiodd o blaid, a hynny o fwyafrif bychan. Mae yna un ffaith dechnegol y gellid ei nodi, ac mi wnes i hynny ddiwrnod ar ôl y canlyniad mewn cyfweliad ar y radio gyda Vincent Kane. 'Remember always,' meddwn, 'that if you take those who voted for, and those who didn't vote at all, the majority of the people of Wales either abstained or supported us, by two or three per cent.' Ymsythodd Kane o glywed hyn ond yr oedd, wrth gwrs, yn fathemategol gywir. Roedd tua 52% neu 53% naill ai o blaid neu heb bleidleisio, felly dim ond 47% o bobl Cymru oedd yn erbyn y syniad o senedd i Gymru. Ond nid oedd hyn yn rhyw gysur mawr i mi ar y pryd! Roeddwn yn blasu lludw a chywilydd ein haflwyddiant yn fy ysbryd, ac i mi, hon oedd yr ergyd fwyaf erchyll a ddioddefais erioed mewn bywyd cyhoeddus. Cofiwn eiriau Gruffudd ab yr Ynad Coch ar farw Llywelyn:

> Och hyd atat-ti, Dduw, na ddaw – môr dros dir!
> Pa beth y'n gedir i ohiriaw?

Ystyriwn y foment hon fel rhyw drobwynt dirfodol yn hanes Cymru, a theimlo, pe baem wedi llwyddo, y gallai pethau gwych fod yn bosib. Ar y llaw arall, trwy fethu, gallai fod wedi darfod arnom am genedlaethau – ac efallai am byth. Roeddwn yn gweld y bleidlais mor dyngedfennol â hynny, ac wrth golli mor ysgubol, fe deimlwn fod y cyfle olaf am fywyd newydd i Gymru wedi'i luchio ymaith – a hynny gyda dirmyg. Lawer gwaith yn ystod yr ymgyrch dyfynnais i mi fy hun eiriau'r bardd Lowell:

> Once to every man and nation comes the moment to decide,
> In the strife of truth with falsehood, for the good or evil side;
> ... And the choice goes by forever.

Yr hyn na ragwelais, wrth gwrs, oedd yr effaith affwysol a gawsai deunaw mlynedd o lywodraeth Dorïaidd ar fywyd ac enaid Cymru. Yn eironig, fe lwyddodd Thatcheriaeth i gyflawni'r hyn y methodd gwladgarwch Cymreig ei ennill yn 1979.

1997

Erbyn Refferendwm 1997 roeddwn wedi bod yn farnwr ers blynyddoedd, ac o ganlyniad yn hollol fudan yng nghyswllt gwleidyddiaeth. Ac eto roedd gennyf lawer iawn o gysylltiadau â'r byd gwleidyddol, a pharhau a wnaeth y diddordeb, a'r angerdd (mae gwleidyddiaeth yn feirws sy'n haint a erys yn eich gwaed am byth). Cefais, felly, fy siomi'n fawr ar yr ochr orau pan ddaeth cwestiwn senedd i Gymru i'r fei unwaith eto yn 1997. Roeddwn yn flin ar yr un llaw fod refferendwm yn cael ei galw, gyda'r holl ansicrwydd oedd yn gysylltiedig â hynny; ac eto gwyddwn ym mêr fy esgyrn na fyddai dilysrwydd cyflawn yn perthyn i'r broses, oni bai fod mwyafrif yn pleidleisio o'i phlaid. Roeddwn yn hynod falch hefyd fod y Blaid Lafur wedi rhoi blaenoriaeth i senedd i'r Alban ac i Gymru cyn cynnal refferenda rhanbarthol yn Lloegr.

Nid yw'n gyfrinach bellach nad oedd Blair yn gwbl gefnogol i'r syniad o ddatganoli, ac mae'n briodol felly gydnabod pwysigrwydd ei ragflaenydd yn rhoi datganoli yn ôl ar y trywydd iawn. Bûm yn ddigon ffodus i adnabod John Smith, ac ystyriwn fy hunan yn gyfaill iddo. Câi'r ddau ohonom gyfle i drafod dyfodol yr Alban a Chymru ambell dro, a darganfod ein bod o gyffelyb anian a meddylfryd. Fe'i hystyriwn yn berson o gyneddfau meddyliol cryfion, ac yn ddyn o egwyddor a fyddai wedi bod yn un o'r Prif Weinidogion mwyaf a welodd y Deyrnas Unedig erioed petai wedi byw. Rwy'n amau a fyddai wedi ennill mwyafrif seneddol mor fawr ag a gafodd Blair, ond mi fyddai wedi bod yno am gyfnod maith, ac wedi gosod cynsail o ddelfryd i'r Blaid Lafur y gellid adeiladu cymaint arni. Ond nid oedd hynny i fod. Ac eto, yng nghyd-destun datganoli, rwy'n sicr iddo greu ethos hollbwysig na allai Blair na neb arall ei anwybyddu.

Oherwydd fy swyddogaeth fel barnwr, ni chododd y cwestiwn o gyfrannu at ymgyrch y refferendwm, ond rwyf yn ffyddiog petawn yn rhydd i wneud hynny na fyddwn wedi cymryd unrhyw ran flaenllaw. Ni fynnwn atgoffa Cymru o aflwyddiant affwysol 1979! Roedd gan Dr John Davies – un o'n prif haneswyr – theori ddiddorol ynglŷn â'r methiant. Ei ddamcaniaeth oedd fod ymgyrch 1979 wedi'i llywio'n ormodol gan gyn-fyfyrwyr Adran y Gyfraith, Aberystwyth: Emlyn Hooson, John Morris, Gwilym Prys Dafis a minnau – ac mai dyna oedd y 'kiss of death' i'r ymgyrch! P'un a yw hynny'n hanesyddol gywir, wn i ddim, ond ni fyddwn am eiliad am beryglu ymgyrch 1997 â'r fath anwes!

Mi wn yn awr i'r darlledwyr lwyddo i ddramateiddio cyhoeddi'r canlyniad olaf, ond nid anghofiaf fyth fy llawenydd ecstatig pan glywais ein bod wedi cario'r dydd o ryw 6,500 o bleidleisiau. Teimlwn fy mod wedi cael byw i weld un o wyrthiau mawr hanes cenedl fach. Fe aeth cymylau sarhad tywyll 1979 ar amrantiad yn 'fellten glaer ysblennydd'. Beth bynnag a ddywedir am yr hyn mae'r Cynulliad wedi'i gyflawni, neu wedi methu ei gyflawni, mae'r posibiliadau'n parhau'n aruthrol o hyd. Dim ond un genedl – sef ein cenedl ni – a all yn awr atal ein twf i aeddfedrwydd cyfansoddiadol.

Roedd Cymru yn 1979 yn genedl wan a llwfr. Yn 1997 roedd hi'n genedl gryfach, ond nid twf mewn gwladgarwch Cymreig oedd yn gyfan gwbl gyfrifol am y newid, a dweud y lleiaf. Roedd y genedl, ac yn enwedig cymunedau'r de, wedi magu teimladau milain a heriol tuag at Lundain ym mlynyddoedd Thatcheriaeth. Yn y cyfnod chwerw yna, rhoddwyd rhyw fetel i'n cymeriad cenedlaethol nad oedd iddo yn 1979, ond er bod yna gefndir negyddol i'r sefyllfa – sef amhoblogrwydd llywodraeth Llundain – roedd Refferendwm 1997 yn fuddugoliaeth i ffydd a gobaith ein pobl.

Dywed rhai mai *dim ond* o 6,500 o bleidleisiau yr enillwyd, ond pa wahaniaeth? Ag un bleidlais y cariwyd Mesur y Diwygiad Mawr yn 1832, ac nid yw hynny'n gwanhau arwyddocâd y broses aruthrol a gychwynnwyd yn ei sgil. Yn yr un modd, yn 1997 – fel y dywedodd Ron Davies yn oriau mân y bore bythgofiadwy hwnnw – fe gychwynnwyd proses, ac oni bai ein bod ni, trwy wendid neu gynllwyn, yn bradychu'r broses honno, bydd yn arwain ryw ddydd – a mwy na thebyg yn gynt nag y meddyliwn – at ffurf o senedd sylweddol a chredadwy. Mae'r daith gyfansoddiadol er 1997 wedi bod yn un ddigon anturus pan feddyliwn am Adroddiad Richard, Deddf Llywodraeth Cymru 2006 a Refferendwm Mawrth 2011. Beth fydd y cam nesaf, tybed?

Sefydlu'r Senedd 1999–2012

Er fy mod wedi ymddeol o'r fainc, ni chymerais ran flaenllaw yn ymgyrch Refferendwm 2011. Cadeiriais gyfarfod yn Aberystwyth i lansio ymgyrch Sir Aberteifi. Cawsom noson hwyliog a nifer galonogol yn bresennol. Bu i mi hefyd gymryd rhan mewn ambell ddarllediad. Oblegid y profiad alaethus a gafwyd yn 1979 (ac agwedd y cyfreithiwr gofalus ag ydwyf), gofynnais lawer gwaith cyn refferendwm Gŵyl Ddewi 2011 a ddylem beryglu ein siawns o ennill trwy gael pleidlais mor fuan. Yn ddyddiol, bron, roedd llywodraeth y glymblaid yn llwyddo i'w gwneud ei hun yn fwyfwy amhoblogaidd, felly roedd synnwyr yn dweud y byddai mwy o sicrwydd o ennill trwy alw refferendwm yn 2012, dyweder. Ond mi aeth pethau'n llawer gwell nag roeddwn wedi'i ofni.

Yr hyn na sylweddolais oedd y newid cynyddol er 1997. Nid yw Cymru 'run genedl ag yr oedd hi. Mae'r profiad o sefydlu'r Cynulliad wedi ein haeddfedu. Nid yw'n cyflawni pob dim y byddai llawer ohonom yn ei ddymuno ond, ar y cyfan, rwy'n credu nad yw ofnau'r rhan fwyaf o bobl – mai rhyw fath o 'glorified Glamorgan County Council on stilts' fyddai wedi'u gwireddu. Mae'r broses o dwf wedi digwydd dros gyfnod ychydig hwy na degawd, ac i'w briodoli i ddwy ffactor, sef llwyddiant mewnol y Cynulliad i ddatblygu yn gorff credadwy, ac yn allanol o ganlyniad i Adroddiad Richard.

Er 1997 mae datblygiad athroniaeth datganoli a hunanlywodraeth wedi deillio bron yn gyfan gwbl o ganlyniad i Gomisiwn Richard. Hwn oedd y trobwynt dirfodol. Corff ar linellau llywodraeth leol oedd Cynulliad Cymru yn y lle cyntaf, lle cymerwyd y penderfyniadau gan yr endid corfforaethol cyfan. Ond, ar sail argymhellion y Comisiwn, rhannwyd y gweinidogion a'r llywodraeth oddi wrth y corff yn llwyr, a'i wneud yn debycach i senedd. Bu hwnnw yn ei hunan yn gam enfawr ymlaen. Roedd Rhan III o Ddeddf 2006 yn darparu yn ogystal gyfundrefn o 'salami slices'. O fewn yr ugain maes sydd wedi'u datganoli ac wedi'u trosglwyddo'n weinyddol, roedd bellach yn bosib trosglwyddo pwerau deddfwriaethol – tafell wrth dafell – ym mhob un ohonynt, gyda chaniatâd llywodraeth San Steffan. Fe wnaed rhywfaint o hyn, ac er mai araf oedd y broses, roedd y ffaith ei bod yn digwydd o gwbl yn dangos bod yna symudiad a arweiniai at nod mwy cynhwysfawr. Cynigiai Rhan IV, wrth gwrs, y refferendwm i drosglwyddo *en bloc* yr hawliau deddfwriaethol o fewn yr ugain maes hyn.

Comisiwn Richard arweiniodd yn uniongyrchol at Ddeddf Llywodraeth Cymru 2006. Rhoddodd honno gôl agored i bobl Cymru – cyfle aruthrol i ni, a neb arall, benderfynu ein dyfodol fel cenedl. Ni roddwyd cyfle mwy didramgwydd i unrhyw genedl erioed tuag at statws cyfansoddiadol, ac mae'n rhyfeddod i mi na fu llawer iawn mwy o drafod ar hyn. Petai wedi digwydd yn y flwyddyn 1900 fe fyddai'r coelcerthi'n fflamio o fryn i fryn ac o bentir i bentir. Mewn un ystyr, hwn oedd y penderfyniad pwysicaf yn y maes cyfansoddiadol y cafodd ein cenedl y cyfle i'w wneud erioed. Petai rhywun wedi dweud wrthyf, yn y dyddiau pan oeddwn yn torri 'nghalon ym Mhlaid Cymru, y deuai dydd pan fyddai deddf seneddol yn cael ei phasio yn rhoi'r cyfle i bobl Cymru ddweud 'ie' neu 'nage' i bwerau deddfu llawn (er, mewn rhestr ddetholedig), byddwn wedi bloeddio, 'Haleliwia'.

Ond ni fedrwn ddathlu Deddf 2006 heb bentyrru clod ar ei phensaer, yr Arglwydd Ifor Richard. Mae'n haeddu teyrnged deilwng. Dyma ddyn o wir sylwedd sydd wedi dal dwy swydd uchel yn ei fywyd – un fel llysgennad Prydain i'r Cenhedloedd Unedig, a'r llall fel Arweinydd Tŷ'r Arglwyddi mewn cyfnod deinamig. Fe gafodd ei ryddhau'n ddirybudd o'r cyfrifoldeb olaf gan Tony Blair. Hyd heddiw, ni wn pam, ond gwn iddo deimlo siom, ac iddo dderbyn triniaeth annheg.

Ond bu ei anffawd ef o fudd i Gymru, ac yntau'n rhydd i dderbyn swydd Cadeirydd y Comisiwn. Trwy ryw ddirgel ffyrdd roedd drygioni wedi arwain at ddaioni. Mae gennyf barch uchel iddo; mae'n fargyfreithiwr cyfansoddiadol disglair sy'n meddu ar feddwl clir, ac yn bersonoliaeth gadarn ond cynnes hefyd. Mae ei ddylanwad yn parhau'n gryf yn Nhŷ'r Arglwyddi fel cyn-arweinydd. Fel cadeirydd cyd-bwyllgor Tŷ'r Cyffredin a Thŷ'r Arglwyddi ar gwestiwn llosg diwygio Tŷ'r Arglwyddi dangosodd unwaith eto'i ddoniau llachar yn archwilio'r mesur drafft a dadlennu ei wendidau affwysol.

Newydd ddychwelyd o'r fainc i Dŷ'r Arglwyddi yr oeddwn pan ddaeth Deddf Llywodraeth Cymru gerbron y Tŷ. Siaradais ar yr ail ddarlleniad gan ddyfynnu – a hynny nid am y tro cyntaf yn fy mywyd – geiriau Keir Hardie yng nghyswllt hunanlywodraeth. Ychydig a ddywedodd y Ceidwadwyr yng nghyswllt yr ail ddarlleniad ond yn fuan roeddent wrthi gyda'u hen ystrywiau. Sylweddolent, petai Rhan III (sef y broses o drosglwyddo awdurdod deddfwriaethol bob yn is-bwnc) yn cael ei gweinyddu'n egnïol am ddegawd, na fyddai raid wrth y refferendwm a addewir gan Ran IV (sef trosglwyddo awdurdod drwy'r maes cyfan); hefyd, yn y cyfamser, gyda'r rhan fwyaf o Ran III yn cael ei chwblhau, byddai mwy a mwy o ewyllys yn cael ei greu i Ran IV. Roeddent yn benderfynol, felly, o gael pleidlais i ddiddymu Rhan III adeg Cyfnod Adrodd y mesur. Buasai hyn yn saeth i galon datganoli.

Nid oedd gofyn am ddychymyg ysbrydoledig i rag-weld sut y gallai hyn ddigwydd gyda phleidlais solet y Ceidwadwyr, cefnogaeth rhai Aelodau Llafur, ac ambell groesfeinciwr a'r Democratiaid Rhyddfrydol. Yn yr achos hwn, rhaid cydnabod yn ogystal gyfraniad yr Arglwydd Roger Roberts, a oedd yn un o chwipiaid ei blaid. Cofiaf erfyn arno i beidio â sefyll o'r neilltu tra oedd y Torïaid yn lladd y mesur. Diolch i'r drefn, llwyddodd Roger Roberts ac eraill fel Alex Carlyle, Emlyn Hooson a Richard Livsey i ddarbwyllo'u cyd-Aelodau i wrthsefyll triciau'r Torïaid. Diolch amdanynt.

Bu llawer trobwynt allweddol yn y blynyddoedd diwethaf o safbwynt hunanlywodraeth i Gymru. Rwyf droeon wedi mynegi'r farn mai'r cam cyntaf oedd y mwyaf hanfodol, sef creu ysgrifenyddiaeth i Gymru yn 1964. Yr ail gam oedd Comisiwn Kilbrandon (Crowther), nad oedd yn dyngedfennol efallai, ond roedd yn sicr wedi symud y broses ymlaen. Y trydydd, wrth gwrs, oedd ennill y Refferendwm yn 1997. Ond yn sefyll ochr yn ochr â'r rheini mae adroddiad Comisiwn Richard, Deddf 2006 a Refferendwm 2011. Cyn adroddiad Richard, roedd perygl na fyddai'r Cynulliad yn ddim mwy na chyngor sir siaradus, ond ar ei ôl, roedd y llwybr at senedd yn gwbwl weladwy.

Y Bleidlais 'Ie' yn 2011

Digon hawdd yw dadansoddi llwyddiant 1997 mewn termau gweddol negyddol. Roedd y bleidlais yn adlewyrchu dioddefaint Cymru o dan y Ceidwadwyr, a gwaetha'r modd roedd rhesymau â chymhellion cenedlaethol, creadigol yn ffactorau llai pwerus. Ond nid felly'n union oedd y sefyllfa yn 2011. Yn wir, o ystyried yr adwaith yn erbyn Llafur ar lefel Brydeinig ddeng mis yn gynharach, ynghyd â'r ffaith mai clymblaid Llafur/Plaid Cymru a fu wrth y llyw am yn agos i bedair blynedd yng Nghaerdydd, ni fyddai ton o wrth-ymreolaeth wedi bod yn syndod. Ond ni wireddwyd yr ofn hwn; i'r gwrthwyneb, mae'r newid wedi digwydd bron yn ddiarwybod. Mae twf y Cynulliad a'r Senedd, a'u sefydlogrwydd, wedi porthi'r syniad nad oes modd troi'r cloc yn ei ôl. Rywsut neu'i gilydd, ymddengys bod hyn wedi cyd-ddigwydd â dirywiad llywodraeth leol. Rhai o elynion 1979 oedd y cynghorwyr hynny nad oedd am golli eu statws, yn yr un modd â rhai Aelodau Seneddol a wrthwynebai'r Cynulliad o'r cychwyn.

Fe wnaethpwyd y pwynt gan Vaughan Roderick, y sylwebydd gwleidyddol praff ag ydyw, fod y canlyniad yn brawf o'r symudiad sylweddol oddi mewn i'r Blaid Lafur, a bod llai o wrthwynebiad o gyfeiriad yr hen do tuag at ddatganoli, a'r Cynulliad yn cymryd ei le fel rhan naturiol o'r dirwedd wleidyddol yng Nghymru. Er nad wyf ond ar oror gwleidyddiaeth y dyddiau hyn, cytunaf â'r dadansoddiad hwn, ac yn hynny o beth rydw i wedi cael fy siomi ar yr ochr orau. Credwn yn 2006, pan aeth y mesur drwy'r Senedd, y byddai gwrthwynebiad cryf ar ran Aelodau Seneddol Llafur Cymru am beth amser, oni bai fod yna ryw sicrwydd na fyddai refferendwm yn cael ei galw am flynyddoedd maith. Os darllenwch yn fanwl trwy'r ddeddf, mae'n amlwg mai creu senedd oedd y nod terfynol. Ni allaf ond dychmygu iddynt rag-weld refferendwm ymhell yn y dyfodol, a bod hyn wedi tawelu eu meddyliau rywfaint. Ac eto, roedd yn hollol amlwg na ellid trosglwyddo i Gymru bwerau deddfwriaethol Adran IV o'r Ddeddf heb wanhau dylanwad Aelodau Seneddol Cymru ac yn y pen draw leihau eu nifer. O blith Aelodau Seneddol Cymru a gefnogodd Fesur 2006 mae'n sicr fod nifer a wnaeth hynny'n gwybod eu bod yn gweithredu yn erbyn eu buddiannau eu hunain. Ni ddylem anwybyddu delfrydiaeth anrhydeddus y cyfeillion hyn.

Nid yw'n amhosib fod y Comisiwn a gadeiriwyd gan Syr Emyr Jones Parry wedi llwyddo i newid rhai agweddau o fewn y Blaid Lafur yn y flwyddyn cyn Refferendwm 2011. Cyn hynny, mae'n sicr, fodd bynnag, fod dull agored, didwyll Richard yn rhannol gyfrifol, a hefyd ddehongliad Peter Hain o'r ddeddf. Yn amlwg, mae'r gŵr olaf hwn wedi sefyll dros bethau clodwiw yn ei ddydd: wedi ymladd yn wrol yn erbyn apartheid, gan herio llywodraeth a chyfundrefn. Nid yw wedi cynrychioli unrhyw ysgol glasurol o athroniaeth arbennig o fewn y Blaid Lafur, ond mae wedi bod yn driw i faterion Cymreig. Mae'n werth cofio mai yng Nghastell-nedd, yn 1997 ac yn 2011, y cafwyd y mwyafrif uchaf dros ddatganoli – nid Sir Gâr, nid Sir Aberteifi, nid Sir Gaernarfon, ond yng Nghastell-nedd. Peidied neb, felly, â diystyru na thanbrisio'i alluoedd a'i egni.

Does yna ddim dwywaith nad yw peiriant Llafur wedi gweithredu'n ddiffuant o blaid Refferendwm 2011 drwyddi draw. Roedd yna ffactor arall ar waith yn ogystal, sef y sefyllfa wleidyddol Brydeinig gyda'r glymblaid mewn grym. Fedra i ddim dychmygu unrhyw Aelod Llafur – beth bynnag ei deimladau ynglŷn â datganoli – na fyddai eisiau i Gaerdydd dderbyn mwy o bwerau o dan y fath amodau. Nid ennill pwerau o Lundain oedd yn y fantol yn unig, ond tynnu cymaint o rym â phosib oddi wrth y Toriaid. Heddiw, yn y Cymoedd fe welwn ganlyniadau dinistriol y Toriaid y tro diwethaf y bu iddynt lywodraethu am gyfnod hir, ac fe fyddai wedi bod yn frad o'r eithaf pe na bai'r Blaid Lafur yn cefnogi ymgyrch a allai ddiogelu eu pobl.

Un nodwedd arbennig am yr ymgyrch oedd na lwyddwyd i roi achos credadwy gerbron yn erbyn datganoli, heblaw ambell sneipiad yn condemnio record Llywodraeth y Cynulliad. Yn y diwedd fe ddigwyddodd pethau'n llawer gwell na'r hyn a ofnwn. Bu rhai'n darogan na ddenai chwarter etholwyr Cymru allan i bleidleisio. Fel y digwyddodd, roedd hi'n ganran dipyn uwch na hynny. Cefais hefyd fy rhyfeddu bod un ar hugain allan o ddwy ar hugain o etholaethau Cymru o blaid – a rhai ohonynt â mwyafrifoedd anrhydeddus na fyddwn i erioed wedi'u disgwyl. Dim ond Sir Fynwy a bleidleisiodd yn erbyn, a hynny o ddyrnaid o bleidleisiau yn unig. Mae'r peth yn anhygoel, ac rwy'n tynnu 'nghap i'r rhai roeddwn yn anghytuno â hwy ynglŷn ag union amseriad y refferendwm. Roeddwn yn llai na ffyddiog ynglŷn â dadansoddiad optimistaidd Comisiwn Syr Emyr Jones Parry, ond boed hynny fel y bo, roedd yn agos iawn i'w le trwy ddweud bod y bleidlais yn debygol o gael ei chario, ac felly y bu. *Gaudeamus*; llawenhawn.

Yn wir, roedd y canlyniad yn ei gyfanswm yn wir galonnog, yn fuddugoliaeth hanesyddol a ddangosodd i'r byd fod yna asgwrn cefn i'r genedl, a bod yna barodrwydd i edrych flynyddoedd i'r dyfodol gyda ffydd a hyder.

Y Camau Nesaf

Credaf o lwyrfryd calon fod yr amser wedi cyrraedd i ni ddiosg yr enw Cynulliad a galw ein corff cenedlaethol yn

'Senedd'. Dyna ydyw o ganlyniad i Refferendwm 2011 – corff deddfwriaethol etholedig pobl Cymru. A fyddai'r Alban neu ddinasyddion Gogledd Iwerddon yn galw eu sefydliad deddfwriaethol yn ddim byd arall ond senedd (*parliament*)? Na fyddent, wrth gwrs, ac ni ddylen ninnau chwaith. Cofiwn hefyd mai 'Senedd' oedd yr enw a roddwyd i'r corff a wrthodwyd yn 1979. Codais y cwestiwn hwn mewn dadl ar lawr Tŷ'r Arglwyddi yr haf eleni ac fe gafodd fy apêl dderbyniad digon cynnes.

Ond nid gwaith hawdd fydd gweithredu o ddydd i ddydd fel Senedd. Mae hyn yn golygu bod yn rhaid dysgu gwersi – gwersi a gymer amser i'w gweinyddu'n gyflawn; gwersi, er enghraifft, ynglŷn â sut i gynllunio a drafftio deddfwriaeth, a sut i ogru'r cynnyrch hwnnw'n fanwl. Mae San Steffan yn meddu ar ganrifoedd o'r profiad hwn. Ychydig iawn o ymarfer o'r fath a gafodd y Cynulliad hyd yn hyn, a hynny yn unig, ran amlaf, ar ddeddfwriaeth isradd (rhyw 4% o amser y Cynulliad yn y cyfnod cyn 2011, mae'n debyg). Mae'n hollbwysig fod y Cynulliad yn magu nid yn unig y profiad ond hefyd yr hyder yng nghyswllt arolygu deddfwriaeth. Rhaid mynd â chrib fân yn fanwl dros bob llinell a phob gair ohoni. Rhaid cofio hefyd, yn wahanol i San Steffan, nad oes i'r Cynulliad ail dŷ fel Tŷ'r Arglwyddi, sydd, ym marn pawb, yn cyflawni'r swyddogaeth hon i safon uchel. Gyda llaw, nid wyf yn dadlau o blaid ail dŷ yng Nghaerdydd! Ond fel y tyf ein Cynulliad deddfwriaethol, fe fydd yn rhaid i rywrai yn y dyfodol feddwl yn ddwys am hyn. Ychydig o seneddau unsiambrog (*unicameral*) sydd yn y byd.

Yn ganolog i hyn mae'r mater o rif aelodaeth ein Senedd. Roedd yn beth doeth i beidio â phregethu hyn o bennau'r tai adeg y refferendwm, oherwydd byddai pobl yn rhwym o wrthod y syniad o wario ar fwy a mwy o aelodau. Fodd bynnag, does gen i ddim amheuaeth nad oes yn rhaid i'r Senedd dyfu'n sylweddol o'r trigain aelod sydd iddi ar hyn o bryd. Mae'n rhaid cofio bod y trigain hyn yn llai nag aelodaeth un ar bymtheg o gynghorau sirol Cymru. Os na fedrir rhedeg cyngor sir â thrigain o aelodau, sut yn y byd y gellir rhedeg senedd â'r un nifer? Pan gofiwch gynifer o aelodau sy'n weinidogion neu'n is-weinidogion, neu'n gadeiryddion gwahanol bwyllgorau, ychydig iawn sydd ar y meinciau cefn i fwrw ati i wneud y gwaith manwl (ac weithiau digon dieneiniad) o arolygu deddfwriaeth. Credaf fod cyfanswm y rhain yn rhyw wyth ar hugain ar hyn o bryd, ac felly mae'r sefyllfa newydd yn creu galw am ateb buan a chyflawn i'r broblem. Y mae i Senedd yr Alban 129 o aelodau, a 108 i Senedd Gogledd Iwerddon. Os ydym am fagu'r meddylfryd a'r ddisgyblaeth sy'n deilwng o senedd ddeddfwriaethol, rhaid cynyddu'r gweithlu, nid yn unig o ran nifer yr aelodau ond hefyd o ran gweision sifil o alluoedd uchel. Credaf – er nad yw'n beth poblogaidd i'w ddweud – y dylai fod cant o aelodau yn y Cynulliad. Credaf hefyd y dylai trigain ohonynt fod wedi'u hethol yn uniongyrchol a'r gweddill trwy bleidlais gyfrannol.

Llywodraeth Leol

Fe fydd yn rhaid ystyried sut mae dyfodol y Senedd yn mynd i asio gyda dyfodol llywodraeth leol. Mae'r patrwm o lywodraeth leol sydd gennym o ran cynghorau sirol yn dyddio yn ôl i 1888 – i Ddeddf Cynghorau Sir y flwyddyn honno. Dim ond lleiafrif bychan sy'n credu bod y gyfundrefn a oedd yn addas i Mr Gladstone a'i gyfoedion yn briodol i ni heddiw.

Rwy'n meddwl am fy nhad-cu, William Morgan, cynghorydd sirol cyntaf ardal Bow Street a Phen-y-garn, a'm hen dad-cu, y Parchedig Enoch James, aelod y Borth, ill dau yn mynd mewn trap i Aberaeron unwaith bob pythefnos neu fis. Mae'r llywodraeth leol sydd gennym heddiw yn seiliedig ar y patrwm hwnnw yn fwy na dim arall. Roedd yna wir arwyddocâd i hunaniaeth leol pan oedd y cynghorau'n weddol hunanlywodraethol, ond i ba raddau mae hynny'n wir heddiw pan fo sir fel Sir Aberteifi yn dibynnu cymaint ar y Cynulliad, ac yn y pen draw ar drysorlys San Steffan? Oes yna wir synnwyr mewn dal ati yn yr hen ffordd fel petai nemor ddim wedi newid yn y cyfamser? Neu a oes yna weledigaeth o gyfundrefn gwbl wahanol?

O bosib, byddai cyfundrefn nid annhebyg i'r hyn sydd yn Ffrainc yn ymarferol, lle mae'r llywodraeth leol yn asiant lleol i'r llywodraeth ganolog, neu i Senedd Caerdydd yng nghyswllt Cymru. Cysyniad hollol wahanol i'r hyn sydd gennym o lywodraeth leol fyddai hwn, ac egwyddor o ddatganoli mwy cyflawn, ond a fyddai'n agosach, efallai, at realiti'r sefyllfa erbyn heddiw. Rwy'n fodlon cyfaddef nad yw'r atebion gennyf, a dim ond codi'r cwestiwn a wnaf gan fod hwn yn rhywbeth y dylai pobl feddwl yn ddwys amdano.

Wrth gwrs, mae llywodraeth leol wedi newid yn fawr yn ystod y degawdau diwethaf, yn arbennig yn ystod y deng mlynedd diwethaf gyda'r syniad o gabinet. Ond pan fo cymaint o'r cyllid yn dod o'r tu allan, cynifer o'r penderfyniadau'n cael eu gwneud y tu hwnt i lywodraeth leol, a chynifer o gynghorau yn eu gweld eu hunain fel cyrff darpariaethol a dim byd mwy, a yw'r amser wedi dod i ailfeddwl yn gyfan gwbl, hyd at y seiliau dyfnaf, beth yw pwrpas a dyfodol llywodraeth leol? Wn i ddim faint o bobl sy'n meddwl ac yn pryderu am y pethau yma, ond heb os mae angen eu hystyried yn awr. Beth bynnag fo'r atebion posib, nid yw gwneud dim yn opsiwn.

Cyllid

Yng nghyswllt trethi byddwn, mewn un frawddeg, yn dweud bod fy agweddau o ran delfryd yn gwbl agored ynglŷn â hyn. O ran ymarferoldeb, rwyf yn llawer mwy pryderus. Wrth ystyried deddfwriaeth i greu Cynulliad i Gymru yn y 1990au, edrychais ar gyfansoddiadau rhai o is-seneddau Ewrop. Meddai nifer ohonynt ar yr hawl i godi trethi, ond nid oedd yr un ohonynt am ddefnyddio'r pŵer hwnnw. Mae'r hawl honno wedi bod gan yr Albanwyr er 1997 ond dim ond yn ddiweddar y soniwyd am ei defnyddio. Teimlant, fwy na thebyg, y byddai'n milwrio yn erbyn eu hamgylchiadau economaidd ac y byddent yn y diwedd yn colli mwy na'r hyn y byddent yn ei ennill. Gallai hynny fod yn wir yng nghyswllt Cymru hefyd. Eto, nid yw hyn yn ddadl yn erbyn i Gymru *feddu* ar yr hawl i ostwng neu i godi treth o fewn ystod canran gweddol fechan. O feddu'r hawl, mater i Senedd Cymru fyddai ei *defnyddio* neu beidio.

Teimlaf hefyd, trwy godi'r cwestiwn, y down wyneb yn wyneb â chwestiynau eraill na fyddai'r atebion iddynt o reidrwydd yn ffafriol i Gymru. Mae Fformiwla Barnett yn un syml: yn fras, bod unrhyw wariant yng Nghymru sy'n gyfatebol i wariant y Deyrnas Unedig yn cael ei reoli gan gyfrannedd poblogaeth Cymru o boblogaeth y DU ar y pryd. Mae'n gallu bod yn dra annheg yn aml, oherwydd bod gennym rannau o'r Deyrnas Unedig (yn enwedig yr Alban) sy'n llwyddo i dderbyn llawer mwy na'r ffracsiwn arbennig yna mae ei phoblogaeth yn ei chynrychioli.

Ond os ystyriwch y fformiwla ar sail angen, ac o safbwynt rhanbarthol, mae yna rwydd hynt i ardaloedd yn Lloegr fynnu bod eu hamgylchiadau hwythau'n cael sylw arbennig. O edrych ar anghenion ambell ranbarth – y gogledd-ddwyrain neu'r de-orllewin, dyweder – hawdd fyddai dod i'r casgliad y dylent gael eu trin yn fwy haelionus o'u cymharu â Chymru. Unwaith yr agorir y ddadl hon i bob rhan o'r Deyrnas Unedig, y cwestiwn mae'n rhaid ei ofyn yw pa swm o arian fyddwn ni'n ei dderbyn yng Nghymru yn y pen draw? Os yw'r swm yna'n llai, yna mae'n well gen i beidio â gweld y ddadl yn cael ei rhedeg i'w therfyn. Agwedd sinigaidd yw hon, ond yn y diwedd ni fynnwn weld Cymru ar ei cholled.

Mae'r cwestiwn o arian a threthi ynghlwm, wrth gwrs, â phroblemau economaidd mae Cymru yn eu hwynebu. Mae record y Cynulliad mewn un ystyr yn un dda. Yn nhermau'r momentwm yng nghyswllt symud datganoli ymlaen, mae wedi bod yn ardderchog – marciau llawn! Ar y llaw arall, cofiaf mai 78% o gyfartaledd incwm y pen drwy'r Deyrnas Unedig oedd incwm y pen yng Nghymru yn 1997. Nod y Cynulliad oedd ymdrechu, dros y blynyddoedd, i godi'r ffigwr hwn ond mae'r ffigwr cyfredol mor isel â 74%. Yn amlwg, nid dyna'r unig ddangosydd perthnasol o aflwyddiant, ond mae'n ffaith frawychus. Rhaid cydnabod bod yna gynifer o elfennau y mae'r tu hwnt i awdurdod ein Senedd i'w rheoli, ond os nad oes yna welliant yn y blynyddoedd nesaf, yna bydd ein Senedd – er yn annheg – yn gorfod cario'r cyfrifoldeb am hynny.

Nid wyf am funud yn awgrymu bod gennyf unrhyw weledigaeth gynhwysfawr sut mae mynd i'r afael â hyn. Un peth sy'n sicr, nid Llywodraeth Cymru yn unig fydd yn gallu ei wneud, ac mae llawer yn dibynnu ar barodrwydd neu amharodrwydd llywodraeth San Steffan i weinyddu polisi grymus sy'n dosrannu adnoddau'r deyrnas yn deg i'r rhanbarthau. Fe fydd yn rhaid dibynnu'n helaeth ar San Steffan ac ar Ewrop gan mai dim ond trwy bolisïau radicalaidd ac egnïol y gellir yn deg ymgodymu â phroblemau difrifol Cymru. Nid oes fawr o dystiolaeth fod y llywodraeth glymblaid a feddwn yn colli cwsg oherwydd y sefyllfa hon, nac yn bwriadu ceisio'i diwygio i'w seiliau. Yr wyf, dros y blynyddoedd, wedi cyfeirio at ddiffrwythdra San Steffan yn hyn o beth, yng nghyswllt geiriau anfarwol Edmund Burke: 'All that is necessary for evil to triumph is for good men to do nothing.' Os yw Llundain am i economi Cymru ddihoeni, nid oes raid iddi godi bys bach i ddwyn hynny i fod.

Mae yna ddiffyg cyllid i ariannu prosiectau trawsnewidiol, ac yn y cyswllt hwn mae Carwyn Jones wedi bod yn gywir i bwysleisio'r angen ar i Lywodraeth Cymru feddu ar yr hawl i fenthyg arian ar y farchnad. Eironi rhyfedd yw fod gan gyrff llywodraeth leol bwerau i fenthyca na fedd ein Senedd genedlaethol! Diddorol clywed ar 25 Hydref 2012 fod y Trysorlys yn bwriadu caniatáu'r pŵer hwn i'r Cynulliad ond, yn anffodus, ymddengys bod amodau arbennig i'w cyflawni.

Gyda Senedd gryfach mewn bod, fe fydd y bobl yn gynyddol edrych tua Chaerdydd am yr atebion. Eto, mae pob punt y bydd Senedd Caerdydd yn ei derbyn yn dod o'r Trysorlys. Mae angen, felly, i ddatganoli cyllidol sicrhau bod yna liferau economaidd o fewn gafael ein Senedd.

Cyfundrefn Gyfreithiol

Ni fydd bywyd cenedlaethol Cymru fyth yn gyflawn heb fod i ni gyfundrefn gyfreithiol sy'n pwysleisio ein hunaniaeth fel cenedl. Yn ei chyfanrwydd eithaf byddai'r fath gyfundrefn yn golygu y byddai gennym farnwyr uchel lys, llys apêl, Arglwydd Brif Ustus a phennaeth y llysoedd sifil i ni ein hunain. Nid ar chwarae bach yr enillir hyn, ond cofiwn bob amser mai yn y llysoedd yn hytrach na'r un maes arall yr ymosodwyd yn gyntaf ar yr iaith Gymraeg a Chymreictod yn Neddf Uno 1536. Yno hefyd, mi gredaf, mae'n bosib ennill tir amhrisiadwy yn ôl. Yn ddiamau, fe fydd yn rhaid i'r fath ymgyrch gyfarfod â rhagfarnau mwyaf gwaelodol y sefydliad.

Ond eto, mae yna ddatblygiadau calonogol wedi bod yn ddiweddar. Y pennaf o'r rhain oedd penodiad Igor Judge fel Arglwydd Brif Ustus. Mae'n un o'r dynion mwyaf blaengar yng nghyfundrefn Lloegr y medrir ei ddychmygu. Mae o dras Maltaidd yn ogystal â Seisnig, a heb fod yn perthyn yn slafaidd i fowld ceidwadaeth weinyddol Lloegr. Rwyf wedi cyfarfod ag ef fwy nag unwaith a buom yn trafod sefyllfa Cymru yng nghyswllt y llysoedd – a rhyfeddais pa mor radicalaidd oedd. Eto, cofiwn fod lleisiau cryfion o du Lloegr, ac ambell un o Gymru, yn ei annog i gymryd agwedd lai rhyddfrydig.

Yn ail, mae'n rhaid cofio bod Gogledd Iwerddon, sydd â phoblogaeth o un filiwn a hanner (sef hanner ein poblogaeth ni), yn meddu ar gyfundrefn gyflawn o'r fath. Mae ganddynt Arglwydd Brif Ustus eu hunain, llys apêl, a deg o farnwyr uchel lys; mae hyn, felly, yn awgrymu'n gryf nad yw'n amhosib i dair miliwn o bobl fel ni redeg cyfundrefn o'r fath. Hyd yn oed os nad enillwn y cyfan mewn un cam, medrwn, drwy nifer o gamau llai, ennill tiriogaeth sylweddol. O'm safbwynt personol i, byddwn yn gobeithio gweld y newidiadau hyn yn dod yn fuan, ond ofnaf nad felly y bydd. Eto, yn y byd real sydd ohoni, mae'n ddigon o ryfeddod gweld sut mae rhai agweddau wedi newid dros y deng mlynedd diwethaf. Yn y cyswllt hwn rhaid talu'r wrogaeth uchaf i Syr Roderick Evans, gwladgarwr o'i grud a barnwr yn yr Uchel Lys sydd wedi bod ar hyd ei oes broffesiynol yn lladmerydd dros hawliau Cymru yn y llysoedd. Ef yn fwy na neb a lwyddodd i sicrhau bod Cylchdaith Cymru yn diosg Caer a dod yn diriogaeth gwbl Gymreig. Mae ef yn awr, yn fwy na neb, yn llais cadarn a chroyw dros farnwriaeth Gymreig. Bu hefyd ar hyd y blynyddoedd yn flaenllaw dros yr egwyddor o reithgor Cymraeg lle bydd person yn dymuno sefyll ei brawf drwy'r Gymraeg. Nid oes unrhyw ddadl resymol yn erbyn hyn pan gofir bod yr hawl hon yn bodoli er 1967 yng nghyswllt y llysoedd ynadon.

Symleiddio Ffynonellau Cyfraith Statud

Yn y dyfodol agos, un peth yr hoffwn ei weld yn digwydd yw symleiddio'r holl fater o drosglwyddo hawliau deddfwriaethol i Gymru. Hyd yn hyn mae'r patrwm wedi'i seilio ar y broses o drosglwyddo hawliau deddfwriaethol o ddydd i ddydd yn y meysydd datganoledig. Yn yr Alban, ac yng Ngogledd Iwerddon, mae'r trosglwyddiad wedi bod yn un cyffredinol, gyda'r *cyfan* o fewn y priod feysydd yn cael ei drosglwyddo *en bloc*, heblaw am restr o eithriadau arbennig. Pe bai rhywun yn gofyn i gyfreithiwr pa awdurdod sydd i Gymru ar unrhyw destun, byddai'n rhaid ateb bod angen edrych ar nifer enfawr o statudau, gorchmynion neu reolau cyn dod i benderfyniad. Y peth rhesymegol, felly, yw symud i sefyllfa sydd yn *anghynhwysol* (exclusive) gydag eithriadau, yn hytrach na phatrwm *cynhwysol* (inclusive) o ran y meysydd datganoledig. Dyna'r math o symleiddio y bydd angen i ni anelu ato yng Nghymru.

Mae angen meddwl hefyd yn nhermau sut y gallwn symud datganoli ymhellach ymlaen – ac ennill hawliau nad oes gennym yn bresennol, yn arbennig, dyweder, yng nghyswllt darlledu. Ar hyn o bryd, o dan statud mae pob peth ynglŷn â'r iaith Gymraeg a'n diwylliant (ac eithrio sefyllfa'r Gymraeg yn y llysoedd) wedi'i drosglwyddo i Gaerdydd. Eto, nid yw darlledu yng Nghymru – ac yn arbennig trwy gyfrwng y Gymraeg – yn y dosbarth hwn, fel y bu i ni ddysgu, er ein siom, yn y frwydr lem a gawsom i geisio diogelu S4C flwyddyn yn ôl.

Tua Statws Dominiwn

Wedyn, wrth gwrs, mae'r cwestiwn i ble rydym yn mynd o'r fan hyn yn gyfansoddiadol. Dydw i erioed wedi credu bod annibyniaeth ddiamod i Gymru naill ai'n bosibl nac yn ddymunol. Yn wir, yn y byd sydd ohoni heddiw mae'r cysyniad yn un sydd heb fawr o synnwyr iddo. Ond hoffwn weld y mesur uchaf o hunaniaeth sy'n gyson â bodolaeth Cymru fel rhan o'r Gymanwlad Brydeinig. Nid fel endid slafaidd sydd yn cael ei reoli beunydd o Lundain, fel rhyw berthynas tlawd yn byw tu hwnt i'r gororau, ond fel aelod cydradd o'r teulu Prydeinig yn unol â delfrydau sylfaenol Statud Westminster 1931. Yn y cyd-destun hwn credaf fod rhyw fath ar gysyniad o statws dominiwn yn berthnasol. Mae synnwyr yn dweud bod y math o hawliau mae gwledydd fel Awstralia, Seland Newydd neu Ganada wedi'u hennill, mewn amgylchiadau cwbl wahanol i'n heiddo ni, yn amherthnasol. Mae'r gwledydd hynny filoedd ar filoedd o filltiroedd i ffwrdd, ac yn cynrychioli rhywbeth gwahanol i'r hyn y byddai Cymru yn dynesu tuag ato.

Ond, ar y llaw arall, mae'r ddelfryd o statws dominiwn, lle mae gwlad a chenedl yn meddu ar fesur helaeth o hunaniaeth ac eto'n cydgyfrannu i'r un diben a phwrpas canolog yn un iach. Mae'r syniad hefyd yn un digon hyblyg i'w ddatblygu mewn modd a fyddai'n dderbyniol i bobl Gymru – ond mae'r fath ystyriaeth yn perthyn i'r dyfodol. Yr hyn sydd angen ei wneud yn awr yw sicrhau bod pobl yn siarad am hyn, yn meddwl am hyn, yn ysgrifennu am hyn, ac yn ymchwilio i hyn, fel y down i benderfyniad delfrydol ac ymarferol yn y maes hwn. Pwy a ŵyr na fydd statws nid annhebyg yn atyniadol i bobl yr Alban wedi'r 'dydd o brysur bwyso' yng nghyswllt annibyniaeth yn 2014?

Mae hanes y broses ddatganoli yng Nghymru yn ystod yr hanner canrif diwethaf wedi bod yn anghyffredin. Pwy fuasai wedi meddwl yn 1962 y byddem wedi cyrraedd y sefyllfa hon yn 2012? Ar ddechrau'r ugeinfed ganrif doedd fawr o arwydd o'r hyn oedd i ddod. Roedd Tom Ellis a Lloyd George yn y lleiafrif bychan â'u brwdfrydedd eiddgar, ond ni ddaeth unrhyw lwyddiant hanesyddol i fudiad Cymru Fydd. Buan y diflannodd hunanlywodraeth i Gymru oddi ar faniffesto'r Blaid Lafur. Roedd sefydlu Plaid Cymru yn y dauddegau yn rhyw gri egwan yn y diffeithwch, nes gwelwyd llwyddiant ysgubol Gwynfor yn y chwedegau. Eto, nid gwawr newydd a welwyd ond tân eithin y chwedegau diweddar.

Roedd ennill Refferendwm 1997 o ddyrnaid o bleidleisiau'n ddim llai na gwyrth. Er gwendid strwythur gwreiddiol y Cynulliad, llwyddodd i ddod yn elfen gredadwy o'n bywyd cyhoeddus, ac yn y cyswllt hwn credaf fod teyrnged i Rhodri Morgan yn dra haeddiannol. Wedi'r cyfan, trydydd dewis ydoedd fel arweinydd y Cynulliad, ac roedd natur ei ddyrchafiad yn darllen fel stori nofel. Mae'n ddyn galluog, gwreiddiol, hawddgar, ffraeth ac eang ei apêl. Roedd yn arweinydd gwleidyddol Cymreig atyniadol mewn cyfnod pan oedd ar y Cynulliad angen ennill ei blwyf. Yn yr un modd, trwy ryw ryfedd ffawd, roedd yr Arglwydd Richard yn y fan a'r lle i fod yn gadeirydd y Comisiwn a arweiniodd at Ddeddf 2006. Cyfuniad o ddoniau ac o ddycnwch y ddeuddyn hyn a arweiniodd at lam dewr ymlaen yn hanes ein Senedd.

Wrth edrych yn ôl dros y blynyddoedd, rwyf wedi datgan droeon mor dyngedfenol oedd creu swydd Ysgrifennydd i Gymru yn 1964 – oherwydd y lleng o bosibiliadau nobl a ddaeth o fewn ein cyrraedd. Ac eto, nid oedd yr hyn sydd wedi dilyn yn anochel – mae bron pob symudiad ers hynny wedi bod yn llai na sicr ei dynged. Yr hyn sy'n ffaith yw fod y broses o drosglwyddo awdurdod i Gymru yn awr yn symudiad na all nerthoedd gwrth-Gymreictod ei herio. Mae'n fomentwm anorchfygol.

Diweddglo

Pan oedd yn hen ŵr, adroddodd Syr Thomas Parry-Williams hanes am sgwrs a gawsai gyda fy nhad yn 1957. Bu i'r ddau ohonynt gyfarfod yn Stryd Fawr Aberystwyth. Cyfarchasant ei gilydd fel yr hen gyfeillion ag oeddynt. Gofynnodd Syr Thomas i Nhad sut yr oedd yn teimlo. Atebodd yntau, 'Rwy'n bur dda, diolch, er fy mod i'n bedwar ugain heddiw,' cyn ychwanegu gyda gwên, 'does dim dam sens yn y peth.'

Cyfeirio yr oedd fy nhad, yn amlwg, at y ffordd y bu i'r flynyddoedd garlamu heibio. A minnau'n ysgrifennu'r geiriau hyn o fewn wythnosau i'r un oed, deallaf ymadrodd y salmydd, 'Treuliasom ein blynyddoedd fel chwedl' a hefyd yr adnod yn Llyfr Job sy'n cyffelybu treigl bywyd i wibiad 'gwennol y gwehydd'.

Gofynnaf i mi fy hun yn aml, sut y rhuthrodd heibio yr hanner canrif y bu i Alwen a minnau dreulio gyda'n gilydd. Yr oedd yn olau, yn gysur ac yn ysbrydoliaeth i mi ym mhob rhan o'm bywyd. Ni ddeuthum ar draws neb a oedd mor llawn o serch anhunanol ac o rinwedd mor wylaidd a diffuant.

Mawr yw'r bwlch a edy ar ei hôl; eto, fe gofiaf yn aml yr hyn a ddywedodd lawer gwaith yn ystod ei blynyddoedd olaf: 'Nid bedd yw diwedd y daith.' Gwn fod yr enaid yn goroesi angau.

Wrth feddwl am fy nyled anfesuradwy i Alwen, rwyf beunydd yn f'atgoffa fy hun o'r caredigrwydd a'r cynhesrwydd enfawr a gefais ar hyd y chwe blynedd diwethaf gan deulu, gan gyfeillion, a chan gymdogion. Buont oll mor wych wrthyf.

Mae fy nyled i'm plant a'u teuluoedd yn aruthrol. Mae Owain a'i wraig, Debbie, yn byw ryw filltir i lawr y ffordd yn y Bow Street a'u haelwyd yn haul o groeso beunydd. Mae Lowri a Daniel, eu plant, hefyd mor ofalus ohonof bob amser. Yn yr un modd mae'r berthynas rhwng Eleri, fy merch, a'i gŵr, Gerard, a'm hwyres, Catrin, a minnau'n un glòs a serchus. Er eu bod yn byw yn swydd Derby tueddwn i sgwrsio ar y ffôn bob dydd.

Ymhlith llawer o garedigion annwyl yr wyf mor ddyledus iddynt fe saif tri theulu allan yn arbennig. Y cyntaf yw David fy nai, sy'n Athro Cyfraith yng Nghorc, a'i wraig, Deirdre, a'u teulu. Yr ail yw fy nghefnder a'm cyfaill John Hefin a'i wraig, Elin. Y trydydd yw'r llenor a'r ysgolhaig Tegwyn Jones a'i wraig, Beti. Bu iddynt oll lwytho haelioni arnaf a bu eu cwmnïaeth yn lleufer drwy lawer awr lwyd.

Cyfrifaf fy mendithion. Yr wyf mor iach ac mor gryf ag y gallai dyn o'm hoed ddisgwyl bod. Fe syrth ambell dasg fach gyhoeddus i mi yn awr ac yn y man. Bu Eglwys y Garn yn aelwyd gynnes i mi er pan oeddwn yn blentyn; ac ar ôl ymddeol o'r fainc y mae Tŷ'r Arglwyddi (yn awr a'r bygythiad i'w ddiddymu wedi ei symud dros dro beth bynnag) yn gyrchfan atyniadol i dynnu blewyn o drwyn gweinidog neu i rannu straeon y dydd gydag ambell 'enaid hoff, cytûn'.

Y mae gennyf bob lle i fod yn llawn diolch.

Hefyd o'r Lolfa:

£9.95

£9.95

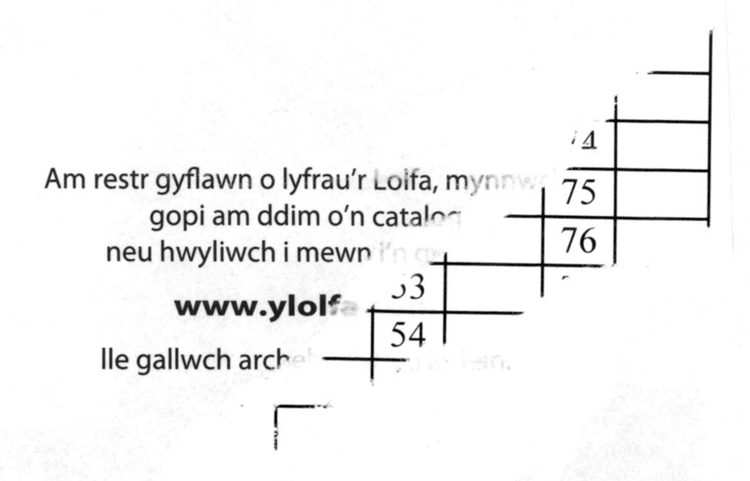

Am restr gyflawn o lyfrau'r Lolfa, myn
gopi am ddim o'n catalo
neu hwyliwch i mewn

www.ylol

lle gallwch arch

Talybont Ceredigion Cymru SY24 5HE
ebost ylolfa@ylolfa.com
gwefan www.ylolfa.com
ffôn 01970 832 304
ffacs 832 782